HET VUUR VAN MARGUERITE

Elizabeth Inness-Brown

Het vuur van Marguerite

Vertaling Guus Houtzager

2003

CARGO

AMSTERDAM

Voor Jan en Michael, en ter nagedachtenis aan Emily Marshall
Monley Ellis en Marguerite McKee

Ik heb geen waardering voor schuwe en teruggetrokken deugd-zaamheid, die ongeoefend en onervaren is, die nooit de con-frontatie met haar tegenstander zoekt, maar wegsluipt uit de wedloop waar de onvergankelijke lauwerkrans te behalen valt, zij het niet zonder vuil en verhit te worden.

– John Milton, *Tractate of Education* (1644)

Ik zie de lente in de winter.

Ik zie de grijze wintertakken en de takken die rood zijn van het sap. Ik zie het sap stromen, ook al stroomt het niet; ik zie de bladerloze twijgen en de bladeren die eruit ontspruiten – de knoppen die groen worden en openbarsten, de bladeren die zich ontvouwen. Door de sneeuw en de bevroren grond heen zie ik de groeiende wortels, de uitlopende zaden. Ik zie het allemaal tegelijk, niet alleen de lente en de winter maar ook de zomer en de herfst, de cellen die verharden, de bladeren die verschieten, vallen en vergaan, de vorst, de dooi, het opstijgende sap, de knoppen en dan weer de bladeren, die groen worden, verdorren en vallen...

Allemaal tegelijk, ik zie het allemaal tegelijk.

De dag in de nacht, de nacht in de dag. De dood in het leven, het leven in de dood.

Het vuur in het ijs.

Als een zaadje lig ik hier op de grond. Als een zaadje slaap ik en ben ik wakker, leef ik en ben ik dood. De kiem leeft in me, maar wacht rustig af in mijn binnenste. De rest van mij is voedsel voor hem – voedsel, vlies, schil, niets meer.

Er daalt iets af, het landt op me en krabt me. Ik open mijn ogen in het donker en zie maar zie ook niet. Wat daar ook staat, het staat daar onrustig te trillen op zijn wankele plekje. Een vrij groot, gewichtloos, onrustig ding. De muffe lucht van veren, van angst; het geluid van een tong in een snavel. Ik zie vogel, niet een bepaalde vogel, geen soort vogel, alleen maar vogel. Vogel, snavel, en onrustig gekrabbel op mijn handpalm.

En op mijn arm. Hij verplaatst zich over de stellage die mijn arm vormt. Hij komt nu dichter bij me, bij mijn middelpunt, bij mijn kiem. Daar is hij nu. Hij is nu boven me.

De snavel is vlug. Het doet geen pijn, maar ik hoor het getik op mijn vlies, dichtbij en scherp, het tikt mijn schil in en vindt zijn weg naar mijn kiem, de zoete kern van mijn leven, het verrukkelijke middelpunt. Met ruwe tong brengt het aan het licht wat het daar vindt: kleine en grote momenten, daden, gevoelens van spijt, vluchtige indrukken, fragmenten. Stukjes kennis: de bloemen van de Oost-Indische kers, de daglelie en het viooltje zijn eet-baar... een geeloranjepurperrode salade. De jongen proeft de bloemblaadjes een voor een en brengt ze naar zijn mond, dat aarzelende maar gulzige schepsel: zijn mond. O, zegt hij. O. Ze zijn een beetje zoet, *zegt hij.* En sommige zijn bitter, net als peper. Maar ik vind ze lekker. *En hij eet.*

De jongen die bloemen at.

Ik hield van hem. Hield van hem zoals zijn moeder van hem zou hebben gehouden, zoals zijn vader van hem had moeten houden; ik hield van hem in hun plaats.

En in ruil daarvoor gaf hij mij mijn leven.

Een

Het vuur was kort voordat hij wakker werd uitgegaan. De lucht in de hut was koud genoeg om hem een koude neus te bezorgen, maar niet koud genoeg om zijn adem zichtbaar te maken. De kachel was, toen hij hem aanraakte, nog even warm als zijn hand.

In de slaapzak had zijn lichaam zijn eigen warmte opgewekt en het ganzendons had die warmte vastgehouden en hem ermee omhuld. Het was goed om te weten dat hij een nacht in de hut kon overleven als hij dat wilde, dat hij zelfs de intense kou van een februarinacht kon overleven. De moeilijkheid was zichzelf te overtuigen de warmte van de slaapzak te verlaten.

Hij deed het door zich de geur van koffie voor te stellen. In het huis liet Tante de koffie doorsijpelen op de kachel en kookte hem met cichorei die de koffie een verbrande smaak gaf en die alleen verdween als hij er suiker doorheen roerde en zijn mok tot de rand met melk vulde. De keuken zou warm zijn, het haardvuur zou sissen en knetteren. Tante zou hem intussen hebben vergeven, zoals hij haar ook al had vergeven. Ze zou eraan toe zijn dat hij terugkwam, ze zou geen woord zeggen, en ze zouden net zo verder leven als altijd. Na vijfendertig jaar, na zijn hele leven en meer dan een derde van het hare, vergaven ze elkaar gemakkelijk en vaak. Het verstrijken van de tijd preste hen ertoe en maakte dat niets anders belangrijk genoeg was om ermee op te houden. Het enige wat je werkelijk hebt is tijd; dat had ze hem geleerd.

Hij kleedde zich in de slaapzak aan, pakte zijn laarzen van onder de zak waar hij ze warm had gehouden, klom eruit en trok ze aan. Hij opende de kacheldeur, pookte de as om en vergewiste zich ervan dat het vuur uit was. Hij rolde de slaapzak op, deed hem in scheurvrij plastic, deed hem in nog meer plastic en legde hem in de kast ter bescherming tegen muizen en eekhoorns. Hij legde een zeil over het veldbed om het stof- en keutelvrij te houden. Hij liet zijn blik door de ruimte gaan. Hij haalde zijn jas van de haak en deed hem aan, trok zijn muts diep over zijn ogen, wikkelde de sjaal om zijn nek en kin, stak zijn handen in zijn handschoenen en liep de deur uit de kou in.

Het was het eerste ochtendlicht, een winterse morgenstond. Als hij de tijd had genomen om de richel te beklimmen, dan had hij de warme gloed van de zonsopgang boven de horizon kunnen zien. Maar hier op de westelijke helling was het licht kleurloos en vlak. Zijn voetstappen spleten de ijzige lucht open. Te oordelen naar de manier waarop zijn adem bleef hangen was de temperatuur ver onder nul.

De bomen stonden schijnbaar roerloos om hem heen. Ze leken bijna dood, zoals de bomen op het toneel bij een middelbareschooluitvoering. Zijn schooluitvoering. Omdat hij handig was met hout, een truck had en een spijker recht in een stuk hout kon slaan, was hem gevraagd het decor te ontwerpen. Hij had een heel woud van bomen gemaakt en daarmee de zomer in de saaie aula gebracht. Op alledrie de avonden had hij de droom ververst met pas omgehakte jonge boompjes, waarvan de bladeren groen werden gehouden door de vochtige aarde waarin ze stonden. Maar hoe sterk de illusie ook was, voor hem hadden de bomen dood geleken. Hij kon direct zien of een boom leefde, en die bomen hadden er dood uitgezien, nog doder zelfs dan deze bomen midden in de winter leken.

De eerste helling die van de hut naar het huis omlaag liep was glad, met een dun laagje sneeuw over de bladeren. Hij stak zijn handen naar voren naar de bomen en greep hun brosse takken vast om zich in evenwicht te houden. Twijgen braken in zijn handen af. Als hij inademde bevroren zijn neusgaten, als hij uitademde ontdooiden ze weer. De lucht voelde rauw tegen zijn wangen en lippen.

Toen de helling minder steil werd, ging hij wat minder

behoedzaam lopen. In de winter kon je diep de bossen in kijken. Hij keek naar wat hij kon zien, naar wat er was, zonder naar iets speciaals te zoeken. Soms betrapte je argeloze herten die jonge bomen van hun schors ontdeden, of ontwaarde je spechten nadat je ze eerst had gehoord terwijl ze in oude bomen boorden op zoek naar bevroren insecten. Hij had geen haast; hij hoefde nergens te zijn en had geen andere taak dan zichzelf en Tante warm te houden. Hij hield van dat aspect van het timmermansvak in de winter; hij hield van dat aspect van de winter zelf. De manier waarop alles vertraagde en waarop alles elementair werd. Niets was van belang, behalve warm blijven.

Het pad werd breder. Dit was de oude weg naar de steengroeve. Hij kwam op het punt waar de weg linksaf sloeg naar de lager gelegen groeve, die zo'n achthonderd meter terug verscholen lag. Heuvelaf was de weg nog open; hij hield hem met zijn truck in die staat, om het gemakkelijk te maken brandhout naar beneden te brengen. Maar in de richting van de steengroeve was de weg alleen herkenbaar aan de plantengroei die er jonger en dikker was dan in de rest van het bos. De meeste mensen zou het niet zijn opgevallen.

Er weerklonk een geronk, eerst zacht en veraf, vervolgens luider. Er vloog een eenmotorig vliegtuig over, vlak onder de laaghangende bewolking.

Hij keek naar links, de overwoekerde weg op, en zag iets. Iets roods tegen iets wits. Hij negeerde het bijna. Maar de glans van het rood was fris en helder, en de gedachte dat er misschien een gewond, bloedend dier lag deed hem enkele passen het bos inlopen.

Hij bleef wachten totdat tot hem doordrong wat hij zag. Maar zelfs toen hij de rode rozenknopjes op het witte flanel herkende, zelfs toen hij wist wat ze waren, weigerde zijn geest te begrijpen wat hij zag en verzon hij in plaats daarvan andere redenen waarom Tantes nachtpon daar in het bos lag. De wind, een wilde hond, vogels. Iets had de nachtpon van de waslijn gehaald, hem hierheen gesleept en hem hier laten liggen. Een aantal minuten accepteerde zijn geest niet wat er verder nog was, accepteerde hij alleen de nachtpon te midden van enkele vreemd gevormde en gekleurde rotsen. Rotsen die wit zagen van de rijp. Rotsen die een gezicht nabootsten, rotsen met de vorm van vingers, een kuit, een voet.

Toen vielen de puzzelstukjes in elkaar en zag hij het volledige beeld. Tante. Het ene been gebogen onder haar, de andere voet bloot. Haar romp verdraaid. Haar arm over haar ogen geslagen zodat hij niet kon zien of ze open waren. De mouw van de nachtpon weggeschoven, haar arm ontbloot: het web van blauwe aderen, het losse vlees, de botten van haar arm van de pols tot de elleboog, de hand met maar vier vingers. De nachtpon schoon en wit afstekend tegen de grond. Als verse sneeuw waar rozen rood en levendig vanaf sprongen.

Hij zat naast haar op de grond. Probeerde niet naar haar te kijken. Trok een van zijn handschoenen uit en bracht zijn hand naar haar toe. Waar zijn vinger haar aanraakte, smolt een ovaal op haar hand. Maar het vlees was koud, niet warmer dan de grond waarop ze lag.

Hij wilde haar in zijn armen nemen, haar tegen zich aan houden. Haar verwarmen. Haar weer leven inblazen. Maar hij kon het niet.

Toen hij voelde hoe zijn eigen hand bevroor, stond hij weer op, trok zijn handschoen weer aan en hurkte neer om zijn armen onder haar te brengen. Het was alsof hij brandhout optilde. Ze was een stijf, lomp lijk.

Hij bewoog voorzichtig om bomen te vermijden en te voorkomen dat ze er tegenaan sloeg met haar gestrekte arm of haar voet. Meer dan eens gleed hij uit en viel hij bijna. Hij keek niet omlaag naar haar oude gezicht, bang voor wat hij zou zien.

Hij bracht haar terug naar de hut, het dichtstbijzijnde van de twee gebouwen; hij bracht haar naar zijn bed. Daar verwijderde hij het zeil en legde haar hoofd op het kussen waarop, nog geen uur eerder, het zijne had gerust.

Het bureau van de sheriff bevond zich in een nieuw bakstenen gebouw, waar ook het postkantoor en een videotheek waren gevestigd. Een vlag klapperde tegen een vlaggenstok die in een betonnen ring op het parkeerterrein was neergeplant. Tussen twee witte lijnen glansde een zwarte auto. Verder was het terrein leeg.

Wanneer je het glazen portiek betrad, was het alsof je een luchtsluis of een stralingsbad in een sciencefictionfilm in stapte. Ergens ging een apparaat vreselijk tekeer: het vulde het vertrek met hete lucht, als bufferzone tussen de kou buiten en de warmte binnen. Een plek om bezoekers voor te verwarmen, zodat ze de kou niet mee naar binnen zouden nemen.

In deze ruimte, net tegenover een handgeschreven bord met de tekst VERBODEN TE ROKEN, stond een vrouw een sigaret te roken. Ze stond gebogen en was ingepakt in een dikke winterjas. Haar haren en een deel van haar gezicht werden verborgen door een muts. James sprak haar aan. 'Koud buiten,' zei hij. Meer dan twee samenhangende woorden kon hij niet uitbrengen. Ze knikte alleen en inhaleerde nog eens diep, terwijl ze naar het parkeerterrein keek alsof ze iemand anders verwachtte.

Hij liep in twee passen door de ruimte heen. Hij opende de binnendeur. Hij stapte de hal met zijn glanzende linoleumvloer in. Hij vond de deur met het bordje COUNTY SHERIFF. Hij opende hem. Ging naar binnen.

Het bureau van de sheriff had muren die pas groen geschilderd waren. Er hingen geen gordijnen voor de brede ramen, die uitkeken op het parkeerterrein; de jaloezieën waren opgetrokken. Achter een lange balie zat een andere vrouw aan een bureau in een glossy tijdschrift te bladeren. Ze was niet in uniform. Hij kende haar niet, maar ze kwam hem bekend voor, ongeveer net zo bekend als de vrouw in het portiek.

Hij was lang niet op het bureau van de sheriff geweest. Er was veel veranderd. Het bureau van de vrouw was gestroomlijnd en modern, U-vormig. Achter haar glansde het blauwe scherm van een computer, waarop rode en gele visjes rondzwommen. Of vogeltjes. Hij zag het niet precies.

James schraapte zijn keel; de vrouw sloeg een bladzij om. James dacht grasmaaiers of andere vuurrode machines te zien. Tractoren. Hij dacht aan een catalogus voor boerderijbenodigdheden. 'Kan ik u helpen?' vroeg ze zonder op te kijken.

'Is de sheriff er?'

'Nee,' zei ze, en nu keek ze op. 'O,' zei ze, alsof ze hem kende of geschrokken was van zijn aanblik. 'Zou ik u kunnen helpen?' Ze formuleerde de vraag opnieuw alsof hij nu een andere betekenis had.

Hij durfde niet goed te spreken, onzeker over hoe hij zich moest uitdrukken. 'Er is een dode,' zei hij.

De vrouw glimlachte. 'Ja, hoor,' zei ze. Ze bleef hem glimlachend aankijken, alsof ze op iets wachtte. Toen hij niets meer zei, liet ze een lachje weerklinken. 'Moord, zelfmoord of een ongeluk? Het is tegenwoordig moeilijk te zeggen, hè? Het lijkt of ze zomaar de weg op springen. Ik heb gisteren nog twee wasberen aangereden. En mijn oom heeft een eland aangereden, op het vasteland. Zijn truck was total loss.'

James schudde zijn hoofd. 'Nee,' zei hij.

Met een vinger tussen de bladzijden sloeg de vrouw de catalogus dicht, draaide haar stoel naar links en stond op. Haar kleding deed hem zonderling aan voor een vrouw die op een bureau van een sheriff werkte: een lange witte trui op een zwarte broek, en glanzende zwarte schoenen die tegen de vloer tikten. Haar blonde haar was zo kort dat haar oren zichtbaar waren; haar oorbellen waren zilveren vogeltjes die aan kettinkjes hingen en tegen haar hals aan bungelden. Ze zag eruit als iemand die in een warenhuis werkte. 'Wat is er gebeurd?' vroeg ze, terwijl ze naar hem toe kwam, met de catalogus nog in haar hand en een nieuwsgierige uitdrukking op haar gezicht.

'Ik weet het niet precies,' zei hij.

Ze stond nu een armlengte van hem verwijderd, met alleen de toonbank tussen hen in. 'Wie is er dood?' vroeg ze.

'Tante.' Hij sprak het woord achteloos op zijn Frans uit, zonder zich zorgen te maken of zij het zou begrijpen. Ze begreep het.

'Uw tante?'

'Mijn voogd.'

De wenkbrauwen van de vrouw gingen omhoog en weer omlaag. James was te oud om nog een voogd te hebben. 'Ze heeft me grootgebracht,' zei James.

De vrouw knikte begrijpend. 'Hoe oud was ze?' vroeg ze.

Hij dacht na. 'Vierennegentig.'

'O.' De vrouw legde haar hand op zijn arm. Het gebaar was medelevend, maar hij kon haar hand niet door de mouw van zijn jack heen voelen.

Ze bukte zich achter de balie. Hij hoorde ritselende geluiden, en toen kwam ze weer te voorschijn met een formulier in haar hand dat ze op de balie deponeerde, waarna ze de catalogus er ondersteboven naast legde. Ze haalde een pen uit de verzameling pennen in een mok op de balie en hield hem boven het formulier alsof ze op het punt stond te gaan schrijven.

'Ik weet het niet precies,' zei hij opnieuw.

'Wat niet precies?' vroeg ze. 'Weet u niet precies of ze wel dood is?' Ze wendde haar blik van hem af naar de telefoon. 'Moeten we...'

Hij schudde zijn hoofd. 'Niet precies wat er gebeurd is.' Hij keek neer op de bovenkant van het hoofd van de vrouw; de scheiding in haar haren was kaarsrecht en even wit als haar trui.

'Het is goed,' zei ze, en haar stem klonk nog steeds vriendelijk. 'Daar is hier rekening mee gehouden.' Ze klikte de punt uit de pen en wees naar een regel op het formulier. 'Ik vul het wel in,' zei ze.

'Nee,' zei hij. 'Laat mij het maar doen.'

'Weet u het zeker?' vroeg ze. Hij knikte, nam de pen uit haar hand en draaide het formulier zodat het naar hem toegekeerd lag.

De eerste regel vroeg om een naam. Marguerite Anne Bernadette-Marie Deo, schreef hij. Hij las verder. Geboortedatum. Adres, beroep. Omstandigheden waaronder het lichaam was aangetroffen. Hij hield op met lezen en luisterde naar wat de vrouw zei.

'De sheriff is weg naar een oproep, maar u kunt hier wachten. Zo gauw hij terugkomt zal hij de lijkschouwer bellen.' Ze had haar blik op hem gevestigd en sprak op zachte toon, alsof ze hem iets vertrouwelijks meedeelde. 'Ze zullen sectie moeten verrichten,' zei ze. 'Altijd als er onduidelijkheden bestaan over de omstandigheden...'

Vrouwen in badpakken. Op het omslag van de catalogus stonden vrouwen in badpakken. Geen grasmaaiers, geen tractoren, maar vrouwen met blote benen en armen, schouders, knokige lijfjes, vlezige heupen. Vlees en botten. Geen machines. Hoe kon hij die fout hebben gemaakt? Vlees en botten. De voet heeft zevenentwintig botten, de hand achtentwintig, tenzij er een vinger ontbreekt. Samen bevatten de handen en voeten meer dan de helft van alle botten in het menselijk lichaam. Iemands voeten zijn even herkenbaar als haar gezicht, als je ze eenmaal hebt leren kennen.

Toen Tante ziek was, stuurde het ziekenhuis een fles met melkachtige lotion. De verpleegster droeg hem op Tantes voeten te masseren om de bloedsomloop op gang te houden tijdens haar herstel. De eerste keer dat hij een van haar lange, knokige voeten in zijn handen hield terwijl hij de lotion inwreef, dacht hij: wat voor bescherming biedt deze huid? Zo zacht dat een nagel hem kan beschadigen. Als een bloemblaadje, als de schil van een rijpe peer. Hij drukte zijn duimen in de holte van haar voet; hij wreef elke teen tussen zijn vingers. Tante zweeg, haar ogen waren toegeknepen. Ze geneerde zich, dacht hij. Ze schaamde zich. Of ze leed pijn. Er kwamen tranen in haar ooghoeken. 'Doe ik u pijn?' vroeg hij. Ze opende haar ogen en glimlachte. 'Nee,' zei ze. 'Het is heerlijk.'

Heerlijk. Hij kon zich niet herinneren haar dat woord ooit eerder te hebben horen gebruiken.

Het voelde vreemd om haar aan te raken. Als jongetje had hij aan haar gehangen, maar toen hij groter werd had hij zich teruggetrokken, overhellend als een vederesdoorn om uit haar schaduw en in het zonlicht te komen. Pas tijdens die lange periode van haar herstel was hij gaan beseffen hoe zelden ze elkaar als volwassenen hadden aangeraakt. Tijdens haar ziekte baadde hij haar en kleedde hij haar aan, voerde hij haar, trok hij de deken op tot onder haar kin en stopte haar in. Hij wreef lotion op haar voeten, aandachtig als een minnaar en voorzichtig als een vader.

Hij herinnerde zich wat ze had gezegd op het moment dat ze in het ziekenhuis wakker werd, toen ze eindelijk ontwaakte uit de verwarde dementie die gepaard was gegaan met haar longontsteking. 'Hoe kon je me hiernaartoe laten brengen?' Ze had toen ook tranen in haar ogen gehad. 'Ik laat niet toe dat ze aan me komen. Dat laat ik niet toe.'

Hij vertelde haar dat ze geen keus had, als ze wilde blijven leven.

Had hij nu een keus?

Ja. Hij zou handelen zoals zij het had gewild, zoals zij hem had gezegd te handelen. Eén laatste daad van gehoorzaamheid.

James vouwde het formulier één, twee, drie keer op en stak het in zijn borstzak. 'Ik kom nog terug,' zei hij en zette de pen in de mok. De vrouw keek geschrokken. De zilveren vogeltjes vlogen tegen haar hals aan. 'Wacht!' zei ze. Ze strekte haar hand weer naar hem uit. 'Wacht!' herhaalde ze. Misschien noemde ze zijn naam; hij was er niet zeker van.

Maar hij liep de deur uit en de luchtsluis in, langs de rokende vrouw. En toen reed hij weer in de truck.

Vroegste herinnering. Hij liep langs de weg, met zijn hand in de hand van zijn moeder. Het was hoogzomer. Het bos was rijk aan bladeren, het groen was dicht. Hij moest drie zijn geweest. Hij vond het prettig dat zijn moeders hand de zijne omsloot. Ze bleef tussen hem en de weg in lopen. Als er een auto passeerde, werd haar greep op hem sterker. Telkens wanneer er een auto passeerde, ontstond er een windvlaagje dat om hem heen wervelde; het stof prikte in zijn ogen.

Toen ze de bocht om waren, wilde hij rennen, maar de hand van zijn moeder liet hem niet los. Op de veranda van het grote stenen huis zat Tante schommelend op de groene stoel naar hem uit te kijken. Ze was zelfs toen al oud, maar in zijn herinnering leek ze jong. Ze stond niet op toen ze hem zag, maar hij zag dat ze hem zag en hij zag de kleine glimlach op haar vertrouwde gezicht. In een oogwenk staken zijn moeder en hij de weg over, en daar stond hij met zijn handen op Tantes knieën terwijl de vrouwen een paar woorden wisselden. Toen kuste zijn moeder hem op zijn hoofd en was verdwenen.

'Ik heb een verrassing voor je,' zei Tante.

Toen pakte ze zijn hand. Haar hand voelde anders dan die van zijn moeder, groter, ruwer en harder, maar hij stelde er eenzelfde vertrouwen in. Ze gingen de trap af en liepen naar de zijtuin, waar de hoge bomen groeiden. De hele zomer had hij onder die bomen gespeeld, omhoog kijkend naar hun glanzende bladeren. Tante noemde de bomen 'eikers', zo klonk het hem tenminste in de oren.

Hij zag nu wat ze had gedaan. Langs de stam van een van de bomen liep een ladder, met sporten en balken, en in de boom was iets waar je naartoe kon klimmen. Hij keek tegen de vloer ervan aan en kon tussen de bladeren een glimp opvangen van de muren en het dak. 'Ga je gang, klim maar naar boven,' zei Tante tegen hem. Hij rende naar de boom, pakte de balk vast, zette zijn voet op de eerste sport en keek om. Tante stond vlak achter hem. Hij klom.

Ze lunchten samen in de boom, hoog boven de grond.

Ze had geen pink meer aan haar linkerhand. Die dag in de boom vertelde ze hem een verhaal over grote hagedissen die ze 'gators' noemde in een nat gebied dat een bayou heette in een gebied dat zij 'Loeziana' noemde. Ze vertelde hoe ze, toen ze nog een jong en dom meisje was, op een dag door de bayou had gezworven om, zoals ze zei, 'te proberen te verdwalen'. Ze was gestuit op een 'gator' die zo groot was als een boomstam – ze had zelfs gedacht dat hij een boomstam was en al een stap over hem heen gezet toen hij zich omdraaide en op zijn rug naar haar voeten hapte. Ze viel in het water en lag daar oog in oog met het reptiel. 'Eet me alsjeblieft niet op,' zei ze. 'Hmmf,' zei hij. 'Wat zou ik nu voor een "gator" zijn als ik jou niet opat?'

'Maar ik ben van binnen heel bitter,' zei ze, 'ik ben niet eetbaar.' 'Dat verhaaltje heb ik al eens van anderen gehoord,' zei de 'gator', 'maar die logen.' Hij lachte een brede lach, en zijn grote tanden waren als witte dolken in de zon. 'Waarom zou ik jou wel geloven?' vroeg hij. 'Proef me maar,' zei ze, en ze stak haar allerkleinste vinger uit.

'Tante,' vroeg hij toen het verhaal uit was, 'waarom bent u bitter van binnen?'

'Dat kan ik niet zeggen,' zei ze.

'En bent u verdwaald?' vroeg hij.

Toen glimlachte ze. 'Uiteindelijk wel,' zei ze. 'Maar die dag niet.'

James had haar het verhaal daarna nog menigmaal laten vertellen, maar die eerste keer was zijn vroegste duidelijke herinnering aan haar. Hij riep zich die nu voor de geest, terwijl hij met de truck het dorp in reed.

Het was een heldere ochtend. Er was sinds de dooi van januari weinig sneeuw gevallen, en wat er nog van december over was, was of korstig en glinsterend waar de zon erop viel, of zwart van het roet alsof de sneeuw verbrand was. Wolkenstrepen schoven door een melkblauwe lucht maar waren niet van invloed op de zon. In dit licht leek de stad te zijn gekrompen, de gebouwen leken op in de loop der jaren verzamelde snuisterijtjes, langs de weg neergesmeten. Er bewoog niets behalve een paar auto's en wat schoorsteenrook die verleidelijk naar boven kringelde.

De vrouw in het portiek van de sheriff. Als een vrouw rookt als een schoorsteen, kan een schoorsteen dan ook roken als een vrouw?

Hij had honger. Hij had nog niet gegeten, hij moest niet aan eten denken, maar wist dat hij weer zou eten. De mensen zeiden dat het leven doorging; en dat was zo. Hij reed het parkeerterrein van het eettentje aan de rand van het dorp op. Het was een oude zaak, waarvan het vervallen casco was opgekocht en gerenoveerd. Hij had oorspronkelijk ergens in het zuiden gestaan en was hierheen vervoerd. In de plaatselijke

21

krant was dat een jaar of zes geleden groot nieuws. De eigenaar had vergunningen moeten krijgen van alle staten waar hij doorheen gekomen was. In de krant stond hoe breed de lading was geweest, en hoe lang. Op de dag dat het gebouw was aangekomen, waren de dorpelingen toegestroomd om te zien hoe het op zijn fundament werd gezet. Toen de zaak eenmaal op zijn plaats stond tussen de oude esdoorns was het net of hij er altijd had gestaan, en 's zomers liep hij vol met lichtgelovige toeristen die op zoek waren naar authentieke sferen en wilden proeven van het verleden, van flensjes waarvan ze dachten dat ze helemaal zelfgemaakt waren en van ahornstroop waarvan ze dachten dat hij uit de grote bomen afkomstig was.

's Winters eigenden de dorpelingen zich de zaak toe. Deze ochtend was het er op drie eenzame klanten na stil en leeg. Een man in een boerenoverall zat aan de bar, en een man met een wit overhemd en een vrouw zaten in afzonderlijke compartimenten. Van niemand was het gezicht te zien. James liet zich in een met rood kunstleer bekleed compartiment glijden, en een serveerster in een wit uniform en een blauw schortje bracht hem een geplastificeerde menukaart. Er was een hele pagina met ontbijtgerechten. 'Koffie,' zei James, en de serveerster nam met een uitdrukkingsloos gezicht het menu terug. 'En geroosterd brood,' zei hij. 'Met heel veel boter.' Ze schonk hem een verwrongen lachje en maakte een notitie op haar schrijfblok.

Gisteren had Tante zijn ontbijt klaargemaakt, de kachel aangemaakt en koffie gezet terwijl er nieuws en muziek uit de transistorradio op de vensterbank knerpte. Zo had het vandaag ook moeten zijn. Toen hij uit de hut terugkwam en door de achterdeur naar binnen ging, had ze zich naar hem toe moeten keren met de woorden: 'De zon op zien komen?' Ze had zijn bord op tafel moeten zetten, en wanneer de geroosterde boterhammen kwamen hadden het dikke sneden van haar brood moeten zijn, besmeerd met snel smeltende boter, en daarnaast de mok met koffie met veel suiker. De ruzie van afgelopen nacht vergeven en vergeten zonder dat er een woord aan te pas was gekomen.

Maar in plaats daarvan had hij haar vanmorgen dood in de hut achtergelaten. En toen hij in het huis kwam had hij de buitendeur en de deur van de bijkeuken halfopen aangetroffen. De kachel was uit, het huis was ijskoud en leeg. Hij had de deuren gesloten en een ogenblik staan luisteren naar het stille huis, denkend aan Tante die in zijn koude bed in het bos lag. Naast de gootsteen stonden hun twee mokken, door haar afgewassen, ondersteboven op de afdruipplaat. Hij was vijf geweest toen ze hem had geleerd geroosterde boterhammen in stukken te scheuren en ze in de koffie te soppen. De ochtend was voor hem synoniem geworden met beboterd geroosterd brood en koffie met veel suiker in de mok die in zijn hand paste. Was zijn hand gegroeid zodat hij om de mok paste, of had de mok altijd gepast? Dat kwam op hetzelfde neer als de vraag of Tante op de wereld was gekomen om voor hem te zorgen of hij om voor haar te zorgen. De mok had altijd in zijn hand gepast. Hij trok een van zijn handschoenen uit en raakte de mok aan; hij was ijskoud.

Gisteravond hadden ze thee gedronken en rummy gespeeld. Met de tweeën en jokers als vrije kaarten. Tante spaarde de vrije kaarten op wanneer het haar beurt was om te kiezen. Dan bracht ze haar kaarten dicht naar haar ogen toe, meer om ze te kunnen zien dan om ze voor hem te verbergen. Ze speelden met een oud spel pokerkaarten, dezelfde kaarten waarmee ze al speelden toen hij nog klein was. Door haar vingers heen kon hij de achterkant van een kaart zien, met de blauwe ets van twee opspringende, geketende buldoggen, en hij kon bijna het bijschrift eronder lezen: 'Er is een band die ons aan Huis bindt.' Dat *Huis*, met die hoofdletter H, waardoor een doodgewoon woord veranderde in een kasteel met torens. Er is een band die ons bindt, op dezelfde manier waarop de beide I's in de H door het tussenliggende dwarsbalkje met elkaar waren verbonden. Wat zij hem had leren zien.

Op de schoorsteenmantel (ze hadden in de voorkamer gezeten, waar ze altijd speelden, aan de grote houten tafel), gingen de koperen bollen van de jaarpendule heen en weer, in nabootsing van de planeten die rond de zon wentelden, zonder ooit een omwenteling te voltooien voordat ze aan een volgende begonnen. Terwijl hij naar ze keek, dacht hij aan vrouwen-schouders, aan de manier waarop de ontblote, ronde schouders van een vrouw zich konden afwenden, waarbij haar ogen mee-draaiden. De vier draaiende bollen weerspiegelden, twee paar de ene kant uit, twee paar de andere kant uit, en lieten frag-mentjes lamplicht in stilte langs de muren heen en weer glijden. De kachel stond laag, maar was gloeiend heet en beschilderde tezamen met de twee lampen aan weerskanten van de canapé de kamer ongelijkmatig met licht en schaduw. De muren waren donker door het roet en de hars van vele jaren.

'Deze kamer heeft een verfje nodig,' had hij tegen haar gezegd, terwijl hij wachtte tot zij haar beurt zou spelen.

'Doe dat maar als ik er niet meer ben,' had ze geantwoord, zonder haar blik van de kaarten af te wenden.

Dat zei ze altijd. Het betekende alleen dat ze niet meer hield van de verflucht, van de rommel, van veranderingen en versto-ringen, en dat ze haar tijd niet op die manier wilde verspillen. Niets: het betekende niets. Nu hij het zich herinnerde, moest hij dat wel geloven. Ze kon niet hebben geweten hoe dichtbij de dood was.

Tenzij ze daarom achter hem aan was gekomen.

Nu, in het eettentje, bracht de serveerster hem een kop en schotel. 'Het geroosterd brood komt eraan,' zei ze, en ze stort-te een handvol plastic cupjes met koffieroom op de tafel. Hij roerde twee cupjes room en twee suikerklontjes door de koffie. Hij nipte eraan. Koffie zonder Tantes cichorei had voor hem geen smaak, dat had hij nooit gehad.

Hij probeerde de krant te lezen die hij op zijn stoel had aan-getroffen, maar kwam niet verder dan de koppen. Hij staarde uit het raam.

Aan de overkant van de straat stond de oude Anglicaanse kerk die twee jaar geleden aan een bank was verkocht. Omdat de kerk tot monument was uitgeroepen, had de bank de toren en de glas-in-loodramen intact moeten houden: een veld met witte lelies, een gouden brug over een blauwe rivier. Beelden van een hemel op aarde die even gemakkelijk kon worden gekocht als verdiend. Precies goed voor een bank – geen Jezus of Maria. De kruisen hadden ze eraf mogen halen.

Ernaast, in een nieuw gebouw dat oud moest lijken, zat een antiekzaak. Er was beplating van vinyl aangebracht om houten dakspanen na te bootsen, het dak was niet recht en de ramen waren onregelmatig geplaatst. Terwijl James toekeek, ging de voordeur open en kwam er een vrouw in een parka met capuchon naar buiten. Ze liep naar de kant van de straat en zette er een reclamebord neer met de hoofdletter A van de zijkant naar hem toegekeerd. Ze plaatste het zo dat automobilisten het van de weg af konden lezen. Maar hij wist wat erop stond. OPEN. ANTIEK. VANDAAG UITVERKOOP. Er was elke dag 'vandaag uitverkoop'.

Een auto reed voor het bord langs het parkeerterrein van het eettentje op. James keek er niet echt naar, maar richtte zijn blik erop. Het was een blauwwitte auto met een embleem op de zijkant. Een man met een grijze gebreide muts en een zonnebril op stapte uit. Hij bekeek James' truck aandachtig en kwam toen binnen, met een vlaag koude lucht om zich heen.

'Morgen, Mona,' zei de man met een knikje tegen de serveerster. 'Ha, sheriff,' groette ze hem terug. Vervolgens kwam de sheriff naar James' compartiment, trok zijn handschoenen uit en stopte ze in zijn zak, trok zijn jas uit en hing hem aan de kapstok, zette zijn muts af en propte hem naast de handschoenen, en nam plaats tegenover James, alsof ze steeds al van plan waren geweest elkaar daar te treffen.

'Morgen, James Jack,' zei hij.

James knikte.

De serveerster bracht de sheriff een menukaart. Hij wimpelde hem af met de woorden: 'Koffie en een zemelmuffin,' en zij vertrok weer.

De sheriff droeg een keurig gestreken marineblauw overhemd met epauletten en geplisseerde zakken, en een marineblauwe stropdas. Links op zijn borst prijkte een insigne. Zijn gezicht was, met uitzondering van de kraaienpootjes rond zijn ogen, nog jong, en afgezien van het feit dat zijn door de statische lading van zijn muts rechtovereind staande haar wit was, zag hij er nog precies zo uit als hij er altijd had uitgezien. Hij was al heel lang sheriff, en was daarvoor hulpsheriff geweest. Hij kende James al heel lang, en James kende hem. En de sheriff kende Tante. Dat was, meer dan wat ook, de reden geweest waarom James naar zijn bureau was gereden. Om het iemand te vertellen die haar kende. Om iemand te zíen die het wat kon schelen.

De sheriff vouwde zijn handen op de tafel. 'Ik begrijp dat je vanmorgen op het bureau bent geweest.'

James knikte en nipte van zijn koffie.

'Wat is er aan de hand?'

James haalde zijn schouders op. 'Niks.' Niks was wat bij hem opkwam; niks was alles wat hij kon vertellen aan de sheriff, die waarschijnlijk correct en volgens de wet wilde handelen. Dat was zijn werk.

De sheriff zuchtte, en de serveerster bracht het geroosterd brood voor James en de muffin voor de sheriff, waarbij ze de borden op haar onderarm liet balanceren. Ze stortte nog een handjevol cupjes met koffieroom op de tafel, ging weg en kwam terug met de koffiepot. Daarmee vulde ze de kop van de sheriff en vulde ze de kop van James bij. James opende nog een cupje koffieroom en deed de room in zijn koffie. De sheriff deed hetzelfde en nam een slok.

'Alles in orde thuis?' vroeg de sheriff.

James roerde nog een suikerklontje door zijn koffie, pakte een driehoekje geroosterd brood en sopte het. Met gesloten ogen nam hij de eerste hap. Boter, suiker en koffie vermengden zich in zijn mond. Een ogenblik lang hoorde hij Tante bij de gootsteen, bezig met de ochtendafwas. En toen hij zijn ogen opende, dacht hij haar aan de overkant van de ruimte te zien staan, naar hem kijkend. Maar nee, het was de serveerster – met een lap in haar hand veegde ze de bar schoon, met haar blik op hem gevestigd.

'De dood is iets moeilijks,' zei de sheriff, en hij scheurde het papier van zijn muffin. 'Je weet dat mijn vrouw is overleden?'

James knikte en zei: 'Ik vond het vreselijk om dat te horen.' Omdat het zo hoorde om dat te zeggen, en omdat de sheriff vaak aardig voor hem was geweest, al maakte die aardigheid soms een niet helemaal oprechte indruk.

De sheriff knikte. 'Ruim een jaar geleden.' Hij nipte van zijn koffie. 'Het is bijzonder zwaar als je alleen bent, zoals jij. De dood, bedoel ik. Wil je dat ik met je mee naar huis ga?'

Als u met me mee naar huis gaat, overwoog James te zeggen, laat u me dan doen wat ik moet doen? Maar hij wist wat er zou gebeuren als hij dat vroeg.

En dus vroeg hij het niet. Hij zei niets. Het geroosterd brood was koud, de koffie werd koud; hij voelde zich beroerd en had geen honger. Het eettentje met zijn compartimenten, krukken en bar kwam hem klein voor – benauwd, heet. Hij had zin om de sheriff een klap te geven of te huilen. Hij moest naar buiten, hij moest weg. 'Er is niemand dood,' zei hij opeens, de sheriff aankijkend met iets wat op een lachje moest lijken. 'Het was een grap. Zomaar een grap. Het gaat prima met ons allemaal.'

De sheriff keek hem lang aan. Zijn gezichtsuitdrukking veranderde als het weer, van medelijdend naar verward naar boos. Hij stond op en veegde de kruimels van zijn vingers. 'James Jack,' zei hij, 'als dit een grap is, is hij niet leuk. En als het geen grap is, is het een ernstige zaak. Een heel ernstige zaak.' Hij zette zijn muts op en trok zijn jas en handschoenen aan. Hij stond zo dichtbij dat James zijn nek moest uitrekken om naar hem op te kunnen kijken. 'Ik kom nog langs,' zei de sheriff. 'Daar kun je op rekenen.' Toen was hij weg.

De serveerster kwam met de rekening. 'Ik neem aan dat u voor hem betaalt?' vroeg ze. James knikte en overhandigde haar vijf dollar. 'Laat de rest maar zitten,' zei hij.

Ze aarzelde en vouwde vervolgens het biljet op en stak het in haar zak. 'Een prettige dag nog,' zei ze en ging weer verder met het schoonvegen van tafels.

'Je bent nooit bang geweest voor onweer,' zei Tante tegen hem. 'Je bent nooit ergens bang voor geweest.'

'Nee?'

'Nee.'

'Maar nu ben ik het wel.'

'Ja. Dat heb je op school geleerd.'

Hij herinnerde zich de dag waarop duisternis de grote ramen vulde, de bomen dansten en fel licht de wolken spleet. Hij had gerend om het door het raam te kunnen bekijken. Achter hem gilden een paar meisjes, maar dat was niet wat hem bang maakte. Dat werd hij toen de onderwijzeres hem bij zijn arm pakte en hem wegsleurde, met een hevig verschrikte blik in haar ogen en een boze en tegelijkertijd angstige klank in haar stem. 'Ga zitten!' gilde ze boven het rumoer van de kinderen en het onweer uit terwijl ze hem op zijn stoeltje duwde. Daarna gaf ze hem één harde klap op zijn linkeroor.

De volgende morgen ging Tante met hem mee naar school. Ze bleef in de deuropening staan totdat de onderwijzeres haar zag, van achter haar tafel opstond en naar haar toekwam. Zonder een woord te zeggen, trok Tante haar de gang in. Hij ging naar zijn plaats, ging zitten en haalde zijn leesboek te voorschijn, maar zijn oren volgden de stemmen buiten de deur. Hij hoorde vooral de stem van Tante, laag en rommelend als de donder. Toen de onderwijzeres weer binnenkwam, waren allebei haar oren rood, alsof Tantes toespraak even pijnlijk was geweest voor haar oren als haar hand was geweest voor het zijne.

Dat was zijn tweede herinnering.

Hij reed met de truck naar Keller's Variety Store. Het was er even druk als altijd – met werklieden die er hun lunch kochten, vrouwen die een paar dingen insloegen die ze vergeten waren te kopen in de grote supermarkt op het vasteland, en een oude man die de staatsdrankhoek afsnuffelde op zoek naar drank die hij zich kon veroorloven. Sommige gezichten zagen blauwachtig bleek onder de fluorescerende armaturen, andere waren rood en droog met bloeddoorlopen ogen door de blootstelling aan de winterzon en de wind. Niemand van de aanwezigen kon het zich veroorloven om 's zomers bij Keller te winkelen, wanneer de toeristenprijzen hun uitwerking niet misten.

James pakte een fles rode wijn, legde hem neer en pakte hem weer. Daarna pakte hij een doos crackers en een stuk kaas. Bij de kassa kocht hij twee kraslotten, kraste ze allebei en won niets. Daarna ging hij naar buiten, naar de truck, en reed naar huis. Naar huis. Tantes huis zou nu van hem worden. Daar had hij nooit eerder aan gedacht.

De metalige schittering van de dag was verdwenen; de wolken werden dikker. Het was de hele winter zo droog geweest dat sneeuw even ver weg leek als de bergen die opdoemden toen hij over de heuvel reed. Maar het zou evengoed kunnen gaan sneeuwen. Het zou kunnen. Het leken wel sneeuwwolken die uit het noorden kwamen: grijs, vormeloos, een kudde schimmige olifanten. Ze kwamen aangerukt boven het vlakke witte meer en boven de vissershutjes die in losse groepjes op het ijs verspreid stonden, als mensen die bijeen waren gekomen voor een feestje. Of voor een begrafenis.

Een beetje sneeuw zou goed zijn, als het tenminste later weer opklaarde.

Hij keek in zijn spiegeltje. Er zat niemand achter hem.

Hij sloeg onder aan de heuvel rechtsaf en volgde het meer. De weg was er smal, bochtig en gedeeltelijk verhard, afhankelijk van hoe dicht hij bij het water kwam. De stad had geleerd dat het zinloos was om de strijd met het meer aan te gaan om het recht een weg langs zijn oever te laten lopen. Er waren al te veel dollars gestoken in het verharden, met als enige gevolg dat de ondergrond verder door het meer werd afgekalfd. Hier en daar was oud asfalt nu tot strand geërodeerd, zo afgebrokkeld dat het natuurlijk leek. Hier en daar verdween na dooi en regenval of tijdens een hevige bui de weg onder water. Als je erdoorheen probeerde te rijden, kon je het halen; zo niet, dan moest je omkeren. Op zulke plekken waren het bos en de ondergroei weggeduwd, teruggedreven, om ruimte te maken voor kerende auto's.

Maar het was nu winter, en de weg was in de winter over het algemeen berijdbaar en veilig, mits je oppaste voor schaduwplekken waar de hele dag ijs lag. Dit was niet de route waarlangs James gewoonlijk vanuit de stad naar huis reed; het was makkelijker en sneller om de weg te nemen die midden over het eiland liep. Maar hij wilde de tijd hebben om na te denken, en hij wilde rijden.

Het was geruststellend om in de truck te zitten. Zijn handen pasten om het stuurwiel, zijn lichaam paste in de stoel; de truck klonk en voelde vertrouwd en normaal terwijl hij piepte, kreunde en schokte zoals hij altijd deed. De truck voelde als iets goeds in het kwaad waartoe de ochtend was verworden.

De gedachte kwam bij hem op dat hij zijn hele leven in trucks had gereden en bijna in niets anders. Hij kon zich zelfs maar één personenauto herinneren waarin hij had meegereden. En dat was de wagen van de sheriff, al was het toen een andere auto geweest, was de sheriff toen nog hulpsheriff en was James een kleine jongen geweest. Hij herinnerde zich hoe stoer de politieauto eruit had gezien, met de futuristische verchroomde instrumenten en de mobilofoon waaruit een krassend, gecodeerd geklets had geklonken als de communicatie tussen buitenaardse wezens, zoals in zijn stripboeken.

De hulpsheriff had hem van Tante naar het huis van zijn oudoom gebracht, waar hij meer auto's, trucks en mensen bij elkaar zag dan hij ooit had gezien. Zowel de mannen als de vrouwen droegen zware rubberlaarzen; de grond was modderig van hun afdrukken. Het was een zonnige en warme dag geweest na de koude winter, en de mensen in de voortuin stonden, net als de ganzen op het erf, te snateren en met hun snavels te wijzen, met flapperende open jacks. Toen de hulpsheriff kwam aangereden en stopte, en de mensen zich naar hem toekeerden, voelde James een nieuwe gewichtigheid. De hulpsheriff legde zijn hand op James' schouder en begeleidde hem naar het huis. Er krijste een pauw.

In de keuken zat zijn grootmoeder, met een hevig behuild gezicht en twee forse, zachte vrouwen in huisjurken aan weerskanten van haar. James wist niet wie ze waren, maar hij wist wel dat ze de kop thee hadden gezet die op de tafel stond te dampen en dat ze er waren om zijn grootmoeder bij te staan. Toen James binnenkwam keerden ze zich met tranen in hun ogen naar hem toe. 'Daar is de kleine jongen,' zei een van hen, terwijl ze haar roodachtige hand op de schouder van zijn grootmoeder legde. Zijn grootmoeder keek hem met rode ogen aan alsof ze naar iets keek wat ze was vergeten en wat ze zich niet wilde herinneren. Vervolgens begon ze weer te huilen.

Dat was lang geleden, de dag waarop zijn ouders waren doodgegaan.

Hij remde af voor een ijsplek onder een afgesloten oprijlaan. Het wemelde aan deze kant van de weg van de zomerverblijven, grote nieuwe huizen met zijkanten van gebeitst hout en ramen met uitzicht op het meer aan de voorkant, die uitkeken op het westen, op de bergen en de ondergaande zon. Zomerhuizen voor rijke families en gepensioneerden die nog jong genoeg waren om van hun pensioen te kunnen genieten. Ze lagen een stuk van de weg af en waren net zichtbaar door de bomen. De meesten van deze mensen kende hij bij naam. Hij leefde van hen: door 's winters toezicht op hun huizen te houden en 's zomers de timmermansklussen op te knappen die voor henzelf te groot waren. Maar hij kende ze niet echt, en zij kenden hem niet; ze waren niet met hem bevriend. Ze deden wel alsof – ze zwaaiden 's zomers naar hem als ze langsreden in hun auto's met airco, klopten hem op zijn schouder in de ijzerwinkel en in de supermarkt, en schertsten met hem terwijl ze hun vogelvoer, gloeilampen, wc-papier of bier afrekenden. Maar met hun glimlach zeiden ze: 'Je bent een bofferd dat je hier bent geboren, alleen te dom om te snappen waarom', en hun vriendschap was even oppervlakkig als hun behoeften.

Toen de weg langs de noordkant van het eiland naar het oosten afboog, werden de huizen schaarser en schameler. De ligging was hier niet zo gunstig. Je stond hier vol in de winterwind. Je kreeg hier geen mooie zonsondergang. Aan de waterkant was het moerassig, de bodem was modderig; zo gauw het

31

zomer werd zwermden er muggen rond. Deze laatste problemen waren overkomelijk, maar alleen met een hoop geld, en het geld was nog niet zo ver gekomen. Tussen de weg en het meer waren uit zichzelf wat miezerige cedertjes opgekomen; kattenstaarten staken als uitgedoofde toortsen uit het ijs omhoog.

James remde de truck af en reed met een forse ruk aan het stuur een oprijlaan op die bijna verborgen lag achter de ceders en het kreupelhout dat eromheen was opgeschoten. De caravan stond op een open plek, met de achterkant in het bos, de neus naar het meer gericht, het gekromde ruitje op de voorkant even donker als een zonnebril. James stopte achter de auto die er geparkeerd stond, stapte uit en klopte op de deur. De deur ging open, en hij ging naar binnen.

Faith was zo tenger dat hij, de eerste keer dat hij haar had gezien, had gedacht dat ze een jongen was. Ze zag er nu ook als een jongen uit, in T-shirt en spijkerbroek en met haar rode korte haar. Maar de grote, donzige pantoffels aan haar voeten en haar vrouwelijke mond verrieden haar. Nu zat ze aan de keukentafel, waar kaarten lagen uitgelegd voor een spelletje patience. 'Laat me dit nog even afmaken, goed?' zei ze, geconcentreerd op de kaarten.

James sloot de deur en ging de huiskamer binnen – die eigenlijk gewoon de voorkant van de caravan was, waar tapijt de plaats innam van het linoleum van de keuken – en ging op een plekje zitten waar hij Faith en profil kon bekijken. Ze zat heel rechtop, als een schoolmeisje dat straf heeft gekregen. Op haar gezicht lag een uitdrukking van rustige maar ernstige concentratie, alsof het spelletje werkelijk belangrijk voor haar was. Met geoefende bewegingen trok ze steeds drie kaarten tegelijk uit het spel dat ze in haar hand hield. Toen het geluid van de kaarten veranderde, wist ze dat ze vanaf de onderkant was gaan geven, wat ze altijd deed wanneer ze aan het verliezen was – dat had ze hem verteld. Aan het eind van het spel veegde ze de kaarten tot een slordig hoopje bijeen en liet ze zo op de tafel liggen.

Ze stond op en liep naar hem toe. Haar benen waren een beetje krom; hij merkte dat nu voor het eerst op. Om de een of andere reden bracht het de tranen in zijn ogen die hadden gewacht op iets waardoor ze konden loskomen. Hij wilde zijn hand daar hebben, op het plekje waar haar benen elkaar niet raakten. Hij wilde zijn hand daar nu hebben.

Toen ze bij hem kwam, stak ze haar hand uit alsof ze over zijn voorhoofd wilde strijken, maar ze deed het niet. 'Hé,' zei ze. 'Wat is er aan de hand?'

Hij stak zijn armen uit, zij kwam erin, en hij trok haar naar zich toe en drukte zijn gezicht tegen haar magere borstkas aan. Haar borsten waren klein onder haar T-shirt. Ze liet zich door hem betasten en besnuffelen en liet haar kin op zijn hoofd rusten. 'James,' zei ze, en ze stond op het punt een vraag te stellen. 'Niet praten,' zei hij.

Hij tilde haar van zijn schoot, legde haar op het tapijt en vlijde zich op haar neer. Hij liet zijn hand over haar korte haren gaan en kuste haar, eerst op haar voorhoofd en vervolgens op haar lippen. Ze beantwoordde zijn kussen. Haar smaak was alweer vertrouwd. Binnen een minuut zei hij: 'Ik wil dat je je uitkleedt.'

Ze keek hem lang aan, schopte haar pantoffels uit en hielp hem bij het uittrekken van haar T-shirt, haar spijkerbroek en de onderbroek daaronder. Haar lichaam verraste hem. Het was net zo bleek en nieuw als een blad dat uit het licht was gehouden.

Het haar tussen haar benen was donker, niet rood; zoals hij had verwacht.

'Jij,' zei ze, en trok aan zijn shirt. Maar hij ritste alleen zijn broek open en sjorde hem omlaag, en een ogenblik later was hij in haar.

Haar bereidwilligheid, en hoe gemakkelijk het ging – ook dat was een verrassing. Het was alsof je 's zomers een duik in het water nam, de manier waarop het water zich om je heen sloot, strak en toch zacht, warm als iets levends. Hij voelde hoe het hem troostte, hoe haar huid onder zijn handen en tegen zijn gezicht hem troostte. Terwijl hij zich daarop concentreerde, dacht hij dat hij zijn zelfbeheersing zou kunnen bewaren. Een moment lang wilde hij dat. Maar toen haar benen zich om hem sloten en hem dichter naar haar toe trokken, kreeg iets anders de overhand en merkte hij dat hij haar bijna de vloer in beukte.

Toen hij in het vuur van het vrijen zijn ogen opende om naar haar te kijken, beantwoordde ze zijn blik met dezelfde rustige, serieuze blik die ze had wanneer ze patience speelde. Het deed hem bijna stoppen. Maar toen voelde hij haar handen op zijn rug, die hem weer naar haar toe trokken, en hij sloot zijn ogen en vergat wat hij had gezien.

Toen het voorbij was, lagen ze op de vloer.

'Hoe lang was het geleden?' vroeg ze.

Hij opende zijn ogen en staarde naar het plafond. 'Sinds wat?'

'Sinds je het met een vrouw deed.'

'Acht jaar,' zei hij.

Er viel een stilte.

'Waarom?' vroeg ze.

Hij dacht even na. Hij kon maar één antwoord geven, maar dat wilde hij niet. Hij sloot zijn ogen weer terwijl hij sprak, maar de tranen kwamen toch.

'Tante,' zei hij.

Het was al lange tijd bezig, en toch leek het plotseling. Alsof dat wat me in leven had gelaten zijn greep had verslapt, als een hand die een nachtvlinder vrijlaat.

Alles was zo hard en bood weerstand. Toen ik de kaarten een voor een van de tafel pakte, werkten mijn eigen handen me tegen, en daarna wilden de kaarten niet, ze wilden absoluut geen strakke stapel worden, hoewel ik er alsmaar op bleef slaan. Zelfs het elastiekje vocht met me. De wereld kwam tegen me in opstand, de wereld vertraagde me.

Toen stapte elke voet in een kuil, zonder ooit te weten of hij wel of niet de bodem zou raken.

Ik strekte mijn armen, maar je was weg. Ik wil dat je dit huis uitgaat, *had ik je gezegd.* Verdwijn.

Ik was toen egoïstisch, ik dacht alleen aan mezelf. Dat spijt me, James. Ik moet je daarvoor vergiffenis vragen. Maar ik kon niet sterven met jou erbij.

Twee

Ik heb horen vertellen dat het leven zich afspeelt in cycli van zeven jaar. Misschien is dat waar: ik had zeven jaar alleen op het eiland gezeten toen ik jouw Tante werd en er een nieuwe cyclus aanbrak.

Zeven jaar alleen. Het klinkt nu als een veroordeling, een straf. Maar toentertijd was het een opluchting en een beloning.

Tientallen jaren had ik geprobeerd onder de mensen te zijn. Een werkster te zijn in de bijenkorf van de menselijke bedrijvigheid – in een cel tussen veel anderen te wonen, mijn cel met honing te vullen en mijn plicht te doen naast mijn medeschepselen. Ik had geprobeerd minnaars en vrienden te hebben. Ik had geprobeerd lief te hebben, zelfzuchtig en onbaatzuchtig, en kwam uiteindelijk tot het inzicht dat je alleen van jezelf kon houden, en dat niet eens zo heel veel.

Ik ging het huis uit toen ik nog een meisje was en kwam alleen terug toen mijn vader stierf en zijn bezit naliet aan mij, de enige uit onze familie die nog in leven was. Toen ik de brief met het nieuws erin las, brandde de droefheid als een vlam door me heen, waarna hij uitdoofde en ik niets meer voelde. Ik verlangde er niet naar het verleden weer op te zoeken. Als ik naar huis ging, was het alleen om het huis voor zo veel mogelijk geld te verkopen en vervolgens op reis te gaan of terug te keren naar New Orleans, waar ik lang had gewoond.

Het was 1955. Niemand wachtte me op toen ik van de veerboot stapte en voor de eerste keer in bijna veertig jaar Grain Island betrad, om daar te ontdekken dat het kleine warenhuis van de steiger was verdwenen en plaats had gemaakt voor een met houten panelen betimmerde eettent, het soort eettent waar je staand je bestelling doet en een stoel pakt om erop te wachten. Ik kwam halverwege de middag aan, en afgezien van een vrouw die achter de bar van pijnbomenhout stond, was de zaak leeg.

Ik vroeg of ze een taxi voor me kon bellen. 'Taxi?' zei ze, terwijl ze met haar kleine ogen mijn schoudervullingen, mijn hooggehakte schoenen, de coupe van mijn haar en de bijpassende bagage naast me in zich opnam.

'Ik moet naar het huis van Deo,' zei ik.

'Hoezo?'

Ik wilde haar onbeschoftheid niet met een antwoord belonen, maar ik was moe en het leek de enige manier om snel in een warm bad en een bed te belanden.

'Omdat het mijn thuis is,' zei ik, zonder na te denken bij wat ik onthulde.

'Marguerite Deo,' zei de vrouw en ze kruiste haar armen voor haar aanzienlijke boezem. Voor het eerst bekeek ik haar als iemand die ik misschien kende. Het eiland was niet groot en de herinneringen reikten er ver en diep; het was mogelijk dat ze zich mij nog herinnerde. Maar ik herkende deze zware, grove vrouw niet.

'Kent u mij?' vroeg ik.

'Niet echt,' zei ze. 'Ik kende alleen je ouwelui, net als iedereen. Triest dat je vader zo is gestorven, zo helemaal alleen. Hij was een goed mens.'

'Ja,' zei ik. 'Daarom ben ik thuisgekomen.'

Ze ordende een stapel sensatiebladen op de bar. 'Zo oud als hij was is hij, zelfs na de dood van je moeder, voor zichzelf blijven zorgen. Hij wou niet vertrekken en hij wou voor geen geld ter wereld het huis verkopen.' Haar blik gleed weer langs mijn kleren. Ik kon voelen hoe ze over me oordeelde. 'Hij zal het wel voor jou hebben bewaard.'

Ik zag in dat het geen zin had me in dit gesprek te laten meeslepen, en dus knikte ik beleefd en wachtte af.

'Stom geluk dat iemand hem eerder heeft gevonden dan de

coyotes,' zei ze. 'Hij heeft zeker twee dagen dood in de voortuin gelegen.'

Dit detail had ik nog niet gehoord. Ik bloosde ervan. 'Dat wist ik niet,' zei ik.

'Nee, blijkbaar niet,' zei ze en zweeg.

Ik zag dat ze er genoeg van had mij een schuldgevoel aan te praten en vroeg nogmaals naar de taxi.

Ze snoof geamuseerd. 'Taxi's hebben we hier niet, Marguerite Deo,' zei ze. 'Nog niet, in elk geval. Zo ver zijn we nog niet.' Ik haalde mijn schouders op en had me al omgedraaid toen zij me tot staan bracht. 'Maar je kunt dat hele eind niet lopen op die schoenen,' zei ze. 'En ook niet met die koffers. Ik haal Billy even om je met de truck te brengen.' Ze zei dit zonder een spoortje van vriendelijkheid in haar stem, alleen vanuit de slome praktische instelling van de eilanders die ik me nog goed herinnerde. Maar ik glimlachte, evengoed dankbaar.

De jongen die ze riep, de jongen die opkeek terwijl hij aan de kade trossen stond op te rollen, kan niet ouder dan veertien zijn geweest. Maar in zijn blik lagen al de gerichte nieuwsgierigheid, de zelfverzekerdheid en de rechtschapenheid die hem later, als hulpsheriff en sheriff, zouden kenmerken. Zonder een woord te zeggen luisterde hij naar zijn moeder en staarde hij mij aan. Daarna pakte hij mijn koffers en droeg ze naar de truck die vlakbij geparkeerd stond. Ik moest mijn strakke rok boven mijn knieën trekken om in de wagen te klimmen en op de stoel te gaan zitten, maar hij leek het niet op te merken of zich er niet om te bekommeren, en bleef onder het rijden zwijgen. Ik had vragen kunnen stellen, hij had antwoorden kunnen geven, maar op de een of andere manier stond de etiquette van dat moment geen conversatie toe.

En dus staarde ik uit het raam. Toen ik het huis uitging, was het eiland nog primitief – er moest nog elektriciteit komen, auto's waren er zeldzaam, de weinige bevolking was agrarisch. Nu reden er personenauto's en trucks over verharde wegen tussen groepjes nieuwe huizen die nog niet helemaal tot dorpjes waren verenigd maar wel bijna, en zoemden er neonlichten boven de deuren van nieuwe zaken. Het eiland was evengoed nog net zo arm als altijd: de huizen waren verwaarloosd of gammel – ongeverfde boerderijen en schuren met wankele daken – of goedkoop en nieuw – wooncaravans en vierkante huizen zonder verdieping die overal in het land als paddestoelen uit de grond opschoten om te voldoen aan de behoeften van de soldaten die waren teruggekeerd uit de Tweede Wereldoorlog.

En dan was er ons huis. Of beter, het huis van mijn vader.

De vader van mijn vader was in zijn jonge jaren bonthandelaar geweest – een gewiekst zakenman, zo was mij tenminste verteld. Met de praktische instelling van menig Frans koopman nam hij een indiaanse vrouw en streek neer op een door hem geclaimd groot perceel aan het meer. Zijn vrouw schonk hem tweelingdochters, die heel jong stierven, en vier zoons; drie van hen gingen naar het buitenland en keerden nooit terug. Ze stierven in den vreemde, in uitheemse oorlogen of aan uitheemse ziektes. Alleen de oudste bleef op het eiland – mijn vader, Marcel Deo.

Hij bleef om mijn grootvader te helpen bij het werk op het land, al was het land haast niet te bewerken. Ze hielden melkvee, verbouwden aardappels, plantten appelbomen en werkten de hele dag door, en toch produceerden ze nauwelijks voldoende om te kunnen overleven. Toen werd mijn grootvader ziek – afgaand op de beschrijvingen van mijn vader zou ik zeggen dat hij tuberculose kreeg –, en mijn grootmoeder en hij vertrokken voor de behandeling. En keerden niet terug.

Mijn vader, nu alleen, nam een vrouw. De meisjesnaam van mijn moeder was Anna LaRose, en het was een hoogst toepasselijke naam: ze was een donkere roos, met donker haar en donkere ogen, en een hartvormig gezicht met een lichte huid. Maar ze was geboren en getogen op een boerderij, en dus achtte mijn vader haar ondanks haar schoonheid een goede partner, gewend aan hard werken en ervaren in alles wat bij landbouw en veeteelt kwam kijken. Zij zag in hem – die naar geen enkele objectieve maatstaf knap kon worden genoemd – 'een belofte'. Dat zei ze tenminste graag. Achteraf denk ik dat ze daarbij mijn vaders honderden hectares land voor ogen had. Haar eigen familie bezat weinig land en belemmerde haar in alle opzichten, met één uitzondering: dankzij die familie was ze van zuiver Franse afkomst – dat wil zeggen, niet bezoedeld door indiaans bloed. Dat was het hoofdbestanddeel van haar bruidsschat, en een feit waar ze erg trots op was.

In elk geval prikkelde haar ambitie mijn vader ertoe te worden wat hij werd. Het verhaal wil dat mijn vader een jaar na hun bruiloft over het land liep met een scherpe spade die hij om de meter in de grond plantte op zoek naar eventuele bebouwbare grond, en toen teleurgesteld zijn spade zo hard in een blootliggende richel stootte dat er een stuk gesteente afbrak en de lucht in vloog. Vlug als hij was ving hij het op. Aan de buitenkant was het grijs en stoffig, maar aan de binnenkant, waar het was afgebroken, was het koolzwart. Hij had een zeldzame, dikke ader zwarte rivierkalksteen gevonden – zwart marmer.

Later, toen mijn vader een belangrijk man in de gemeenschap was, spraken de mensen graag over hoe sterk hij moest zijn geweest om met een spade marmer te kunnen breken. Ze beweerden graag dat hij rijk was geworden door zich in plaats van op de grond direct op het gesteente te concentreren. Maar volgens de lezing van mijn moeder was zij het die hem op de waarde van het gesteente had gewezen en die de woede en frustratie van mijn vader met haar ambitie had beteugeld. Hij dolf het marmer en vond er een markt voor. Ze verscheepten het zelfs naar zuidelijk gelegen steden als Baltimore. Gepolijst als glas werd het verwerkt in vloeren met zwart-witte tegels, sierlijke bouwwerken, chique haarden en zelfs in een kathedraal. En ze werden rijk, tenminste naar de maatstaven van het eiland.

Op de fundamenten van de oorspronkelijke boerderij bouwden ze het huis waarop ik nu uitkeek door het raam van de truck van de jongen. Zuinig als ze waren, hadden ze het niet opgetrokken uit het kostbare marmer, maar uit het eenvoudige grijze graniet dat mijn vader ook won. Het was evengoed voor die tijd een echt herenhuis. Omdat de eiken waardoor het werd geflankeerd enorm groot waren geworden, leek het huis zelf klein. En toch maakte het een solide indruk, net als mijn vader vroeger: het was gebouwd op duurzaamheid.

De truck hield stil bij de deur van de bijkeuken. Ernaast kon ik de aangeaarde en al groeiende stokrozen van mijn moeder zien. *Alcea rosea*, dacht ik. Ik had vanaf het moment dat ik hem had geleerd, de voorkeur gegeven aan de Latijnse naam. Er stond een spade tegen de muur aan, waarvan het blad van onderaf roestte. Mijn vader was gestorven aan hartfalen, zo stond in de brief van de advocaat; ik wist nu dat hij buitenshuis was gestorven. Was hij aan het graven geweest toen het gebeurde? Waarnaar had hij dan gegraven? Ik zou het nooit weten. Maar het was echt iets voor hem geweest, hij was altijd erg op lichamelijke arbeid gesteld.

'Alsjeblieft,' zei de jongen, alsof hij me eraan wilde herinneren dat ik hierheen had gewild en dat ik nu verplicht was uit zijn truck te stappen. 'Dankjewel,' zei ik en opende het portier.

Ik was vertrokken uit Louisiana waar al klam zomerweer heerste, maar hier was het nog vroeg in het voorjaar, met esdoornbladeren die roodachtig en klein aan hun takken hingen. Een kille windvlaag bracht mijn haar in de war, en ik werd herinnerd aan het feit dat Grain Island door de eerste Franse inwoners '*Île de Grain*' was genoemd, 'Windvlageneiland', maar die betekenis was door de ambtenaren die de naam hadden verengelst over het hoofd gezien. Het was een eiland dat bekend stond om zijn wind, niet om zijn tarwe. Toen ik nog een kind was, donderde de wind op winternachten in de schoorsteen als een goederentrein. 's Zomers verdorden de akkers door de wind en door droogte soms tot een gevaarlijk punt, en sloeg het vuur soms zo snel toe dat alles verloren ging. Meestal ging de wind vergezeld van harde slagregens, of nog iets ergers. Ik herinnerde me een zomerbui die hagel op mijn vijfjarige hoofdje sloeg toen mijn moeder en ik van de boomgaard naar het huis renden. Ik herinnerde me een winternacht waarop met ijs bedekte boomtakken door een woedende wind waren afgeknapt. Ik herinnerde me een rit per kar naar huis, waarop ik mijn handen voor mijn gezicht had gehouden tegen regendruppels die zo scherp waren als naalden.

Ik verzette me tegen een plotselinge drang om weer in de truck te stappen. Als de jongen mijn bagage niet al naar het huis had gebracht, zou ik zeker zijn weggegaan. In plaats daarvan volgde ik hem. Het was koud binnen, er hing het soort kou die ontstaat wanneer deuren een tijdlang niet open zijn geweest. 'Moet ik de kachel aanmaken?' vroeg de jongen, terwijl hij zijn kin ophief in de richting van de houtkachel. Ik schudde mijn hoofd en zocht in mijn tas naar een paar dollar voor hem. Toen hij zag wat ik deed, schudde hij op zijn beurt zijn hoofd. 'Is niet nodig,' zei hij, en ik voelde me een beetje beschaamd.

En toen ging hij weg en begon ik aan mijn zeven jaren alleen.

Waarom bleef ik?

Volgens sommigen uit hebzucht. Ze dachten dat ik afwachtte tot het huis en de grond in waarde zouden stijgen – wat uiteindelijk ook gebeurde – om ze aan de hoogste bieder te verkopen. Wat ik niet heb gedaan.

Volgens anderen uit pure dwarsheid. Ze dachten dat ik hen tartte door te blijven, omdat zij verwachtten dat ik zou vertrekken. Als dat zo was geweest, tartte ik ook mezelf. Ik had verwacht dat ik weer zou vertrekken, want ik had niet meer vertrouwen in mijn vermogen om hier te overleven dan wie ook.

Ik kwam er pas later achter wat anderen dachten, want aanvankelijk had ik niemand die het me kon vertellen. Er waren alleen de blikken waarop ik werd onthaald wanneer ik boodschappen deed, wanneer ik de oude truck van mijn vader voltankte of wanneer ik mijn portemonnee opende en een knisperend biljet van honderd dollar te voorschijn haalde. Ik wist dat ze me door een gekleurde bril bekeken, maar wist niet wat ze zagen. Om de waarheid te zeggen kon het me niet schelen en ik spande me niet in om de zaken recht te zetten. Ik sneed mezelf af van contact, van de gemeenschap – mezelf voorhoudend dat ik er geen behoefte aan had.

Nee, ik bleef niet om de redenen die zij bedachten, en ook niet om de redenen die ik zelf had kunnen bedenken.

Waarom ik bleef: ten eerste was ik tweeënvijftig en vond ik het prettig om alleen te zijn. Nee, dat is te sterk uitgedrukt. Het was meer dat ik wist hóe ik alleen moest zijn. En omdat alleen zijn minder pijnlijk was dan niet alleen zijn, gaf ik er de voorkeur aan. En alleen was ik, in dat huis. Dag in, dag uit. Ik hoefde enkel rekening te houden met mezelf, alleen mezelf maar te antwoorden, mezelf te vermaken en mezelf bezig te houden.

Aanvankelijk had ik me voorgenomen alleen te blijven om het huis in orde te brengen voor de verkoop, om het van boven tot onder schoon te maken; de oude luchtjes en herinneringen weg te werken; de vloeren, muren en ramen te reinigen; de tapijten uit te kloppen; en de ramen open te zetten en de droge lucht die mijn ouders hadden ingeademd te vervangen door de vochtige voorjaarslucht. Ik vond geschikte kleren in de kleerkast van mijn vader, werkbroeken en flanellen overhemden. Ik stroopte mijn mouwen op en ging aan de slag. Ik ging systematisch te werk. Van de ene op de andere dag werden mijn handen rood, ruw en eeltig. Licht, lucht en de frisse geur van schoonmaakmiddelen kwamen het huis binnen; de luchtjes van jaren koken, houtstoken en de sigaren van mijn vader gingen naar buiten, samen met een groot deel van het meubilair, waarvan het merendeel nieuw was en daarom niet voor mij van belang. Ik hield alleen de paar stukken speelgoed die ik terugvond, het meubilair van mijn kinderkamer en een kist vol souvenirs aan mijn kindertijd die door mijn moeder waren verzameld – mijn jurk en schoenen voor het heilig vormsel, mijn geboorteakte en mijn schoolrapporten.

Maar een schoonmaak was niet genoeg. Ik voelde een vreemd verlangen om het huis terug te brengen in de frisse staat van mijn meisjesjaren, toen het nog nieuw was en alle details nog klopten. Ik kocht verf, kwasten en een ladder, en begon het houtwerk te schilderen, eerst binnen en toen buiten. Vervolgens verwijderde ik de verflaag van de keukenkastjes, het behang van de muren en het oude linoleum van de vloeren. Uit boeken en van behulpzame winkelbedienden leerde ik de vaardigheden die ik nodig had om dat te doen wat ik wilde, of ik diepte ze op uit mijn geheugen: van metselen tot het verzorgen van een bloementuin.

Het werd belangrijk voor me om het karwei zo goed mogelijk te doen, maar wel met mijn eigen handen. Naast het huis en de grond had mijn vader me een flinke som geld, aandelen, obligaties en andere investeringen nagelaten. Ik had makkelijk werklui kunnen betalen om de klus snel af te maken. Maar dat deed ik niet. Nu ik weer thuis was, merkte ik dat ik me net zo gedroeg als mijn vader: door op het vasteland op koopjes te jagen, maar ook verder te gaan dan feitelijk nodig was, door sterkere funderingen aan te brengen of iets beter af te werken dan vereist was. Ik stelde me voor dat mijn vader van sommige keuzes – zoals het zware reliëfbehang dat ik in mijn oude kamer aanbracht – van kleur zou zijn verschoten. Maar in andere opzichten stelde ik me, zoals ieder kind, ook voor dat hij trots zou zijn geweest.

Het werk hield me bezig en liet me verder alles vergeten. En zo verstreek er een jaar, en vervolgens twee, drie en zeven jaar. Ik kreeg er littekens en spieren bij en raakte vermoedelijk pretenties kwijt; ik werd op een nieuwe en fundamentelere manier onafhankelijk, en ontwikkelde het vermogen niet zomaar alleen te zíjn, maar ook vorm te geven aan die toestand en een eigen wereld te scheppen. Ik verbouwde mijn eigen eten, leerde 's zomers en 's winters te vissen en hakte zelf mijn hout. Ik had niemand nodig, niemand had mij nodig en ik voelde me tevreden.

En ik werd verliefd: de tweede reden waarom ik bleef. Ik werd niet alleen verliefd op het huis, dat ondanks zijn verleden opnieuw mijn thuis was geworden, maar ook op het eiland zelf, op de manier waarop de akkers een groene, opbollende lappendeken vormden, op de manier waarop het meer loodgrijs werd onder een buienlucht, op de manier waarop de wind de lucht schoonpoetste, op het licht in de schemering en zelfs op de sjofele bossen. Ik wist dat de liefde voor een plaats de liefde voor mensen niet kon vervangen, maar het was een liefde met weinig risico's. Vuur, water en wind konden me bedreigen, maar het eiland kon niet worden weggehaald en zou me nooit in de steek laten.

De derde reden was jij, natuurlijk.

Je moeder was nog een meisje. Ze zag eruit als een vrouw, maar ze was een meisje – transparant, stralend, een jong boompje met één wortel. Ze verscheen op een avond in de schemering, en ze ontsproot uit het niets; ze was er toen ik opkeek van de grond waar ik op handen en knieën bonen zat te planten, één voor één. Ik wist meteen dat ze was gekomen om me een gunst te vragen, maar ik wist niet welke gedaante de gunst zou aannemen. Ik wist ook dat ik haar verzoek zou inwilligen, ook al had ik daar geen enkele reden toe en zou niemand het van me hebben verwacht. Nee, niet zoals ik mijn leven leidde, bijna als een kluizenares. Misschien verleende ik haar daarom de gunst – om de verwachtingen te trotseren. Of misschien herinnerde ze me alleen aan mezelf: door het heldere lichtbruin van haar ogen, de manier waarop haar haren over haar blote schouders vielen, haar slanke armen, de met melk gevulde borsten die haar fragiele lijfje belastten.

Ik heb altijd geloofd in voortekenen. In de kring rond de maan die sneeuw voorspelt. In de pijn in een gewricht die regen voorspelt. Gelijktijdigheid berust nooit louter op toeval, serendipiteit is nooit willekeurig – oorzaak ís gevolg en gevolg is oorzaak. Toen ik opkeek, dacht ik dat er een deur naar het verleden was geopend om mij mezelf te laten zien zoals ik jaren geleden was geweest. Toen ik opkeek, zag ik mezelf als meisje.

Ze liet me de baby – jou – zien, die lag te slapen in een mandje in de schaduw. Ze bood me aan jou in mijn armen te houden. Ik zei nee, dank je.

'Kunt u op hem passen?' vroeg ze. 'Voor maar een paar avonden, totdat ik een andere oppas vind?'

Dat was dus de gunst. Ik stond op en veegde de modder van mijn handen. 'Waarom denk je dat ik voor een baby kan zorgen?'

'U bent toch een vrouw?'

Waarom dacht ze dat dat voldoende bewijs was? Ik was toen negenenvijftig, meer dan drie keer zo oud als zij; misschien veronderstelde ze dat ik een bepaalde ervaring of wijsheid had die ik niet bezat. Of misschien dacht ze alleen dat als zij het kon leren, ik dat ook kon.

'Bovendien,' zei ze, 'u bent zo dichtbij.' Op dat moment besefte ik waar ik haar eerder had gezien – in de zon zittend voor een caravan langs de weg.

Ik wilde geen geld, ik had het niet nodig, en dus kwam het tot een ruilhandel. Haar man – jouw vader – zou mijn brandhout voor de winter hakken en opstapelen als ik die zomer 's avonds op jou zou passen, zodat zij kon werken in de bar van het logement, ons enige 'vakantiehotel'. Haar schoonmoeder – jouw grootmoeder Caroline – had haar dat baantje bezorgd; ze zouden er samen werken. Anders zou Caroline zelf voor je hebben gezorgd. En je vader werkte als timmerman op het vasteland en kwam zo nu en dan een dag naar huis. (Een aardige, stuntelige opgeschoten jongen, met een stem die nog oversloeg maar een zware baard, krachtige armen en handen die zo fors waren dat jouw hoofdje niet groter leek dan een appel. Toen hij je kwam halen, was je mandje licht in zijn hand maar hij hield het onbeweeglijk vast en je werd niet wakker.)

Zij ging naar haar werk en ik droeg je naar binnen.

Die eerste avond had ik één doel: dat jij niet wakker zou worden. Ik behoedde jouw slaap als een leeuwin, alsof ik dacht dat de groei in de slaap plaatsvond en dat verstoring van de slaap gelijkstond aan het tarten van de dood. Om kort te gaan, ik was bang. Bang voor een baby die wakker zou worden en voor wat hij – wat jij – van me zou vragen.

Die eerste avond. In het mandje, slapend in een lichtplek, was je zo klein – je leeftijd werd nog in weken gemeten. Werkend aan mijn bureau voelde ik me kilometers en decennia van je verwijderd, maar toch werd ik aanvankelijk afgeleid door je aanwezigheid, door je minieme ademhaling, die vochtig en ritmisch aan de andere kant van de kamer weerklonk. Als de ademhaling van een plant.

Aanvankelijk luisterde ik naar je; toen raakte ik gewend aan de klank; toen nam geleidelijk aan mijn werk me weer in beslag en werd ik gehypnotiseerd door de beweging van mijn hand die langs de pagina schoof en in woorden en tekeningen de details weergaf van de *Geranium robertianum*, het robertskruid. Ik had mezelf de taak opgelegd een boek samen te stellen over de minder bekende wilde bloemen die op mijn land groeiden. Ik wilde eer bewijzen aan die onmetelijke populatie die nagenoeg onzichtbaar is, die vraagt om een zorgzaam, aandachtig oog dat haar schoonheid ziet. Waarom? Ongetwijfeld omdat ik me intussen ook onzichtbaar voelde: als een vrouw van ruim een halve eeuw oud die voor de mensen in haar omgeving net zo onzichtbaar was als het bloemetje van een duizendknoop. Net zo alledaags en klein als het margrietje waar mijn moeder mij naar heeft genoemd, het bleekgele madeliefje waar ze onverklaarbaar dol op was.

Op het bureau voor me lag die avond één ontworteld robertskruidje in het lamplicht op een wit vel papier, dat was geplukt op de beschaduwde richel achter mijn huis. De bladeren gaven een agressief luchtje af. Heel precies tekende ik hun fijnbesneden silhouetten uit. Ik moest snel werken, want de bloem – roze, met vijf bloembladen, puur en klein – zou gauw verwelken. Toen ik de vorm en de details, voorzover die zich lieten tekenen, in zwarte inkt had vastgelegd, pauzeerde ik om de inkt te laten drogen; daarna zou ik de kleur erop aanbrengen, met dunne laagjes groen en meekraproze.

Het was een avond in het late voorjaar, bijna zomer. Terwijl ik zat te werken, zonk de zon weg achter de richel; het werd koeler en donkerder in de kamer. Ik sloeg mijn armen om mijn schouders. Door de open ramen hoorde ik het schelle refrein van de boomkikkers aan de moerassige oevers van het meer, de krekels en de wind die in de afkoelende lucht door de bomen woei. De vogels zwegen, maar buiten zong de lente. Ik liet het over me heen komen. Ik was volkomen tevreden, maar tegelijkertijd wachtte ik af, een moment pauzerend voordat ik mijn werk zou hervatten. Mijn aandacht was net op dat ogenblik afgeleid, in rust voordat ik me weer zou gaan richten op de taak op het bureau voor me. Maar in die open gemoedsgesteldheid kwam een herinnering aan een wezentje dat ik nog niet kende. Mijn oren, die volledig waren opgegaan in de kakofonie van de avond, stemden zich plotseling af op een nabijer geluid. Waar was het? Waar was dat nietige ritme, die minieme ademhaling?

De lichtplek was al lang verdwenen; je mand stond in de schaduw en koelde af. Hoe kon ik het vergeten hebben? Ik stormde op je af, terwijl mijn hart bonsde in mijn ribbenkast. Ik dacht dat je was opgehouden met ademhalen. Ik dacht dat ik had gefaald.

Je keek naar me op – zwijgend, maar wakker en alert. Ik tilde de mand op, nam hem mee en zette hem dicht bij mijn stoel neer. Ik stopte het dekentje steviger in. De hele tijd waren je donkere oogjes op mij gericht en keken ze toe. Er bewoog niets behalve je mond, dat gulzige mondje met een eigen wil. 'Het is een hongerig jongetje,' had je moeder trots gezegd. Als dat gulzige mondje bleef aandringen, zou ik de fles in mijn koelkast verwarmen en maar hopen dat er genoeg in zat. 'Honger?' vroeg ik. Natuurlijk antwoordde je niet. Ik wilde je blik interpreteren, die starende oogjes lezen, maar ik had de taal nog niet geleerd waarin jouw ogen hun boodschap schreven.

Ik begon te zingen, het eerste liedje dat bij me opkwam. '*It was just one of those things,*' zong ik. '*Just one of those crazy flings. A trip to the moon on gossamer wings. It was just one of these things...*' Ik maakte er een slaapliedje van.

Onmiddellijk gingen je oogjes dicht en werd de gestage, vochtige ademhaling hervat. Ik ging weer aan het werk, maar het zou me nooit meer zo in beslag nemen als voorheen; ik liet het zelfs geleidelijk aan in de steek, of beter, het liet mij in de steek, toen het ontdekte dat ik er te weinig bij betrokken was.

'Is hij lief geweest?' vroeg je moeder toen ze je kwam ophalen.

'Een engeltje,' zei ik, terwijl ik haar de slapende baby aanreikte.

Jou.

Je ouders hielden van je, maar het waren zware tijden.

Natuurlijk zijn de tijden op Grain Island altijd zwaar geweest. Het lijkt in veel opzichten geen plaats die bestemd is voor leven, in elk geval niet voor menselijk leven. Het is niets anders dan een enorme door de wind geteisterde steenklomp, die als een ijsberg uit het meer omhoogsteekt. Negen van de tien keer stuit je spade op steen voordat hij onder de grond zit. Wanneer je naar de bossen kijkt, denk je dat het land goed en rijk moet zijn. Maar let eens op hoe weinig echt grote bomen er zijn, hoe jong het bos is en blijft. Ceders, vederesdoorns, esdoorns: hun zaden komen hier terecht, ze schieten wortel en groeien, maar voordat ze hun volwassen afmetingen kunnen bereiken hebben ze niet genoeg aarde meer, worden ze ziek en laten ze zich door de wind wegschuiven, met wortel en al. Alleen eiken kunnen het tot het eind toe volhouden. Evengoed kunnen wortels gesteente breken, en op een dag, eeuwen later, zal het eiland een zachte, diepe laag aarde hebben. Want nu ligt die alleen op bepaalde plaatsen, een rijke kleilaag.

Het was uiteraard niet de grond waarvoor de eerste mensen hierheen kwamen, maar het water; en niet alleen voor de visserij, maar ook voor het vervoer, want de rivieren en meren waren hun wegen. Net als mijn grootvader reisden de indianen van dorp naar dorp om handel te drijven, niet om er rijk van te worden maar om in leven te blijven – ze ruilden pelzen tegen graan, graan tegen bonen en bonen tegen vlees. Nieuwe nederzettingen verschenen als zeepokken op de rotsen waar kooplieden aanlegden om te rusten of te jagen. Toen de Franse kooplieden kwamen, groeiden de indiaanse dorpen uit tot stadjes, de stadjes werden grote steden en de grote steden vergaten dat onder hen indiaans land en indiaanse botten lagen.

Grain Island was een plaats waar velen hadden aangelegd maar weinigen waren gebleven. Het werd nooit groot genoeg om iets te kunnen vergeten.

Jouw ouders bleven, net als ik, omdat ze van het eiland hielden – je vader omdat hij er was opgegroeid, je moeder omdat ze er niet was opgegroeid. Ze vochten om hier te kunnen blijven, ze streden tegen het eiland om erop te kunnen wonen. Ze streden om genoeg geld te verdienen om van te kunnen leven, en daar te kunnen blijven waar ze wilden wonen. Daarom ging je moeder werken, terwijl ze in haar hart liever bij jou was gebleven.

De zomer kreeg een soort ritme. Ik merkte dat ik elke avond uitzag naar je komst en alvast voor ons vooruit aan het plannen was. Aanvankelijk was je een zuigeling en kon je je zelfs niet van je buik op je rug draaien, maar ik wist dat een kind moest worden gestimuleerd en kon worden onderwezen, hoe jong het ook was. Ik nam je mee de tuin in. Ik legde je dekentje op het gras, liet je bloemen en kleuren zien en vertelde je hoe ze heetten. Ik weerde insecten af; ik wiegde je, praatte tegen je, kietelde je en deed spelletjes met je. Ik luisterde toen je geluidjes leerde te maken; ik prees je toen je leerde je armpje uit te strekken, te grijpen en mijn vinger naar je mond te brengen. De herfst kwam; ik ontdekte hoe heerlijk je het vond naar het vuur te kijken, en we brachten onze avonden bij de haard door. Ik zag hoe je ogen een lichtere kleur kregen en blauw werden, en hoe het stugge haar waarmee je was geboren uitviel en werd vervangen door een fijn, donker dons. Mijn dagen draaiden om die uren waarop je bij me was, en de dagen waarop je moeder thuisbleef en jou bij zich hield leken in vergelijking daarmee leeg.

Toen het logement sloot voor de winter, kwam er een einde aan het baantje van je moeder en was ze weer vrij om elke avond voor je te zorgen. Het overrompelde me, die avond aan het einde van oktober. 'Nou, Tante,' zei ze tegen me, – dat was haar koosnaampje voor mij, ze sprak het uit als 'toon-tie', zo noemde ze namelijk haar oudtantes in Canada – 'Nou, Tante, zeg dit jongetje maar gedag. U zult geen last meer van hem hebben.'

Ik liep naar buiten om jullie uit te zwaaien. De oktoberwind beukte als een branding tegen de bomen. Zelfs de grote eiken slingerden heen en weer, hun bladeren klapten als kinderen in de ban van een gevaarlijke stunt. Je moeder liep al een tijdlang naar huis in dit soort weer, ze bracht jóu naar huis in dit weer, en ik voelde me beschaamd dat ik daar niet meer oog voor had gehad. Toen ze je in de kinderwagen legde die ze had meegebracht en over de oprijlaan naar de weg begon te hobbelen, riep ik haar na. Ze bleef staan en keek om. 'Het wordt koud,' zei ik. 'Ik breng jullie met de truck.'

Het was de eerste keer dat ik zoiets aanbood. Ze trok een wenkbrauw op maar knikte, en ik ging de schuur in en reed de oude truck van mijn vader naar buiten. Ik gebruikte hem zelden, maar hield hem altijd in rijdende staat, aanvankelijk omdat ik dacht dat ik hem nodig zou kunnen hebben om van het eiland te vluchten, en later omdat een truck goed van pas komt op het platteland, waar je altijd wel iets moet aanslepen.

Je moeder stapte in en ik reikte haar jou aan, zette de kinderwagen achter in en stapte zelf in. De truck had geen dashboardverlichting, zodat ik jou en haar niet kon zien, maar ik kon horen hoe ze tegen je praatte en hoe ze heel zachte, onbegrijpelijke woordjes, lieve woordjes en liefhebbende woordjes sprak. Tot op dat ogenblik waren mijn bewuste gedachten aan jou niet onvriendelijk, maar ik had mezelf wijsgemaakt dat je een soort lastpostje was, een extra probleem waarmee ik moest omgaan. En nu, terwijl zij de gevoelens uitsprak die ik nooit tegen je kon uitspreken en waarvan ik tot op dat ogenblik niet wist dat ik ze had, stroomde mijn hart over van treurigheid omdat ik jou kwijtraakte.

Ze wees me de weg naar haar oprijlaan. Ik wist dat hij er lag, maar in het donker wist ik niet precies waar. In de koplampen van de truck zag de caravan er vaal en onwerkelijk uit. 'Gaat u nog even mee naar binnen?' vroeg Helen. 'Wilt u een kopje koffie?' Ik verzette me tegen de impuls om ja te zeggen, maar gaf er vervolgens aan toe.

Het was donker in de caravan. 'Jack heeft een baan in Marlboro,' zei je moeder. 'Hij komt tegenwoordig op vrijdag thuis.' Ze deed de plafondverlichting in het keukentje aan, en een moment zag de caravan er nog erger uit dan ik had gevreesd – sjofeler en armoediger. Maar toen knipte ze een paar lampen aan, vulde een ketel met water, zette hem op het fornuis en haalde een schaal met zelfgebakken koekjes te voorschijn, en zo werd het gezellig.

Ik bleef ruim een uur en luisterde naar haar. Helen vertelde me dat je vader en zij elkaar hadden leren kennen toen ze op hun veertiende aan het schaatsen waren op het kanaal in Ottawa, waar zij vanuit Manitoba op bezoek was. Dat hij naar Montreal liftte om haar te ontmoeten als ze daar haar oudtantes bezocht, die in het oude deel van de stad woonden, alleen Frans spraken en algauw net zo veel van Jack hielden als zij. Dat ze, na de diploma-uitreiking van de high school, in Montreal waren getrouwd. Dat haar ouders niet naar de bruiloft waren gekomen, maar dat de oudtantes een feestje voor hen hadden gegeven. Jacks familie was er wel geweest: zijn moeder, Caroline, zijn oom en zijn zussen, iedereen behalve Jacks vader, die twee jaar daarvoor was overleden. Ze vertelde me dat je daar in die caravan was geboren, op een winternacht toen het veer uit de vaart was genomen. Toen dokter Hobbs, destijds nog jong en de enige arts op het eiland, sneeuw stampend de caravan in kwam, was jij al voor de helft geboren, maar je gezichtje was blauw want de navelstreng zat om je hals gewikkeld. 'Hij was een blauwe baby,' zei ze. 'Maar hij werd weer helemaal roze.'

Ik zei niet veel, ik luisterde alleen. Jij lag in haar armen te slapen, en wanneer ze het over jou had, keek ze naar je alsof ze nog altijd niet kon geloven dat jij uit haar was geboren. 'Is hij niet geweldig?' zei ze.

Thuis was er niets veranderd. En toch was alles veranderd. Toen ik in bed lag werd de stilte waarvan ik eens had gehouden benauwend. Ik stond op en liep door het huis. In de keuken zocht ik iets te eten of te drinken, ook al wilde of hoefde ik niet te eten of te drinken. Toen herinnerde ik me de fles die ik dat eerste voorjaar had gevonden, verborgen in een hoek van de provisiekast achter schimmelige zakken rijst en bloem. Van wie was die fles geweest, had ik me toen afgevraagd: van mijn moeder of van mijn vader? Mijn vader had hem niet hoeven te verstoppen, of zou hem, als hij dat toch deed, in de schuur bij de steengroeve hebben verstopt. Dus van mijn moeder. Mijn deugdzame katholieke moeder, die een fles wodka verstopte in de provisiekast. Wodka omdat gezegd wordt dat je dat niet aan je adem kunt ruiken, al heb ik nooit gemerkt dat dat waar was.

Ik vond de wodka en goot er wat van in een mok. De pure alcohol verbrandde mijn tong en hief toen zo snel de last op die me terneerdrukte, dat ik een ogenblik boven mezelf uit leek te stijgen.

Ik vulde de mok en nam hem mee naar mijn slaapkamer, waar hij me hielp om te slapen in mijn lege huis.

Er verstreek een week. Je moeder had me uitgenodigd om langs te komen 'wanneer ik maar wilde'. Maar ik raakte besmet met iets stoïcijns. Ik was gewend geraakt aan een solitair bestaan; het verlangen naar jou maakte me ziek van eenzaamheid. Ik wilde het contact met jou ontwennen, me ontdoen van de last van onze betrekking. Maar op rare tijden van de dag betrapte ik me erop dat ik aan je dacht. Een inwendige klok herinnerde me eraan dat het tijd was voor je flesje, tijd om je luier te verwisselen, tijd om je in mijn armen in slaap te wiegen. En opeens herinnerde ik me de sensatie van jouw vingertjes die zich sloten om een van mijn vingers, de kalme, nieuwsgierige blik in je ogen, de geur van je huid. Die laatste paar dagen was je soms op je handen en knieën gaan zitten en had je geluiden gemaakt die klonken als woorden. En ik was zo trots geweest. Wanneer ik nu aan die momenten dacht en ik mezelf op een glimlach betrapte, probeerde ik ze weg te duwen, aan andere dingen te denken en mijn geestelijke stuur met een ruk naar links of naar rechts te draaien alsof er een hert op de weg voor me was beland.

Elke avond dronk ik wat. Net genoeg om mezelf te helpen slapen.

Toen was de wodka op. Ik ging naar het dorp, naar de nieuwe dorpswinkel. Om minder de indruk te wekken dat de wodka het doel van mijn tocht was, kocht ik verschillende spullen, spullen die ik niet echt wilde of hoefde te hebben, onder meer een klein pak met de biscuitjes die jij tegen je tanden plakte toen je aan het wisselen was. Ik lette op de blik van het winkelmeisje om te zien of ze me veroordeelde of zich verbaasde over deze vreemde verzameling inkopen. Maar voor haar was ik niet anders dan alle andere klanten. Door het toerisme was het eiland veranderd; voor het jonge meisje was ik het zoveelste onbekende gezicht in een zee van andere gezichten.

Buiten begonnen net grote vlokken sneeuw te vallen, de eerste sneeuw van het seizoen. Ik reed langzaam over de gladde wegen, maar reed voorbij de afslag naar de weg midden over het eiland en nam de weg langs het meer, in de richting van de caravan van jouw ouders. Ik was als een vrouw die verliefd is op een getrouwde man. Ik voelde me tot je aangetrokken en wilde tegelijk dat dat niet zo was. Eerst dacht ik dat ik gewoon door zou rijden en dat ik niet zou stoppen, maar ik kon de impuls niet bedwingen en draaide de truck de oprijlaan op. De biscuitjes zouden mijn smoes zijn.

In het daglicht en de sneeuw leek de caravan niet zo kwaad. Ik zag bebloemde gordijntjes en potplanten voor de ramen; ik zag hoe de zon op een heldere ochtend naar binnen scheen. 'Tante! Goed om u te zien,' zei je moeder toen ze de deur voor me opende.

Jij was er, je zat in iets nieuws: een stoeltje in een ring met wieltjes eraan. Je stuiterde er lachend in op en neer; en toen, toen je mij zag, duwde je jezelf over de vloer al rollend naar me toe. 'Dat heet een loopstoeltje,' zei Helen. 'Jack heeft het vorige week meegebracht. Moet je zien hoeveel plezier hij ermee heeft!'

Ik hoorde haar maar zag alleen jou. Je stak je armpjes naar me uit en maakte de geluiden die ik was gaan herkennen als jouw manier om mij te roepen. Ik boog me naar je toe en tilde je op. 'Grote jongen!' zei ik, en drukte mijn gezicht tegen je warme, zachte halsje.

'Hij mist u,' zei Helen met een glimlach.

Ik kreeg een brok in mijn keel bij haar woorden. Ik overhandigde haar het pak koekjes. Ze maakte het open, en terwijl ik jou nog altijd vasthad pakte ik er een koekje uit en stak het in jouw vuistje. Je glimlachte ernaar.

We gingen alledrie aan tafel zitten. Helen leunde achterover, sloeg haar armen over elkaar, boog haar hoofd naar voren en keek naar mij – naar ons. 'Weet u,' zei ze. 'Ik denk erover om een ander baantje te nemen. Een baantje voor hele dagen...'

Ik zag de vragende blik in haar ogen. 'Ik kan op hem passen,' zei ik. Mijn stem beefde, een beetje maar.

'Ik wil geen last veroorzaken. Ik kan u ervoor betalen.'

'Nee,' zei ik. Ik had mijn handen onder jouw armpjes; ik voelde hoe je sterke beentjes zich strekten en hoe je voetjes tegen mijn schoot aandrukten. 'Dat is niet nodig.'

En zo werd ik jouw tante, echt en voorgoed.

De volgende jaren verstreken erg snel voor mij, als voorbijflitsende filmbeelden. Maar ik putte troost uit de wetenschap hoe langzaam de tijd voor jou moest lijken. Je groeide; wat groeide je! Van het ene moment op het andere, zo leek het, was je een jongen en niet langer een baby.

Ik zorgde voor je terwijl je ouders werkten. Als je bij hen was, miste ik je, maar altijd in de zekerheid dat je weer bij me zou komen. Je was vier toen Helen me toevertrouwde dat ze nog een baby probeerde te krijgen. Ik probeerde me voor te stellen dat ik voor twee kinderen zou zorgen. Het ging mijn voorstellingsvermogen niet te boven. Zozeer was ik veranderd.

De mensen hebben het nog altijd over de winter van '66-'67. De winter van de grote visvangst, noemen ze hem. Niet omdat de vissen zo groot waren, maar omdat er zoveel waren. Wie weet waardoor de toevallige zegeningen van de natuur worden veroorzaakt, en zelfs of ze, naar de maatstaven van de natuur, wel zegeningen zijn? Het meer vroor al vroeg dicht, het bevroor snel en grondig en ontdooide pas weer in het voorjaar; de vissen moeten als gekken naar voedsel hebben gezocht. De vishutten verrezen even vlug als het ijs aangroeide, en er ontstond al snel een rommelig dorpje, verspreid over het ijs. De hutten leken net korte, verschoten verfstrepen op een wit doek. We konden ze vanaf de richel boven de steengroeven zien, jij en ik. We konden ze zien als we omlaag keken.

Je was toen vier, ik was drieënzestig, en er was ruim een decennium verstreken sinds mijn terugkeer naar Grain Island. Het leven dat ik in New Orleans had geleid leek een pauze, een lange vakantie, een droom. Dit huis, dit eiland en dit leven waren de werkelijkheid, en ik was er gelukkig in.

Maar die winter bekroop me een melancholieke stemming. Misschien kwam het door het weer. Zoals iedereen weet, wordt een eiland door het water verwarmd, maar die winter verdween de aangename warmte al vroeg en bleef hij te lang weg. De wind raakte gevangen tussen de bomen, en worstelde huilend tussen de takken. Dode takken werden bros en knapten af op het punt waar ze aan de stam vastzaten, zo netjes alsof ze eraf waren gezaagd. De dagen waren eindeloos zonnig, maar alle overdag verzamelde warmte werd 's nachts weggezogen in de onbegrensde hemel, die helder en vol sterren was, zonder wolken om de warmte tegen te houden.

Het enige positieve was dat het niet sneeuwde. O, er lag wel voortdurend een dun laagje, dat zo nu en dan werd aangevuld door een loom buitje, maar sneeuw zoals in andere jaren – waarin hij minstens tot heuphoogte reikte – bleef uit. De kou hield hem weg en hield alle vochtigheid uit de lucht. In plaats daarvan hoopte zich aan de binnenkant van de ramen een duimdikke laag rijp op, een filigraan van witte pluimen die ons beletten naar buiten te kijken. Het leek op wonen in een tombe van witte kristallen.

Elke avond na jouw vertrek dronk ik, ook al trok het me steeds dieper in het verdriet dat me als een virus had besmet. Ik begreep niet waarom het verleden juist toen bij me terugkwam en waarom het niet wilde weggaan, en vertoefde in een besloten hel waarin de herinneringen om me heen wervelden als een toneelvoorstelling achter het doek.

Zo voelde ik me toen, aan de vooravond van de vijftiende

maart, in het jaar van de grote visvangst. En dus dronk ik meer dan ooit tevoren, dronk ik totdat ik al mijn bewustzijn had uitgewist, totdat ik de donkere, tijdloze ruimte betrad die ik koesterde en vreesde tegelijk.

Ik werd wakker in de kou, met mijn hoofd op de tafel. De kooltjes waren bijna uit, de houtkist was leeg. Ik bracht mezelf ertoe de kachel bij te vullen. Ik ging naar buiten, het donker in.

In de stilte weergalmden mijn stappen als die van een reus. Ik voelde me opgeblazen en als lood. Het was nog altijd winter, nog altijd was het zo koud dat mijn adem bevroor tot sneeuwvlokjes die op een wonderlijke manier uit mijn neusgaten opstegen en weer op mijn oogleden neerkwamen, waar ze smolten. Een moment overwoog ik om daar op de grond te gaan liggen, en wel meteen, om mezelf over te geven aan de kou en de laatste stap op weg naar de vergetelheid te zetten. Ik keek omhoog naar de sterren aan de hemel en bedacht hoe aangenaam het zou zijn om onder de sterrenbeelden te sterven. Maar toen herinnerde ik me dat jij de volgende ochtend zou komen en dat je moeder en jij me dan zouden vinden, en ik droeg hout het huis in. Als een idioot droeg ik steeds twee stukken per keer, één in elke hand. Ik bracht elk paar helemaal het huis in terwijl ik de deuren wagenwijd achter me open liet staan en de kou naar binnen liet jagen. De houtkar bleef ongebruikt. Ik wist niets meer, alleen dat ik de houtkist moest vullen.

Uiteindelijk was hij vol. Ik smeet een paar stukken op de nog nauwelijks gloeiende kooltjes en keek hoe ze vlam vatten. Toen sloot ik de deuren, ging de voorkamer in en kroop in elkaar op de canapé, terwijl ik de quilt om me heen trok.

Bij dageraad werd ik wakker van mijn eigen gehoest. Het toneel van de vorige nacht was werkelijkheid geworden; overal hing rook. Terwijl mijn lichaam bij bewustzijn was maar mijn geest nog sliep, opende ik de voor- en de achterdeur en liet de kou weer naar binnen snellen. Ik controleerde de haard. Die zat potdicht. De rook kwam niet van het haardvuur. Ik stapte de vrieslucht in en maakte me lang om naar de schoorsteen te kijken. Daar was niets te zien. Soms bouwen vogels een nest in een schoorsteen, maar geen enkele vogel bouwt midden in de winter een nest. Geen vogel kan afdalen in een hete schoorsteen.

Ik ging terug het huis in. De rook kringelde om mijn spullen, streelde de oorfauteuil, bleef even hangen boven het opengeslagen boek op tafel en wierp een zijdelingse blik op de tuinplattegronden die daar lagen uitgespreid. Alles leek grijs en ver weg. Ik pakte een vel tekenpapier en wuifde ermee naar de rook, die ik door de voor- en de achterdeur naar buiten dreef en wegleidde. Langzaam klaarde de lucht op en kwamen de kleuren terug. Een ogenblik stond ik daar de lucht op te snuiven, de schade op te nemen en me af te vragen wat de rook met me had willen doen. Hij moest een krachtig verlangen hebben gehad om binnen te blijven, want meestal deed hij niets liever dan direct opstijgen naar de maan.

Tegen de tijd dat jij kwam, waren er alleen nog een paar rookpluimpjes over, die troosteloos en richtingloos door het huis dwaalden, alsof ze al hun ambitie kwijt waren en niet wisten wat ze met zichzelf aan moesten. Het zou nog even duren voordat ik de rook herkende als het voorteken dat hij was, voordat ik in staat was de boodschap die hij me bracht te bevatten, en de manier waarop hij de gebeurtenissen van die dag voorspelde.

Volgens jouw grootmoeder Caroline, die me het vertelde zodat ik het aan jou kon doorvertellen, kwam jouw vader uit een goede familie met pech.

Het is moeilijk om in deze tijd van wetenschap te geloven in het geluk, in rampen en zegeningen die je zonder reden worden toebedeeld. De voorspoed van een goede familie kan worden verklaard uit hard werken, eerlijkheid en volharding; de tegenslag van een slechte familie uit luiheid en karakterzwakte. Maar alleen het geluk lijkt te kunnen verklaren waarom luiaards slagen en harde werkers mislukken, en waarom het leven lijkt op een loterij waarin sommige mensen geboren winnaars zijn en anderen verliezers. Een goede familie met pech; een slechte familie met geluk.

59

Waaraan kon het anders liggen dan aan pech dat een man als James Wright sr., jouw grootvader, die op de high school uitblonk in American football en die de sterkste en gezondste man was die je je kon voorstellen – vlijtig, eerlijk en bereidwillig – op zijn vijfendertigste aan een hartaanval stierf? Je grootmoeder bleef achter met drie kinderen en zonder verzekeringspolis. Het enige wat hij jouw vader – zestien jaar en de oudste – naliet, was de gammele vishut die hij eigenhandig had gebouwd.

Aanvankelijk leek het een geluk dat je grootvader een oudere, ongetrouwde broer had die de zorg voor het getroffen gezin op zich kon nemen. Homer had altijd gewerkt op de familieboerderij, een goedlopend bedrijf met vijftig stuks melkvee en daarbij nog een bos met suikeresdoorns en een ahornsuikerraffinaderij. Na de oorlog was hij begonnen met een in de ogen van veel mensen wonderlijke bezigheid: het fokken van siervogels. Hij was daar meer uit nieuwsgierigheid en liefde voor vogels dan uit amibitie toe gekomen; maar hij had er, voordat hij er erg in had, behoorlijk veel succes mee. Zelfs uit Japan kwamen er kopers naar hem toe voor vogels, kippen en eieren; zijn zwanen en eenden zwommen in vijvers over de hele wereld, zijn kippen en ganzen bevolkten gazons in Engeland en Frankrijk. 's Zomers leek de vogelren afkomstig uit een droom, met pauwen die hun staart achter zich aan sleepten, glanzend zwarte hanen en eenden met ogen als juwelen – alle mogelijke zeldzame en verrassende wezens. De grond was bestrooid met hun veren en de lucht vol van hun gekrijs.

Als je er op bezoek ging, deed je er goed aan buitenshuis te blijven. De vogelren, de schuur en het suikerhok waren brandschoon en goed bijgehouden. Maar binnenshuis stonk het als in een schuur. De keuken leek op het eerste gezicht een vloer van modder te hebben, maar in werkelijkheid lag er linoleum dat jarenlang niet was aangeveegd of gedweild; de aanrechten en de gootsteen stonden vol met vuil vaatwerk; in de huiskamer lagen stapels oude post, kranten, blikjes, melkpakken en potten – spullen die Homer uit angst voor verkwisting niet weg wilde gooien – en lag de schone en de vuile was door elkaar (als hij een schoon overhemd nodig had, wat zelden voorkwam, rook hij eraan totdat hij er een had gevonden). Omdat hij de keuken had opgegeven, at Homer staand uit blikjes. Hij spoelde na elke maaltijd zijn vork af en bewaarde hem als een pen in zijn borstzakje tot de volgende maaltijd.

Niet dat hij niet zorgzaam was. Hij was gewoon iemand die minder gaf om zichzelf dan om andere dingen: om het land, de schuren, de dieren, de bomen, zijn familie – en om Caroline, de vrouw van zijn broer.

Homer hield van Caroline. Zij wist dat. Hij wist niet dat zij dat wist, maar ze wist het. En na de dood van zijn broer werd duidelijk dat hij met haar wilde trouwen. Hij verschilde evenwel zo van zijn broer, van de man met wie ze getrouwd was geweest, dat het haar zwaar viel zich hem als tweede echtgenoot voor te stellen.

Jimmy was populair en knap geweest; van hem heb jij je donkere haar en je lichte ogen. Caroline en hij hadden als tieners al verkering en trouwden direct na de high school met elkaar. Ze hadden nooit veel bezeten, maar dat leek hen niet te deren. Caroline was gelukkig met hem omdat hij een gelukkige man was, een open man, het soort man dat huilde toen zijn kinderen werden geboren en hen door de kamer droeg wanneer zij huilden, het soort man dat je rechtstreeks zijn gevoelens liet zien. Zo eerlijk als goud en royaal met zijn liefde.

Homer was altijd een zwijgzame figuur geweest. Niet zozeer zwijgzamer dan zijn broer, maar *zwijgzaam*. Hij sprak zelden meer dan een paar woorden achter elkaar tegen iemand. Ik heb hem zelf een keer ontmoet en kan bevestigen dat dit inderdaad zo was, maar ik kan je niet vertellen of het kwam doordat hij verlegen was of doordat hij niets te zeggen had. Als hij ging jagen of vissen trok hij er graag in zijn eentje op uit. Volgens Caroline hield hij het maar zelden uit in een kamer waarin meer dan twee andere mensen aanwezig waren. Als hij naar haar huis toe kwam – bijvoorbeeld om de wekelijkse eieren en melk te brengen –, bleef hij ongemakkelijk in de keuken staan terwijl de dochter die hem had opengedaan haar moeder ging halen. Maar wanneer Caroline binnenkwam, gebeurde er iets met zijn gezicht. Je kon het volgens haar geen glimlach noemen, maar het had wel dezelfde uitwerking. En dus nodigde ze hem dan uit om een kopje koffie te drinken en dan zat hij, zo ongemakkelijk als hij zich zichtbaar voelde, bij haar, luisterend, knikkend en haar zijn aandacht schenkend alsof hij elk woord dat zij sprak distilleerde, alsof hij er een kostbare siroop van kookte die hij opsloeg in zijn geheugen.

En dus twijfelde Caroline, ondanks zijn stilzwijgen over het onderwerp, nooit aan zijn liefde voor haar en betwijfelde ze nooit dat het ging om een zuivere, grootmoedige liefde, een zeldzame liefde. Ze wist dat hij een fatsoenlijke vader zou zijn: evenwichtig, betrouwbaar en capabel. En ze wist dat hij haar, als er genoeg tijd was verstreken, ten huwelijk zou vragen. Ze dacht lang en serieus na over wat ze moest doen: voor haar gezin en voor zichzelf. Ze hield niet van hem en zou nooit van hem houden zoals ze van Jimmy had gehouden. Ook was haar leven in veel opzichten al ideaal – alle behoeften, behalve de intiemste, waren vervuld. En dus wachtte ze af, in de hoop dat er een antwoord bij haar zou opkomen, dat ze hem niet zou hoeven kwetsen en dat de tijd het op de een of andere manier zou regelen.

In de winter van de grote visvangst was je grootvader zeven jaar dood. Alleen de meisjes, toen acht en twaalf jaar oud, waren nog bij Caroline; jouw vader was op zijn achttiende getrouwd en het huis uitgegaan. Hij had zich gevestigd in de caravan aan de weg vlakbij mij. Jij was al geboren. Ik zorgde al vier jaar voor je.

Die winter gebeurde er iets met de eilandbewoners. Toen de vrieskisten vol waren maar de vissen bleven komen, roken de mensen hun kans om geld te verdienen. Toen de geur van geld in de lucht hing, moesten de mensen hem wel opsnuiven. Sommigen sloegen de handen ineen en vervoerden hun vis per truck naar het noorden, naar Montreal, en naar de steden in het binnenland, om hem te verkopen aan vismarkten en restaurants.

Er ontstond een soort koorts, vergelijkbaar met goudkoorts. Viskoorts. Degenen die winst maakten, toonden dat door het geld op zichtbare en frivole manieren uit te geven: aan een nieuwe televisie bijvoorbeeld, of aan een nieuwe zender voor in de truck. Aan dure winterlaarzen of een nieuwe parka. Aan alcohol. Aan vlees. Het was niet genoeg geld om te sparen, niet genoeg om bij te dragen aan een nieuw dak voor de schuur of een nieuwe truck. Maar net genoeg om iedereen een gevoel van hebzucht te bezorgen.

Algauw werd het ijs beheerst door meer dan alleen hutjes. Er braken ruzies uit wanneer sommigen anderen ervan beschuldigden 's nachts hun hutjes te hebben verplaatst; er werden theorieën verkondigd dat de hutjes zeven meter uit elkaar moesten staan, of tien meter, of veertien meter, maar niet iedereen dacht er hetzelfde over, en op de beste visstekken was de ruimte beperkt. Omdat ze de opbrengst niet wilden delen, braken sommige mannen met degenen met wie ze lange tijd samen hadden gevist en namen in plaats van hen hun vrouw mee. Het vissen werd een middel van bestaan, een baan – geen extraatje, maar iets waarop je rekende, iets wat je moest doen. Ouders vertrokken voor zonsopgang en kwamen pas thuis als het donker was – zo verwaarloosden ze hun kinderen, die lossloegen door die vrijheid en bokkig werden toen de teugels weer werden aangehaald. Soms maakte een vrouw de lange reis om de vis naar de markt te brengen, terwijl haar man in zijn eentje bleef vissen. Toen de winsten daalden, ontstond er wantrouwen. Is dat alles wat je ervoor kon krijgen? Waar heb je ons geld uitgegeven? Met wie heb je het uitgegeven? Aan de portkleurige plekken op hun gezicht kon je zien welke vrouwen geen antwoord hadden kunnen geven.

Toen het geduld opraakte, kwam ook het seizoen aan zijn einde; toen het seizoen aan zijn einde kwam, raakte ook het geduld op. De mannen stonden nu lang voordat het licht werd op om naar de radio te luisteren. Zou vandaag de grote dooi beginnen? Morgen? Volgende week? En heel, heel langzaam nam de vis in aantal af. Uitgeput, kwaad en teleurgesteld in zichzelf – het geld was steeds op zo gauw het binnen was – bleven de mannen zichzelf, hun vrouwen en zelfs hun kinderen opjagen. Voortdurend moesten er lijnen in het water worden gehouden. Gezondheid was van geen belang, net zomin als school of liefde; alleen vis was van belang. Zelfs in de bitterste kou.

Je vader en moeder werden er ook door aangetast. Doordat de woningbouw platlag was er die winter minder werk dan normaal; vissen leek makkelijker dan moeizaam baantjes zoeken. En dus gingen Helen en Jack vissen en lieten ze jou elke dag vele uren bij mij terwijl zij op het ijs in de vishut van je grootvader zaten. 'Nog één dag,' zei je moeder als ze je 's avonds ophaalde. 'Nog één dag, volgens Jack.' Ze hield van je vader en Jack hield van haar; ze waren hier samen aan begonnen. 'We willen de caravan en de grond kopen. We willen samen iets opbouwen,' vertelde Helen me, met een nieuwe, volwassen vastberadenheid op haar gezicht. 'We willen nog een baby.' Op een andere avond kwam je vader je ophalen, met bloeddoorlopen maar helblauwe ogen en een glimlach op zijn verbrande gezicht. Hij hield een emmer met gekaakte vis omhoog. 'Een spaarpotje voor de nieuwe baby, Tante!' zei hij triomfantelijk. Toen wist ik dat hun pogingen succes hadden gehad.

Je grootmoeder vertelde me dat Homer ook in de ban van de koorts was, maar bij hem lag het anders, meende ze. Ze kreeg het gevoel dat voor Homer het ijs opgaan deze winter meer dan ooit de manier was om tot zichzelf te komen, om te kunnen ontsnappen aan de mensen – ook aan haar. Hij plaatste zijn rode hutje ver van beide oevers, op een plek waar het op zichzelf stond als een bisschopsmijter, met de opening naar het noorden toe, midden op het meer, met de snijdende wind er pal op, maar de andere hutjes buiten zijn gezichtsveld. Hij vertrok zo gauw zijn taken erop zaten en kwam pas tegen zonsondergang weer terug. Maar de vis of het geld konden Homer niets schelen; hij gaf het merendeel van zijn vangst zelfs aan Helen en Jack, zodat zij de vis konden verkopen, en de rest gaf hij aan

Caroline. Bijna om de avond kwam hij langs met een emmer vol, en dan was ook zijn gezicht rood geworden van de wind, de zon en de kou, en leken er lichtjes in zijn ogen te branden.

Je weet dat het ijs vreemde dingen met een man kan doen, in het bijzonder met een man die alleen is. Menig eenzaam man is van het ijs af gekomen, is zijn eenzame woning binnengegaan – zijn gehuurde hut, een caravan op een stuk van zijn land, de oude boerderij die zijn vader hem heeft nagelaten – en heeft daar het geweer dat hij onvermijdelijk bezat te voorschijn gehaald en tegen zijn hoofd gezet. Mijn vader noemde het 'ijsverdriet'. Net als de bliksem hoeft het maar één keer toe te slaan.

Die winter was Homer eenzamer dan ooit. Caroline maakte zich zorgen over hem, omdat hij dag in dag uit op het ijs was, nauwelijks een woord met iemand wisselde en niemand in de buurt had met wie hij een woord kon wisselen. Ze vroeg Jack en Helen om een oogje op hem te houden, wat ze graag wilden doen. Ze zetten hun hutje zo dicht bij het zijne als hij toeliet. ('Breng me niet in de verdrukking,' zei hij toen ze nog dichterbij wilden komen.) Maar Caroline was blij toen het einde van het seizoen naderde. Volgens de staatswetgeving moesten de hutjes de vijftiende maart van het ijs af, in elk geval 's nachts, wanneer het onverwachts kon gaan dooien – er lagen al te veel hutjes op de bodem van het meer. Hoewel de ambitieuzere vissers ze overdag terug konden slepen zolang het ijs het nog hield, was de vijftiende maart op zijn minst een soort voorbode van het voorjaar, een waarschuwing dat de lente ging komen en het ijs zou verdwijnen. Caroline geloofde dat als eenmaal het lichtere seizoen aanbrak, waarin vogels uit het ei kwamen en plantensappen gingen stromen, Homer zou terugkeren uit het duistere land dat hij had bezocht – het duistere land waarvan ze die winter soms een glimp had opgevangen wanneer hij bij haar langs kwam.

Op veertien maart dacht bijna iedereen er net zo over als Caroline. Blij dat er een eind kwam aan de winter. Klaar voor de lente. Rond de schemering hing Caroline die dag natte kleren buiten aan de lijn, in de wetenschap dat ze 's nachts zouden bevriezen, en dat ze daardoor zouden drogen. Voor het eerst sinds november was de lucht zo warm dat hij geen pijn aan je neusgaten deed als je ademhaalde. Alles zag er zachter uit, en vochtiger, alsof er al een geringe, onmeetbare dooi had ingezet. De zonsondergang was genereus en vrolijk in zijn kleurigheid.

Toen de truck de oprijlaan opreed, wist Caroline dat het Homer was door de voorzichtige manier waarop hij de bocht nam en de rustige manier waarop hij de motor afzette en het portier opende. Hij had een doos met daarin eieren, melk en een emmertje verse baars bij zich. 'Hallo Homer,' zei ze terwijl ze hem glimlachend toeknikte, en hij keek haar aan met zijn grijsblauwe ogen. 'Het was vandaag een beetje warmer, hè?' Hij knikte, met de doos nog in zijn handen. 'Waarom zet je die niet binnen? Ik kom er zo aan.' Hij nam de doos onder één arm terwijl hij de deur opende en de keuken binnen ging.

Ik zie het zo duidelijk voor me, die man met zijn grijze haren en grijze ogen, met zijn grote handen en zijn gebogen schouders, die met hart en ziel opgaat in dat moment waarop hij de vrouw helpt van wie hij houdt. Hoe hij daar in haar halfdonkere keuken op haar staat te wachten. Met zijn oren afgestemd op haar bewegingen. Wanneer ze ten slotte binnenkomt, ziet hij haar op de manier waarop elke man het voorwerp van zijn liefde ziet, met ogen zacht van verlangen. Ze trekt haar jas uit. Ze heeft haar vuile serveerstersuniform nog aan en stinkt nog naar gefrituurde gerechten en baconvet, maar als ze hem bedankt, raakt ze zijn hand aan en rekt ze zich uit om hem op zijn wang te kussen, en dan, eindelijk, na zeven jaar van verlangen – of nog langer, want wie weet hoe lang hij deze gevoelens al koestert – wordt hij erdoor overmand. En voor de eerste keer strekt hij zijn hand naar haar uit, raakt hij haar schouder aan en draait hij haar naar zich toe. Het is een onzeker moment, een gevaarlijk moment; alles hangt af van dit moment. Maar zij kust hem – of laat ze zich door hem kussen? Het is een onbeholpen kus, hij weet het, een ongeoefende kus. Maar wel een kus die alles verandert. Er is geen weg terug. En dus vraagt hij haar, met zijn gezicht in haar haren zodat hij haar gezicht niet kan zien. Eindelijk vraagt hij haar, alsof hij vraagt om verlossing. 'Trouw met me, Caroline,' zegt hij.

'O, Homer,' zegt ze, en ze trekt zich terug, keert hem de rug toe en richt zich op de levensmiddelen die hij voor haar heeft meegebracht. 'Laten we geen gekke dingen doen.'

Waarom? Waarom sprong ze zo lichtvaardig met zijn aanbod om en wees ze het zonder aarzelen af? Het aanzoek had haar niet verrast. Waarom vroeg ze niet gewoon om bedenktijd? Waarom niet?

Dat vroeg ze zich later af, en ze kon het niet verklaren. Ze had de man die van haar hield vernederd. De man van wie zij ook hield – als broer in elk geval, en als vriend –, al liet ze hem vertrekken terwijl hij geloofde dat dat niet zo was.

Ik heb je vader nooit echt gekend, los van wat ik van hem heb gezien en van wat je moeder me heeft verteld, maar je moeder en ik werden een soort vriendinnen. Misschien omdat zij ook een buitenstaander was, of misschien omdat ze dankbaar jegens me was, of misschien – wie zal het zeggen – omdat ze dacht dat ze jou financieel kon begunstigen door bij mij in het gevlij te komen. Wat de reden ook mocht zijn, Helen behandelde me respectvol en eerlijk. Vaak bood ik haar koffie of thee aan als ze jou kwam brengen of halen, en dan zaten we samen naar jou te kijken. Alleen maar te kijken, terwijl we het woordeloze plezier deelden dat alleen twee moeders kunnen delen.

Die winter had ik je geleerd met me te kaarten. Met behulp van de kaarten was ik ook begonnen je te leren rekenen, op te tellen en af te trekken – ik leerde je zelfs lezen, door de woorden naast de cijfers en de plaatjes te schrijven. We vertelden het aan niemand; het was ons geheim. Toen we eraan toe waren, besloten we het als eerste aan je moeder te laten zien. Die ochtend hield Helen haar jas aan terwijl ze luisterde hoe jij las uit het kinderboekje dat ik je had gegeven. Ze schudde vol verbazing haar hoofd. 'Ik dacht dat hij nog te klein was om te kunnen leren,' zei ze.

Jij ging spelen. Helen wendde zich naar mij toe met die sluwe blik die ze soms had als ze geamuseerd was. 'Weet u, Tante, in het begin zeiden de mensen dat ik gek was om hem bij u te laten.'

Ik was bang voor het antwoord, maar stelde de vraag toch. 'En wat zeiden ze verder?'

Ze aarzelde en staarde een ogenblik naar de vloer. Ik wist dat ze het me niet wilde vertellen. Ten slotte sprak ze. 'Ze zeiden dat u hier niet hoorde,' zei ze. 'Dat u de harten van uw ouders gebroken hebt. Dat u verwaand en verwend was.' Ze zweeg opnieuw even. 'Dat u uw vader eenzaam hebt laten sterven.'

'Waarom heb je de jongen dan bij mij gelaten?' Deze vraag flapte eruit voordat ik had stilgestaan bij het gevaar ervan.

'Omdat ze ongelijk hadden,' zei ze, en aan haar glimlach kon ik zien dat ze dat geloofde.

Op de meeste dagen gloeide mijn huis van de warmte, zelfs 's morgens vroeg al. Want wanneer het haardvuur 's nachts uitdoofde, werd ik wakker van de kou en maakte het weer aan, en al was het huis van steen en erg oud, het was goed geïsoleerd. Bij mijn renovatiewerkzaamheden had ik daarvoor gezorgd, en in de loop der jaren had ik de kieren en gaten gevonden en dichtgestopt. Als muizen en soms ook vogels stukjes isolatiemateriaal weghaalden voor hun eigen nesten, vulde ik ze opnieuw. 'Je moet levende wezens hun gang laten gaan,' vertelde ik jou. 'Daar hebben ze net zoveel recht op als wij.'

Op de ochtend van de vijftiende maart, de ochtend nadat ik het haardvuur had laten uitgaan en het huis koud had laten worden, de ochtend waarop mijn kamers vol met rook liepen, bracht je moeder je via de voordeur naar binnen en was alweer weg voordat ik met haar had kunnen praten. Het rook nog steeds alsof er iets brandde, en de grijze nevel zweefde nog steeds door de voorkamer. Ik riep je vanuit de keuken, en je kwam, met rode wangen van de kou en zoals altijd een heldere blik in je ogen. 'Een nat houtblok,' zei ik om de rook te verklaren, terwijl ik koffie in de pot lepelde. 'Een nat houtblok, en toen heb ik het deurtje van de kachel een minuut open laten staan. Ik denk ook dat er iemand boven op de schoorsteen heeft gezeten, om warm te blijven of zijn veren schoon te maken.' Er dwarrelde wat rook door de keuken; een deel ervan vond de lamp op de tafel, ging via de kap omhoog en kwam er aan de bovenkant weer uit. Ik keek hoe jij ernaar keek. 'Rook houdt van schoorstenen,' zei ik. 'Is dat zo?' vroeg jij. Ik knikte. 'De rook is de ziel van de boom,' zei ik. 'Hij wordt bevrijd door het vuur, en dankzij de schoorsteen vindt hij zijn weg naar de hemel.' Jij knikte begrijpend.

Toen ik de koffie klaar had – de mijne heet en zwart, de jouwe aangelengd met room en gezoet met suiker – zette ik de mokken en een bord met beboterd geroosterd brood op een blaadje en bracht het naar de tafel in de voorkamer. De rook was bijna weg, en de zon scheen door de berijpte ramen, met een bleek maar diffuus licht. 'Wat voor soort thee is dit?' vroeg jij, toen je van je koffie proefde. 'Het is geen thee, maar koffie,' zei ik. Het was de eerste keer dat ik voor jou de cichoreikoffie had gezet die ik in mijn tijd in New Orleans zo lekker had gevonden. Mijn voorraad werd me speciaal toegestuurd, en ik vond hem te kostbaar om elke dag te drinken. 'Een heel speciale soort koffie van heel ver weg.' 'Het is heerlijk,' zei je, en het grote woord rolde als een knikker door je mond. Ik liet je zien hoe je jezelf kunt trakteren door beboterd geroosterd brood in de zoete koffie te soppen – de traktatie van mijn vader –, en jij dronk de koffie helemaal op en vroeg om meer.

Op tafel lagen onze plattegronden voor de tuin uitgespreid. We werkten aan een methode om de wasberen te verslaan die in de voorafgaande zomer mijn maïs hadden geplunderd. Wasberen houden van maïs, en dus zouden we ze maïs geven – een beetje. Ik liet je de plattegronden zien die ik de vorige avond had afgemaakt. 'Hier, bij het bos, zet ik zes rijen maïs. In een cirkel,' wees ik je aan. 'En dan zet ik hier de pompoenen. In een cirkel.' Mijn vinger trok een rondje aan de binnenkant van de maïs. 'Wasberen hebben een hekel aan pompoenen – pompoenen hebben in elkaar groeiende, doornige stengels, en wasberen letten heel goed op waar ze hun pootjes neerzetten. En dus komt hier, in het midden, de goede maïs. De wasberen eten dan de maïs aan de buitenkant en laten die in het midden ongemoeid vanwege de pompoenen.' Ik leunde achterover in mijn stoel, nippend aan mijn koffie. 'Wat denk je ervan?' Je knikte goedkeurend, als een wijs oud mannetje.

Die dag was het na de lunch warm genoeg voor een boswandeling. We trokken onze wollen jacks aan en gingen voor het eerst in maanden met blote handen naar buiten, jouw hand voelde klein in de mijne. Ik snoof de buitenlucht op. 'Ruik je dat?' vroeg ik.

'Wat moet ik ruiken, Tante?'

We hielden op met lopen, staken onze neuzen omhoog en snoven samen. 'Dat,' zei ik. 'Een beetje scherp, een beetje nat. Niet echt een geur. Meer een sfeer.' Je knikte. 'Het ijs smelt,' zei ik. 'Let op mijn woorden: voor het einde van de week is het weg.' We liepen verder. We volgden de weg omhoog naar de steengroeve, en daarna het pad naar de richel, waar we konden uitkijken over het meer waar je ouders aan het ijsvissen waren.

Toen we die middag de top bereikten, schrokken we van wat we zagen. Er steeg rook op uit een rood hutje; een truck lag met zijn neus in open water en zonk; mensen vormden groepjes en renden weg; water sproeide in een enorme boog omhoog. We zagen niet wat er was gebeurd, of wat het had veroorzaakt. Toen wij de rotsen beklommen naar het uitzichtspunt was de ramp al gebeurd, was de brandweerwagen al aanwezig en was de ambulance al onderweg, maar de lichamen zouden ze niet vinden, toen niet en later niet. Wij wisten dat het Homers hutje was waar de rook uit kwam. Het was half weggezonken in de open wond in het ijs, en het blauw van het water zag er tegen het witte ijs even schokkend uit als bloed op een laken. Ook wisten we dat het de truck van jouw ouders was die met zijn neus omlaag in de wond lag. We begrepen niet was er was gebeurd, maar we herkenden het hutje en de truck. We stonden daar met zijn tweeën zwijgend te kijken, wetend maar niet begrijpend. Hoe kon dit gebeurd zijn? Wat was er precies gebeurd?

Ik denk dat niemand het ooit heeft geweten. Je grootmoeder Caroline dacht dat zij het wist en dat het haar schuld was. Ze dacht dat Homer het zichzelf had aangedaan, dat hij zichzelf na de afwijzing in brand had gestoken. Maar het kan een ongeluk zijn geweest. Homer had een gaskachel in zijn hutje. Misschien was hij in slaap gevallen. Misschien was hij gevallen en had hij de kachel omvergestoten. De mensen hebben gezien dat je ouders de brand zagen, ze hebben gezien dat ze naar hun truck toesnelden, naar hem toereden, uit de truck sprongen en moeizaam naar het brandende hutje toeglibberden. De mensen zeggen dat Jack de deur van het hutje open kreeg en al binnen was toen het ijs het begaf. Het ijs was daar op zijn zwakst – de stroming liep daar. 'Homer wist dat. Homer kende het ijs en zou hebben geweten dat het zwak was,' vertelde Caroline me. Helens gil galmde over het meer. Niemand kon zeggen of ze achter Jack aan naar binnen was gesneld of dat ze door de truck werd meegesleurd. Het ging te snel. En toen was het voorbij en was het stil, en gedurende een ogenblik van puur ongeloof kon niemand een vin verroeren. Vervolgens kwam iedereen in beweging. Iemand pakte zijn zender, de brandweer kwam en de ambulance was onderweg. En precies op dat moment kwamen jij en ik op het uitzichtspunt en keken omlaag, hand in hand.

Ik wist dat ze voor je zouden komen.

Je had de truck van je ouders herkend, dus kon ik niet doen alsof. Ik ben er ook niet zeker van of ik onder andere omstandigheden zou hebben gedaan alsof. Dus toen je me vroeg: 'Wat is er gebeurd, Tante?' vertelde ik je wat ik zeker wist, en niets meer: dat het erop leek dat er een ongeluk was gebeurd. Wat ik in mijn hart wist hield ik voor me. Ik ben er niet zeker van of jij zelfs maar wist wat zich in jouw hart afspeelde. Je was pas vier.

We liepen naar huis. We gingen naar binnen en dronken een beker chocola. Geen van beiden zeiden we veel. We zaten te wachten. Voor mij was het een van die ogenblikken waarop alles om je heen strijdig is met wat je weet. De stralende dag, de zon die door de ramen aan de voorkant stroomde, de rijp die

71

bijna van het glas verdwenen was. De lente was onderweg.

En toch was de rampspoed overal. Voor jou moet het beslist onwerkelijk zijn geweest – als een boze droom. Voor mij als een zich herhalende droom.

We gingen naar buiten en namen plaats op de veranda aan de voorkant. Intussen voelden we niet meer alleen dat het begon te dooien, maar weerklonk er ook een zwak geklater. Beschaduwde plaatsen zouden nog maanden bevroren blijven, maar waar de zon doorkwam smolt de wereld. Ik vond een stukje garen in mijn zak, knoopte de eindjes aan elkaar en leerde jou kop-enschotel spelen. Je kleine handjes vonden de bewegingen moeilijk, maar je concentreerde je er intens op, want de afleiding was welkom. Om je een nieuwe stap te leren bracht ik de touwtjes van mijn handen over naar de jouwe. We begonnen steeds weer opnieuw, waarbij onze handen onder het garen doken en erdoorheen, en onze vingers plukten, trokken en weefden.

Zo waren we bezig toen de auto de oprijlaan opreed. 'Middag, juffrouw Deo,' zei de hulpsheriff, en hij ging voor het trapje staan met zijn hoed in zijn handen.

Ik knikte.

'Er is een ongeluk gebeurd,' begon hij. Ik kon zien hoe zwaar het hem viel. Hij was zelf eigenlijk nog maar een jongen – vijfentwintig pas. Ik onderbrak hem.

'We hebben het gezien,' zei ik.

Door deze informatie kwam zijn hoofd omhoog en ging zijn mond open. 'Jullie hebben het gezien,' herhaalde hij, terwijl hij zijn blik naar jou toekeerde.

Ik knikte opnieuw.

'Nou,' zei hij. En hij legde uit dat jij in Homers huis werd verwacht en dat hij je kwam halen.

We zetten je in de auto en sloten het portier. Hij keerde zich naar mij toe. 'Ze zijn allemaal dood,' zei hij. 'Alledrie.'

'Dat dacht ik al.'

Hij draaide zich om en wilde weggaan. Ik legde mijn hand op zijn arm. Hij bleef staan en keek me aan.

'De jongen,' zei ik.

Hij legde zijn hand op mijn hand. 'We zullen voor hem zorgen,' zei hij.

Ik keek toe hoe de auto vertrok en langzaam de weg af reed. Jij was zo klein in de autostoel dat ik je niet eens kon zien om je uit te zwaaien. En toen was je weg.

Ik ging naar binnen. Ik ging in een stoel bij het raam zitten. Ik vouwde mijn handen in mijn schoot. Terwijl het licht zwakker werd, liet ik de dag en de betekenis ervan op me inwerken. Je ouders waren dood. Ik zag hun jonge gezichten voor me, maar wist dat ik ze nooit meer zou zien. Helens tedere blik niet meer, en Jacks sterke blik niet meer. En jij zou hen evenmin nog zien. Mijn hart trok zich samen bij de gedachte aan jouw verlies – arm moederloos en vaderloos jongetje!

Het was het waarschijnlijkst dat je nu bij je grootmoeder zou gaan wonen. Dat was maar aan de andere kant van het eiland – ik zou je zeker nog kunnen zien, ik zou op bezoek kunnen komen als ik dat wilde. Maar ik zou niet meer je tante zijn. Voor mij was het alsof jij was gestorven, en met jou mijn reden om te blijven leven. Ik kapittelde mezelf omdat ik niet meer van jou had gehouden, omdat ik niet liefdevoller was omgegaan met de momenten die we samen hadden doorgebracht. Omdat ik ongeduldig tegen je was geweest, of boos. Omdat ik momenten had verspild.

Vier jaren waren als zand door mijn vingers gegleden, als water. Weg. Het enige wat we ooit hadden gehad was tijd, en aan die tijd was een einde gekomen.

Die avond dronk ik mezelf weer wezenloos. Gewoonlijk onderdrukt alcohol mijn dromen of wist ze op zijn minst uit mijn geheugen. Maar de droom van die nacht herinner ik me goed. Ik droomde niet, zoals je zou denken, van de gruwelen van het ongeluk, van het vuur, van het ijs dat het begaf, en van de kou van het water dat de schouders van je ouders omsloot. In plaats daarvan droomde ik dat ik een geluid hoorde dat leek op huilen, op het huilen van een klein kind. Ik volgde het geluid en doorzocht het huis van het onbewuste dat meer kamers heeft dan je kunt tellen en waar geen gang twee keer op dezelfde plaats uitkomt. Ten slotte vond ik de bron: een zwart katje dat zo klein was dat het in mijn handpalm paste. Mijn hart en mijn oren werden intussen zo gemarteld door zijn kreten dat ik dacht dat ik het beestje zou moeten verdrinken om een einde aan ons lijden te maken. Maar in plaats daarvan nam ik het in mijn hand, aaide het over zijn kopje, stak het uiteinde van mijn pink in zijn kleine, rozetongige, gulzige bekje en liet het daarop zuigen, zoals ik dat voor jou had gedaan toen je nog heel klein was en een tepel nodig had. Het huilen hield op; het katje ontspande zich in mijn hand en sloot tevreden zijn oogjes. Eveneens tevreden sliep ik vervolgens tot de ochtend en toen ik wakker werd, maakte ik een begin om jou terug te krijgen.

Het huis van Caroline Wright was zijn bestaan begonnen als paardenstal. Niemand wist hoe oud het was, maar op de muren van de huiskamer kon je nog zien waar de stallen waren geweest. In de loop der jaren was door uitbouwingen een allegaartje ontstaan, en moest je door de ene slaapkamer heen om een andere te kunnen bereiken. Het was een huis dat ruimte maakte voor veranderingen, dat groeide als een familie.

Ik had het huis in de zomer gezien, en wist dat Caroline een begenadigd bloemenkweekster was. Het land bestond daar bijna helemaal uit gesteente, maar dat hield haar niet tegen: ze legde simpelweg rotstuintjes aan. De rotstuin aan de weg was van mei tot oktober van zo'n kleurenpracht dat je het huis nauwelijks opmerkte.

Maar in de winter weerhield niets je blik van de aluminium gevelbeplating, die geel was verkleurd; van de opgelapte zonweringen; van het plastic dat was aangebracht om de blootliggende fundering tegen de wind te beschermen; van de deurloze schuur, waar een hoop smerige sneeuw voor lag. Dit alles zag ik voor het eerst toen ik haar die dag opzocht.

Ik had min of meer verwacht haar niet thuis te treffen. Maar een meisje deed me open, knikte op mijn vraag en liet me binnen, waarna ze me aan mijn lot overliet en terugkeerde naar de televisie. Ik wierp een vluchtige blik op haar en haar zus, die hun ogen hadden gefixeerd op het korrelige beeld. Ik zag jou evenwel niet, en dat baarde me zorgen.

Er liep een overwelfde gang naar de keuken waar licht brandde. Daar trof ik Caroline, die rokend aan tafel zat. Toen ze zag wie ik was, keek ze een ogenblik kwaad. Maar toen ontmoetten onze blikken elkaar en raakte haar mond uit de plooi; tranen begonnen langs haar wangen te lopen, en ik zag dat ze haar verdriet alleen in toom had gehouden.

Ik bukte me en sloeg mijn armen om haar heen. Dat was niet iets wat ik normaal gesproken gauw deed. Ze was een vreemde. Maar ze was ook Jacks moeder, Helens schoonmoeder en jouw grootmoeder, en ik voelde haar verdriet even intens als het mijne. We bleven een poosje zo zitten en begonnen toen aarzelend te praten.

Op een gegeven moment maakten we een fles whisky open. Caroline was minder aan drank gewend dan ik, dat zag ik gauw genoeg, en dus hield ik behoedzaam een oogje op haar glas. Maar de drank stelde haar in staat haar hart voor mij uit te storten als een jonge vrouw bij een oudere vriendin. En ik luisterde naar haar als een vriendin. We waren geen vriendinnen, maar het leek erop dat ze niemand anders had tegen wie ze kon praten, en ik had de behoefte om te luisteren.

We praatten tot halverwege de middag. Ik bleek niet in staat om de vraag te stellen waarvoor ik was gekomen, en niet in staat om het gesprek van haar verdriet, problemen en schuldgevoelens op de mijne te brengen. Lange tijd noemde ze jou niet, alsof het bijna te veel voor haar was, de gedachte aan jouw verlies boven op het hare. Een ouderloos kind, een wees. Pas toen in plaats van het verleden de toekomst onderwerp van het gesprek werd, kwam jij ter sprake.

'Ik krijg Homers boerderij,' zei ze. 'Ik weet dat dat zijn bedoeling was.' Op dat punt waren haar ogen droog en was haar toon gelaten. 'James Jack komt bij ons wonen,' zei ze.

'Waar is hij?' vroeg ik, zo neutraal mogelijk.

'Bij de hulpsheriff en zijn vrouw,' zei ze. 'Ik dacht dat hij maar in de weg zou lopen – ik moet schoonmaken, alles in orde maken voor het bezoek…'

75

Haar blik richtte zich op de voorkamer, waar de televisie in zichzelf praatte. 'De meisjes kunnen me helpen,' zei ze. 'Die zijn oud genoeg. Maar hij is pas vier.'

Opnieuw kwamen de tranen. Ik zou ook om je hebben willen huilen, en om mezelf, maar ik had in jaren niet gehuild en de tranen kwamen niet. Ik kan op hem passen, wilde ik zeggen. Laat mij op hem passen, laat mij hem grootbrengen. Maar ik sprak het niet uit, want ik wist dat dat vruchteloos zou zijn. Caroline was er nog niet aan toe om nog een lid van haar slinkende familie op te geven.

Ze hield de aluminium tochtdeur open toen ik naar de truck toeliep. 'Bedankt voor je komst,' riep ze. Ik zwaaide naar haar, beloofde dat ik de volgende dag terug zou komen, stapte in de truck en reed weg, zonder te weten wat ik verder nog kon doen.

Die middag verscheen de hulpsheriff voor mijn deur. 'James Jack wil zijn truck,' zei hij, mijn blik vermijdend. Ik wist onmiddellijk welke truck hij bedoelde – de grote rode wagen die ik dat jaar met Kerstmis voor je had gekocht, waar je liever mee speelde dan met al je andere speelgoed. Ik liet de hulpsheriff in de kou staan en ging naar de bijkeuken, waar we je speelgoed bewaarden. Ik deed de truck en een paar andere spulletjes in een doos. Ik deed het mechanisch. Ik bracht de doos naar de deur. 'Zeg James maar dat de rest hier is voor als hij terugkomt,' zei ik en schoof de doos naar buiten.

De hulpsheriff zweeg even, alsof hij overwoog of hij weer moest spreken, en zei toen: 'Ik denk dat ik dat wel aan u kan vertellen – mijn vrouw en ik denken erover hem bij ons te houden. We willen hem adopteren.' Hij wreef zijn voet heen en weer. In mijn hart werd een mes rondgedraaid. 'Alma kan geen kinderen krijgen,' zei hij op zachtere toon.

'Dat spijt me,' zei ik. Ik wist niet wat ik anders moest zeggen.

'Nou, bedankt hiervoor,' zei hij, en hij tilde de doos op.

Zeg James dat ik van hem hou, zei een stem in mijn binnenste. Wilt u hem dat zeggen?

Ik sprak niet. Ik sloot de deur.

Ik sliep die nacht niet en droomde niet. Ik lag wakker in de duisternis van mijn bed en luisterde naar de wind die door de bomen huilde, die floot als een vandaal om mij wakker te houden en me een onbehaaglijk gevoel te bezorgen. Maar daarbij had ik geen hulp nodig.

De omstandigheden spanden tegen me samen. De hulpsheriff en zijn vrouw waren jong, achtenswaardig, kerkgangers en onvruchtbaar. Ik was oud, niet geliefd, gewantrouwd en een afvallige katholiek, iets wat in deze streken niet lichtvaardig werd vergeven. Het enige wat ik had was geld, maar geld zou voor de rechtbank niets betekenen, en voor het stadje nog minder. Als de hulpsheriff en zijn vrouw zich eerst tot Caroline richtten, was de zaak hopeloos.

Ik besloot te bidden. Het was lang geleden dat ik naar de kerk was geweest, en nog langer geleden dat ik in God had geloofd. Maar ik geloofde in iets in het heelal – geen wezen en geen kracht, maar een iets – dat je bij gebrek aan een betere benaming geluk kon noemen. Geluk, besloot ik, had om te beginnen je moeder naar mij toegebracht; geluk had mij weer hierheen gebracht zodat jij me kon vinden. Nu bad ik om geluk dat jou weer naar mij toe zou brengen.

Zo gauw de zon opkwam, stond ook ik op. Ik werd gedreven door een rusteloze energie. Ik wist niet precies wat ik ermee aan moest, maar ik moest iets doen. Dus maakte ik in het zwakke licht van de vroege ochtend mijn bed op, vulde mijn houtkist, veegde mijn huis aan, schrobde de keuken en de badkamer en bracht verder orde in mijn kleine wereld. Toen laadde ik de in de winter opgehoopte vuilniszakken in de truck en stapte in om ze naar de vuilnisbelt te brengen.

Het was opnieuw een heldere en lenteachtige dag. Er stond een rij voertuigen te wachten totdat de hekken zouden opengaan. Op het terrein parkeerden we en begonnen te lossen, als mieren die reusachtige kruimels naar de hoop toedroegen. 's Zomers hing er bij de vuilnisbelt een chaotische hoeveelheid misselijkmakende geuren; 's winters, als je door de vorst niets rook, was het er bijna aangenaam. Deze ochtend was het nog niet gaan dooien. De mensen keuvelden met elkaar als ze elkaar passeerden of samen heen en weer liepen. Gewoonlijk zou ik hen hebben genegeerd, maar die dag dacht ik Homers naam te horen en spitste ik mijn oren. De paar woorden die ik opving maakten me nog nieuwsgieriger, en ik hield een man staande terwijl hij terugliep naar zijn auto. 'Wat is er toch allemaal met Homer Wright aan de hand?' vroeg ik.

'Die is gestorven zonder een testament na te laten,' zei hij. Het was een gedrongen man met een donkere baard, die verrast leek te zijn dat ik hem een vraag had gesteld.

'Zonder testament?' vroeg ik.

Hij knikte. 'Hij had ook nog een belastingschuld,' zei hij en liep verder.

Ik leegde haastig mijn truck en reed direct naar Carolines huis. Er stond een mij onbekende auto op haar oprijlaan. Toen ik aanklopte werd er opengedaan door een oudere vrouw, naar ik aannam een van die lompe bemoeials die opduiken na een tragedie – in dit geval een financiële. Ze keek me wantrouwig aan. 'Ik heb het nieuws gehoord,' zei ik.

'Die arme Caroline,' zei ze.

'Hoe gaat het met haar?' vroeg ik.

'Ze houdt zich staande.'

Ze blokkeerde de ingang met haar forse lijf.

'Kan ik haar zien?'

'Nu niet.'

'Wilt u haar zeggen dat Marguerite langs is geweest?'

Een knikje, en de deur ging dicht.

De nerveuze energie waarmee ik wakker was geworden veranderde in een vreemdsoortig optimisme. Ik had te doen met Caroline, die me tenslotte had vertrouwd en die meer te verduren kreeg dan de meeste mensen aankonden – maar op de een of andere manier leek dit het antwoord op mijn nachtelijk gebed. Klinkt dat egoïstisch? Ik vocht toen voor mijn leven, en ook voor het jouwe.

Pas op maandag kon ik iets doen. Ik bracht de wachttijd door met het opstellen van een document, en onderzocht mijn mogelijkheden door een advocaat te bellen die sinds mijn vertrek uit New Orleans niets meer van me had vernomen. Het eerste wat ik op maandagmorgen deed, was in de truck zitten wachten bij het gemeentesecretariaat, totdat ik het laatste stukje onderzoek kon uitvoeren. Ik vond in de boeken daar de cijfers die ik nodig had: ik was klaar.

Toen ik ditmaal bij Caroline arriveerde, was ze alleen. De meisjes logeerden bij vriendinnen, vertelde ze me; zijzelf zat, in het zwart gekleed, te wachten tot ze zou worden opgehaald voor de herdenkingsdienst, die die middag om een uur zou beginnen. Toen ik haar asgrauwe gezicht en haar berustend afhangende schouders zag, aarzelde ik. Maar ik was intussen een roofdier geworden en in haar zwakte rook ik mijn kans.

'Wat ga je nu doen?' vroeg ik haar.

Ze haalde haar schouders op. 'Hier blijven,' zei ze. 'Wat kan ik anders doen? Ze nemen de boerderij in beslag voor de belasting. Dit huis is alles wat ik heb.' Ze zuchtte. 'O, Homer,' zei ze.

Ik haalde diep adem en stak van wal. 'Ik betaal je de belasting, Caroline,' zei ik.

Ze keek abrupt op. 'Jij?'

'Ja,' zei ik.

'Waarom?'

'Zodat jij de boerderij kunt erven, hem kunt verkopen en kunt vertrekken. Zodat je een nieuw leven kunt beginnen.'

Ze keek me aan met een blik van dankbaarheid, die meteen omsloeg in twijfel en argwaan. 'En wat wil jij?' vroeg ze met een heldere en strakke blik in haar ogen.

Ik vertelde het haar.

Binnen een kwartier was het besloten. Ze was verrassend scherp van geest en verrassend goed in het onderhandelen. Ik zou niet alleen de belasting betalen, maar zelf de boerderij kopen. Ik deed het graag. Ik wist dat hij uiteindelijk verkocht zou worden en dat ik de kosten terug zou verdienen, of het merendeel ervan – maar zelfs als dat niet het geval was geweest, zou ik me bereid hebben verklaard. Het was alleen maar geld, en ook nog eens het geld van mijn vader. Ik zou het allemaal over hebben gehad voor jou.

Ik wil niet dat je denkt dat ze je zonder pijn of ondoordacht opgaf. Als ik vriendelijker was geweest, als ik haar op een ander moment, op een later tijdstip had benaderd – als ik had gewacht tot ze de tijd had gehad om te herstellen van de catastrofe die haar leven had getroffen – zou ze misschien hebben geweigerd. Ik geef toe dat ik haar overviel op het moment waarop haar toekomst er het somberst uitzag. Maar ze wist dat jij bij mij een goed leven zou krijgen; ze wist dat ik van je hield; ze wist dat jij van mij hield. Helen had haar dat allemaal verteld, en Jack ook. Ik was er zeker van dat als ze eraan hadden gedacht een testament op te maken, ze mij de voogdij zouden hebben toegekend. Bovendien had Caroline haar eigen dochters om wie ze zich moest bekommeren. Ze wilde het eiland verlaten om opnieuw te beginnen nu ze daar nog jong genoeg voor was. Om weer liefde te vinden als dat kon. En dus deed ze, hoewel ze huilde, wat naar haar idee het juiste was.

Een dag later zetten we in aanwezigheid van de notaris onze handtekening en was de zaak beklonken.

Ik stond een eindje van de kerk vandaan en zag jou aankomen in de auto van de hulpsheriff. Zijn vrouw hield je
bij de hand en bracht je naar Caroline, die neerknielde en
haar armen om je heen sloeg. Wat was je knap, wat zag
je er volwassen uit in het pak dat ze voor je op de kop
hadden getikt, met je donkere haar nat en achterover
gekamd. Maar ik was bang dat je het niet warm genoeg
had. Ik was bang dat niemand je zou troosten als je huilde.

Je huilde niet.

Je stond heel stil en hield je grootmoeders hand vast,
maar je huilde niet. Drie doden, en geen kist om te
begraven. Ze zouden op zoek gaan naar de lichamen –
niet nu, maar wanneer het ijs wegdooide. Ze zouden ze
nooit vinden.

Ik was bang dat je het niet zou begrijpen, en dat was
ook zo.

Het was een waterkoude dag, en je had alleen een
goedkoop pak, een wit overhemd, een zwart vlinderdas-
je en dunne leren schoenen aan. Ik keek toe hoe je de
kerk inging en wachtte vervolgens totdat je er weer uit-
kwam.

Mijn lieve vogeltje.

Je hebt helemaal niet gehuild.

Drie

Toen James vanaf Faiths caravan naar huis reed, viel er droge sneeuw uit dikke gele wolken. Hij had het gevoel dat er jaren waren verstreken sinds hij bij zonsopgang de hut uit was gekomen. Maar volgens de klok was het pas halverwege de ochtend, en dus had hij ook het gevoel dat de tijd langzaam stil kwam te staan.

Bij het huis ging hij even buiten zitten en keek. De ramen waren vlak en donker, diep in de grijze steen gezet, het leien dak stond er als een zware wenkbrauw boven, de afrastering van de veranda prijkte eronder als een gebit met gaten. En toch was het een mooi huis, imposant zelfs.

Op de veranda stond de rieten schommelstoel die Tante hem de afgelopen zomer weer groen had laten schilderen. Omdat hij buiten aan het weer was blootgesteld, begon de verf er alweer af te bladderen; zelfs van deze afstand kon hij het zien. De stoel stond roerloos, de wind was gaan liggen alsof hij tot rust was gebracht door het plechtige karakter van de dag – of misschien was zijn vroegere rusteloosheid een voortbrengsel geweest van een menselijk tumult waaraan nu een einde was gekomen. Tantes dood had de tijd stilgezet en de wind doen luwen.

In Faiths armen had hij gehuild als een kind. Het was een prettig gevoel geweest om te huilen, het had hem goed gedaan. Hij had gehuild omdat Tante alleen was gestorven; hij had gehuild omdat hij geen afscheid van haar had genomen; hij had gehuild omdat hun laatste woorden boze woorden waren geweest. Hij was niet in staat geweest iets daarvan aan Faith uit te leggen – de woorden hadden niet willen komen –, maar ze had hem er ook niet om gevraagd. Toen hij was opgestaan om weer te vertrekken, had ze alleen maar op de vloer gezeten, met haar bleke benen onder zich gevouwen en een droevige maar niet nieuwsgierige uitdrukking op haar gezicht.

Hij besloot de truck achter de schuur te verbergen, reed hem daarheen, stapte uit, liep richting huis, keerde weer om voor de zak uit Keller's winkel en ging opnieuw richting huis. Hij bleef staan op de veranda, draaide zijn gezicht naar de vallende sneeuw toe en liet hem op zich neerkomen. De sneeuw smolt op zijn huid en maakte zijn wangen nat. Hij voelde opnieuw de tranen komen, schaamteloos warm, en liet ze komen totdat ze uit eigen beweging weer ophielden.

Binnen besloot hij om hetzelfde te doen als altijd. Hij stampte de sneeuw van zijn voeten, deed zijn buitenkleren uit en hing ze aan hun haken. Hij haalde de wijn uit de zak en zette hem op het aanrecht. Hij legde de kaas in de koelkast en de crackers in de provisiekast. Hij hurkte neer naast de houtkachel, schepte de as eruit, frommelde een krant op, schoof hem met aanmaakblokjes en een paar stukken hout de kachel in en streek een lucifer af op de stenen haard. Met de kachel aan was het veel gezelliger in de keuken.

Hij ging naar de voorkamer en maakte ook daar de haard aan. Het zou simpel zijn geweest om de thermostaat omhoog te draaien en de oliegestookte verwarmingsketel te laten aanslaan – een gemak waarop hij nog maar een paar jaar geleden had aangedrongen – maar hij had geen zin om de zaken simpel aan te pakken; hij had het gevoel dat het juist en gepast was om het op de moeilijke manier te doen. Een haardvuur verwarmt een huis op een andere manier. Hij wilde niet alleen warmte, maar ook licht en beweging.

Vervolgens ging hij naar boven naar zijn eigen kamer. Er had al heel lang geen vuur gebrand in zijn haard, en aanvankelijk leek het of de schoorsteen niet wilde trekken. Maar toen hij eenmaal warm werd, ging de rook wel omhoog. Rook houdt van een schoorsteen. Dat had Tante hem verteld.

Hij ging weer naar beneden. In de voorkamer deed hij de lampen aan. Meer licht. Hij zag het spel kaarten in een slordig stapeltje liggen op de tafel waaraan ze de vorige avond hadden gespeeld. Hij vond hun elastiekje, deed het eromheen en legde het spel in Tantes la. Hij vouwde haar oude zijden quilt op en legde hem op de armleuning van de bank waarop zij graag had dat hij lag. Hij legde de beide bij elkaar horende puntige kussentjes recht, zodat de erop afgebeelde huisjes rechtop stonden. Toen hield hij een ogenblik op en bleef onbeweeglijk staan. Vervolgens ging hij door de keuken terug naar de achterste slaapkamer.

Tante was vijfentachtig geweest toen ze haar naar beneden hadden verhuisd, naast de keuken en de badkamer, zodat ze geen trappen meer hoefde te lopen. Ze hadden haar spullen ook naar beneden gebracht, allemaal. De kleine kamer was daardoor overvol, de zware oude meubelstukken stonden dicht opeengepakt, maar dat maakte het volgens Tante alleen maar 'knus'.

Met zijn hand op haar deurknop bleef hij even staan. Hij had haar kamer al lange tijd niet meer betreden. Het was raar om naar binnen te willen gaan zonder dat zij er was om op zijn kloppen te reageren. Hij had geen idee van wat hij er zou aantreffen, en evenmin wist hij waarom hij zich verplicht voelde om er te gaan kijken. Maar hij draaide de knop om en duwde de deur open.

De onderkant van het enige raam was door een hoge spiegel aan het oog onttrokken, en voor de bovenkant hing een donker gordijn, zodat hij het licht aan moest doen om iets te kunnen zien. De kamer was weinig meer dan een grote muurkast; om precies te zijn was het oorspronkelijk een tweede provisiekast geweest. Op plekken waar de muren zichtbaar waren, kon hij nog de horizontale lijnen verf zien die zich hadden gevormd rond de lang geleden verwijderde schappen. Tantes kleine, eenvoudige bed stond direct achter de deur, met het voeteneinde naar hem toegekeerd. Aan het hoofdeinde rees een hoge ladenkast op. Daarnaast stond een toilettafeltje met een kleine rechte stoel, daarachter de commode met de spiegel voor het raam, dan een hutkoffer, een klerenkast die ze als linnenkast gebruikte (die ze een 'chiffonnière' noemde), een kleine schommelstoel met kussens erop, en de deur zelf, weggestopt in de laatste hoek. Er was net genoeg ruimte om naar binnen te kunnen stappen. Hij deed het.

Alles was keurig op orde. Het bed was opgemaakt, de witte chenille sprei was strak aangetrokken en lag precies over de hoeken van het bed. Tantes zware orthopedische veterschoenen stonden naast elkaar onder het bed (haar voeten waren het enige waarover ze klaagde). Op het toilettafeltje lag haar kam in de bijpassende oude schildpad haarborstel. Het enige andere toiletartikel was een klein flesje parfum dat hij haar heel lang geleden had gegeven.

De beide kleerkasten stonden vol ingelijste foto's. Sommige waren van familieleden en vrienden uit haar verre verleden, mensen die hij alleen kende omdat zij de namen had genoemd, die hij intussen voor het grootste deel was vergeten. De overige foto's waren van hem als baby, kleuter en schooljongen. Hij herinnerde zich het klikken van de camera en de flits in zijn ogen niet, maar hier stond het bewijs, foto's die afkomstig leken te zijn uit een film die hij zo vaak had gezien dat hij de ontbrekende momenten ertussen kon reconstrueren.

De foto's hielden op toen hij dertien of veertien was, toen de camera van haar hand naar de zijne was overgegaan en een puberpassie was geworden. In dozen in een kast boven lagen zonsondergangen bij het water, bomen en dieren (een hert betrapt bij het knabbelen aan de maïs in de tuin), het huis en de schuur vanuit vele gezichtshoeken en zijn projecten (onder meer een zelfgebouwde kart). En enkele foto's van Tante, de paar die hij had mogen maken: Tante in de keuken, met een grote houten pollepel roerend in een pan met dampende zwarte frambozenjam; Tante in de tuin, met haar armen tot aan de ellebogen in de modder; Tante die nat uit het zwemwater bij de steengroeve kwam, met druipende haren, grijnzend naar de camera en naar hem. Naarmate ze ouder werd vond ze zichzelf steeds slechter op foto's staan, hoewel ze – vond ze – op een goede manier oud was geworden en een van die vrouwen was wier karakter hun gezicht iets interessants verleende dat beter was dan louter schoonheid. 'Indiaanse botten,' zei ze. 'Van mijn grootmoeder.'

Uiteindelijk was het met de fotografie net zo gegaan als met andere vroege hobby's. In recente jaren had hij alleen op haar verjaardag nog foto's gemaakt: hij had de camera dan stiekem achter zijn rug mee naar binnen genomen en drukte precies af wanneer zij de kaarsjes uitblies – of probeerde dat te doen terwijl zij haar hoofd introk. Ze hielden geen van beiden van sentimentaliteit, al hielden ze veel tradities in ere.

Hij had een hand uitgestoken om de bovenste la van de ladenkast open te trekken toen hij in de spiegel haar gezicht achter zich meende te zien, haar blik. Hij draaide zich om. Niets, niemand. Ze was overal bij hem maar toch niet aanwezig. Hij schudde zijn hoofd en opende de la. Onder wat brieven vond hij de enveloppe met zijn naam erop. Ze had het document met hem doorgenomen toen ze het naar de notaris hadden gebracht: haar testament, haar wensen. Niets van wat hij deed zou er legaal door worden, maar het zou hem een verdediging verschaffen. Hij meende dat hij zich de bijzonderheden nog herinnerde, maar wilde zekerheid hebben. Hij liet zijn duim onder de klep glijden om hem open te scheuren en stopte. Het was te vroeg. Er zou later nog tijd voor zijn. Van nu af had hij alleen maar tijd. Hij legde de enveloppe terug op de plaats waar hij hem had gevonden, verliet de kamer en sloot de deur achter zich.

De keukenklok wees elf uur aan toen hij een auto op de oprijlaan hoorde. Hij opende de deur naar de bijkeuken en keek naar buiten. De sneeuw viel nu in hoog tempo, nog altijd fijn als suiker. Erdoorheen zag hij Faiths auto stilhouden.

Hij trof haar bij de deur. 'Ik heb mijn vlucht tot morgen uitgesteld,' zei ze. Hij liet haar binnen. Ze droeg de zwarte wollen muts die hij haar had geleend en die ze tot haar ogen omlaag had getrokken; eronder was haar gezicht als dat van een kind, klein en spits. 'James,' zei ze. Ze sloegen hun armen om elkaar heen. 'James,' zei ze nogmaals, en dit keer werd haar stem gedempt in zijn shirt. 'Wat is er aan de hand? Wat is er gebeurd?'

Hij vond het te moeilijk om het te zeggen. 'Ik zal het je laten zien,' zei hij.

Een ogenblik later had hij zich aangekleed en waren ze onderweg. Ze passeerden de schuur en gingen de heuvel op en het bos in, met alleen het geluid van hun stappen, hun ademhaling en het suizen van de sneeuw door de lucht. Toen het pad smaller werd, liet hij haar voorgaan, zodat hij haar kon opvangen als ze viel. De sneeuw hoopte zich op op haar muts en op de schouders van haar jack, dat te dun was voor dit soort winters, al hield zij vol dat het uitstekend was, 'berekend op min dertig'. Hij wist niets van dat soort berekeningen; hij wist alleen wat zijn gezonde verstand hem vertelde, namelijk dat ze meer nodig had tussen haar frêle lijfje en de winter.

Hij had ook in het bos gelopen toen hij Faith voor het eerst was tegengekomen, pas een week geleden. Niet in dit bos, maar in het bos beneden, aan de overkant van de weg.

De wind speelde spelletjes die dag. De ene minuut huilde hij door de hoogste takken van de bomen; een minuut later luwde hij zo sterk dat James de twijgjes onder zijn voeten kon horen kraken. Vervolgens sloeg hem een vlaag tegemoet die zijn sjaal alle kanten uit trok en nu eens tegen de ene kant van zijn gezicht en dan weer tegen de andere aanbeukte, als twee pestkoppen die een zwak kind treiteren – ze doen hem niet echt pijn, maar laten hem nooit helemaal met rust. Het was niet de hevige rukwind waarnaar het eiland was vernoemd – alleen maar een speelse wind, een verveelde wind, een middagwind.

Hij was net over een richel heen geklommen toen zijn oog op haar viel. Natuurlijk wist hij niet wie ze was. Hij had niet eens door dat er een vrouw verstopt zat in die winterkleding, totdat ze zich naar hem toekeerde, een vinger naar haar lippen bracht en naar het meer wees. Hij bleef staan, keek waar ze naar keek en zag wat ze zag: een hele troep kalkoenen, die achter elkaar aan liepen op hun speciale manier, met de grootste voorop en de kleinste achteraan. Ze kwamen bij een oude omheining met twee dwarsbalken en wipten er een voor een overheen. En stegen daarna op voor korte vluchtjes door de bomen, niet gehinderd door de wind.

Buiten adem bereikte ze hem. 'Ik dacht dat het vuilniszakken waren,' zei ze, terwijl ze nog altijd naar de vogels keek. 'Toen ik ze voor het eerst zag. En ik dacht, waarom zou iemand vuilniszakken over dat hek heen gooien? En toen besefte ik wat het waren.'

'Kalkoenen,' zei hij.

Ze richtte voor de eerste keer haar ogen op hem – er zouden nog heel wat keren volgen. 'Dat weet ik,' zei ze.

Hij bekeek de blos op haar bleke huid, haar glanzende rode haren en de dure – maar te dunne – parka met bont op de capuchon, en veronderstelde dat ze een rondtrekkende toeriste was. Hij kon zich alleen niet voorstellen waarom ze hier was, op dit tijdstip. 'Dit is privé-terrein,' zei hij.

'Dat weet ik,' zei ze, en ze keek hem recht aan.

'Het is van dokter Milton,' zei hij.

'Wat doe jij dan hier?' Hij kon niet uitmaken of er een glimlach of een uitdagende grijns om haar lippen lag. Hij merkte dat hij teruglachte.

'Ik ben een vriend van hem,' zei hij.

'Nou,' zei ze, 'en ik ben zijn dochter.'

Hij verborg zijn verrassing, dacht hij, door te knikken. Hij wist natuurlijk dat de dokter een dochter had; hij had haar alleen in geen jaren gezien en had niet verwacht haar nu te zullen zien. 'Hoe gaat het met de dokter?' vroeg hij.

'Je wist dat hij ziek was?'

Hij knikte.

'Nou, hij is overleden,' zei ze. 'In augustus, een paar dagen nadat hij hier was vertrokken.'

De wind ging een seconde liggen, alsof hij luisterde naar hun gesprek. 'Aan kanker,' zei James.

Het was haar beurt om te knikken.

'Wat erg,' zei James, en hij meende het. De dokter was anders geweest dan het andere zomervolk; hij had nooit pretenties, hield van het eiland zoals het was en wilde niets veranderen. Hij bouwde zelfs niet op zijn land, op deze veertig hectare; hij woonde gewoon in de oude caravan die er al stond. 'Ik ben hier maar twee weken per jaar,' placht de dokter te zeggen. 'Ik heb geen behoefte aan iets luxueus.' Hij was ook een goede buurman geweest, die altijd voor James Jack en Tante klaarstond. Hij was oogarts, en omdat hij wist wat een hekel Tante aan doktoren had, kwam hij altijd goed voorbereid, onderzocht haar als ze een kou op haar borst had, controleerde haar ogen en bloeddruk, en schreef recepten voor haar uit. James hielp hem dan ook graag en verrichtte reparaties wanneer dat nodig was, hoe vreemd het ook was om iemand anders te zien wonen in de caravan waar zijn ouders hadden gewoond en waar hij als klein kind had gewoond.

'Hij was een goed mens,' zei James.

'Ja, dat was hij.'

James stak zijn hand uit. 'Ik ben James,' zei hij.

'Faith,' zei ze. Ze schudden elkaars gehandschoende hand.

Hij knikte. 'Ik herinner het me weer.'

'Je herinnert je wat?'

'Van toen je nog klein was,' zei hij. 'Je vader nam je mee naar Tantes huis.'

'James Jack.' Ze schudde haar hoofd.

'Wat?' vroeg James.

'Ik dacht altijd dat je een product van mijn verbeelding was,' zei ze. 'Ik herinner me vaag dat ik speelde met een jongetje, maar ik dacht dat ik hem had verzonnen – je weet wel, zoals kinderen dat doen als ze zich vervelen of eenzaam zijn.'

'Misschien heb je me wel verzonnen,' zei James, en hij merkte dat hij glimlachte. 'Ik herinner me niet dat we samen hebben gespeeld. Ik was nooit erg op meisjes gesteld.'

Ze grijnsde hem toe. 'Als ik jou heb bedacht, hoe weet ik nu dan dat je wel echt bent?' vroeg ze.

Hij trok zijn handschoen uit en stak zijn hand weer uit. 'Kijk zelf maar,' zei hij. En zij had haar rechter handschoen uitgetrokken en hem haar hand toegestoken, en de aanraking van hun blote handen was warm geweest in de kou.

Pas later zag hij haar andere hand met de ring eraan en besefte dat ze getrouwd was. 'Waar is je man?' had hij gevraagd. 'Ergens anders,' had ze gezegd, met een licht trekken van haar mond.

Nu was ze hier bij hem, en klom mee omhoog naar de hut waar Tante lag. Toen de heuvel steiler werd, hoorde hij hoe ze begon te hijgen. Ze rookte. Dat had hem verrast, gezien wat er met haar vader was gebeurd en gezien het feit dat hij arts was. 'Ik heb een sterke instinctieve neiging tot zelfvernietiging,' had ze gezegd, terwijl ze naar de sigaret in haar hand keek. 'Maar als jij het me vroeg, zou ik stoppen.' Als jij het me vroeg. Het was hun tweede ontmoeting. 'En als je man het je vroeg?' vroeg James. 'Dan zeker niet,' zei ze.

Toen de hut in zicht kwam, bleven ze even staan. Faith keek hem aan met een onderzoekende blik in haar ogen. 'Mijn toevluchtsoord,' zei hij, en ze knikte begrijpend. Ze had haar vaders caravan haar 'toevluchtsoord' genoemd, en ze zei dat ze er op de vlucht was voor haar man.

Hij bracht haar naar de hut en opende de deur voor haar. Hij liet haar het bed zien waarop Tante lag, open en bloot, met een gezicht dat geen pijn, verrassing of spijt verried. Alleen de vreemde houding van haar lichaam – met de arm nog omhoog en het been onder haar verdraaid – wekte de indruk dat ze tegen de dood had gestreden. James legde uit hoe hij haar had gevonden. 'Wat is er gebeurd?' vroeg Faith, dit keer op een andere toon. 'Ik weet het niet,' zei hij.

Ze daalden naast elkaar de helling af en spraken over Tantes wensen, James' plan en hoe Faith zou kunnen helpen. 'Ze wil sterren,' zei James. Faith keek omhoog. 'Het klaart wel op,' zei ze, terwijl ze naar de ondoorzichtige witte lucht tuurde.

Toen het glibberig werd, pakte hij haar bij haar arm, en hij hield haar vast totdat ze bij de weg naar de steengroeve kwamen en het pad beter begaanbaar werd; toen hield hij haar bij haar hand. De schuur en het huis doemden weer op, eerst als vage silhouetten en vervolgens steeds duidelijker. Er waren geen tekenen dat de sneeuw minder werd. 'Als dit te lang door-gaat,' zei hij, 'wordt het vannacht allemaal een stuk moeilijker.' Ze kneep in zijn hand, en hij kneep terug door de dikke hand-schoenen heen.

Ze zaten aan de keukentafel thee te drinken toen de auto van de sheriff kwam aangereden. James ging Tantes kamer in, trok de deur achter zich dicht en gluurde door een kier waardoor hij niets zag. 'Hallo mevrouw Grayson,' zei de stem van de sheriff toen Faith opendeed.

'U weet wie ik ben.' Haar lichte stem.

'Het is hier maar een klein eiland,' zei de sheriff. 'Ik vond het heel erg toen ik over uw vader hoorde.'

'Kende u hem?'

'Een beetje. Hij was een goed mens.'

'Ja,' zei ze. En toen: 'Dank u.'

'Zo,' zei de sheriff. James stelde zich voor hoe hij nonchalant om zich heen keek. 'Is James Jack thuis?'

'Nee,' zei Faith. 'Marguerite en hij zijn vandaag naar het vas-teland gegaan.'

'Gek,' zei de sheriff. 'Daar heeft hij het niet over gehad toen ik hem vanmorgen zag.'

De dialoog maakte een gekunstelde, ingeblikte indruk – alle-bei speelden ze een rol.

'Nee?' zei ze. 'Nou, ze zijn vlak voor de lunch vertrokken. Ze vroegen mij het huis te gebruiken en de kachel brandend te houden.'

'Het verbaast me dat ze niet gewoon de noodverwarming hebben gebruikt. Daar hebben de meeste mensen hem voor.'

'Daar weet ik niks van,' zei Faith. 'Het leek me alleen leuk hier de dag door te brengen.'

'Nu ik er nog eens over nadenk,' zei de sheriff, 'hebben ze misschien niet eens een noodverwarming.'

'Nee, misschien niet.'

'Nou,' zei de sheriff, 'als je James ziet, zeg hem dan dat ik het een en ander met hem te bespreken heb. Iets serieus.'

Mooi detail, dacht James: *serieus*.

'Waar gaat het over?' vroeg Faith. 'Dan kan ik het hem zeggen.'

'Zeg hem gewoon maar,' zei de sheriff, 'dat er wetten bestaan voor deze zaken. Wetten die hij niet mag overtreden.'

'Oké.' James vond Faiths toon prachtig – bijna spottend. Hij stelde zich de sheriff voor als een sheriff in een film, die zijn hand opstak en tegen de rand van zijn hoed tikte. Maar natuurlijk had de sheriff niet zo'n hoed op, niet in de winter. 'Een prettige dag nog,' zei de sheriff; toen klonk het geluid van de keukendeur die open en weer dicht ging, vervolgens de bijkeukendeur en daarna het starten van de auto. Toen alleen de motor. James stelde zich voor hoe de sheriff omhoogkeek naar de schuur en de vage omtrekken zag van de voetafdrukken en trucksporen die door de sneeuw opgevuld begonnen te raken. Het geluid van de motor in zijn achteruit, en toen van rijden. James kwam naar buiten.

Faith wees op hun twee mokken, die nog warm op tafel stonden. 'Ik denk niet dat hij ons zelfs maar een seconde heeft geloofd,' zei ze.

'Nee,' zei James, 'dat is niet gelukt.' Hij schudde zijn hoofd. '"Een prettige dag nog,"' zei hij, de sheriff imiterend. Faith lachte.

'Wat bedoelde hij nou met dat verhaal over die wetten?' vroeg ze.

'Ik weet het niet,' zei James, al wist hij het wel. 'Het maakt niet uit.'

'Nee,' zei Faith. 'Ik denk van niet.' Ze zweeg even. 'Nou,' zei ze, 'we zullen wat tijd moeten doden, hè?' Ze spreidde haar armen uit, en James ging naar haar toe.

Hij hield haar bij haar hand en leidde haar over de onverlichte achtertrap naar boven. Hij bracht haar naar zijn warme kamer, waar alleen nog kooltjes in de haard brandden. Hij legde er nog een houtblok in, liep naar de andere kant van de kamer en trok het groene rolgordijn omlaag. Hij draaide zich om in het valse schemerlicht en zag hoe ze voor de deur stond en naar binnen keek, alsof ze de toekomst verkende voordat ze erin stapte. Hij hield zijn armen uitgespreid, en ditmaal kwam zij naar hem toe.

Ze kleedden zich uit en hielpen elkaar met knopen en ritsen. Ze namen er de tijd voor. Ze hadden geen haast. Hij vroeg zich af wat zij nu voelde, wat ze dacht. Hij vroeg zich af of de eerste keer zelfs maar een beetje prettig voor haar was geweest – zo niet, dan vroeg hij zich af waarom ze hem de manier waarop hij het had gedaan had vergeven, het gebrek aan tederheid. Hij had het achter de rug willen hebben, het snel achter zich willen laten, maar nu had hij daar spijt van en wilde hij het goed maken. Toen de kleren weg waren en ze niets dan vlees waren, toen er niets meer was dat hen scheidde, opende hij zijn mond om te zeggen dat het hem speet, om zich te excuseren, maar zij kuste hem en het begon opnieuw.

Daarna, toen ze diep onder de dekens in elkaars armen lagen, zei ze: 'Dit is te makkelijk.'

'Wat bedoel je?' vroeg hij.

'Ik bedoel,' zei ze, en ze ging rechtop zitten, waarbij de dekens van haar frêle lijf af gleden, 'dat ik de afgelopen veertien jaar met dezelfde man getrouwd ben geweest. Het zou moeilijk moeten zijn om met een ander te vrijen, denk je niet? Maar dat is het niet.'

Ze klom het bed uit en pakte haar shirt, het pakje sigaretten en de lucifers.

'Niet doen,' zei hij.

Ze keek hem op een nieuwe manier aan, met een kleine mond en grote ogen, alsof ze op het punt stond hem uit te lachen. Maar ze deed het niet. 'Zeg, alsjeblieft,' zei ze, en hij zei 'Alsjeblieft,' en zij legde de sigaretten neer en klom terug in bed.

'Arme Marguerite,' zei ze, en ze legde haar hoofd op zijn schouder. Hij schaamde zich dat hij een ogenblik was vergeten dat Tante was overleden, terwijl zelfs Faith het niet was vergeten. Hij kreeg een brok in zijn keel; hij slikte met moeite, nog niet bij machte om weer te huilen.

'Vertel me het verhaal,' zei Faith.

'Welk verhaal?'

'Het verhaal van de afgelopen acht jaar.'
'Goed,' zei hij.

Op zijn zevenentwintigste verjaardag werd James strontlazarus. Hij kwam er rond voor uit: hij had met zichzelf te doen gehad en zich treurig gevoeld over zijn leven. Op gewone dagen voelde hij zich prima, maar om de een of andere reden had die verjaardag hem niet onberoerd gelaten. Maar het was nog erger dat hij in die toestand was thuisgekomen en tegen Tante dingen had gezegd die hij niet had moeten zeggen. Het probleem was niet zozeer dat hij haar gevoelens had gekwetst; het probleem was dat hij een doos van Pandora had opengemaakt die niet meer dicht wilde.

Tante bemoeide zich met hem. 'Je moet iets met je leven doen,' zei ze dan. 'Dat doe ik al,' zei hij dan. 'Iets anders,' zei zij dan. 'Wat bijvoorbeeld?' vroeg hij dan. Iedere week hadden ze dezelfde ruzie, al noemde zij het liever een discussie. Iedere week kwam ze met iets nieuws dat hij kon doen: een bosbouwopleiding volgen; lid worden van een club voor singles op het vasteland; zijn eigen zaak beginnen met een startkapitaal van haar. 'Wat voor soort zaak?' vroeg hij. Ze rolde met haar ogen. 'Moet ik soms al het denkwerk doen?' vroeg ze.

Het was Tante die de advertentie in de krant zag staan en die naar hem toeschoof. 'Dat heb je altijd al willen worden,' zei ze. Hij wimpelde het af. Hij was nog een kind geweest toen hij dat had gezegd; welke jongen zei nu niet dat hij brandweerman wilde worden? 'Ik wou gewoon met zo'n glimmende helm op lopen,' zei hij, en dat was waar, zij het niet de hele waarheid. 'Nou,' zei ze, 'dit is dan je kans.'

Dus had hij gebeld voor een sollicitatieformulier, het ingevuld, een gesprek gehad en de baan gekregen. Het opleidingsprogramma duurde acht weken. Van zes uur 's morgens tot vijf uur 's middags, zes dagen in de week. Het was te lastig om vanaf het eiland op en neer te reizen. En dus had hij een appartement op het vasteland gehuurd en voor het eerst in zijn leven op zichzelf gewoond. Elke zondag ging hij met het veer naar huis om een oogje op Tante te houden. Ze was toen zesentachtig en nog in staat om voor zichzelf te zorgen.

De meeste brandweerlieden in opleiding waren wat jonger dan hij, maar ze waren geen van allen groentjes. Sommigen hadden gestudeerd. Anderen hadden, net als hij, gewerkt – als timmerman, vrachtwagenchauffeur of arbeider in een van de plaatselijke meubelfabrieken. Er waren ook twee vrouwen bij. Ze hadden er allemaal wat ongemakkelijk uitgezien, zoals ze met hun winterparka's en laarzen aan in oude schoolbanken geproft zaten, als een groepje werkende ouders die waren opgeroepen voor een gesprek met het schoolhoofd. James was te laat binnengekomen en was achteraan gaan zitten, dicht bij de deur, zoals hij dat op school ook altijd had gedaan. Hij tuurde naar zijn handen in afwachting van de komst van de docent. Hij voelde zich dom en probeerde zo min mogelijk op te vallen. Maar de man naast hem liet dat niet toe. 'Ik ben Perry,' zei hij, en hij stak zijn hand uit. James moest hem de hand schudden en hem aankijken. Een melkwitte huid, witte haren en wenkbrauwen. Roze ogen met vuurrode pupillen. 'Ik ben een albino,' zei Perry grijnzend. 'Een albino brandweerman. Iets unieks, denk je ook niet?' Hij pakte degeen die voor hem zat bij de mouw, en zij draaide zich om. 'En dit is Marion,' zei hij. 'Ze is een Abnaki. Hoe vind je dat? Een albino en een indiaanse in één klas. Ik heb gehoord dat jullie indianen een bijzonder talent hebben voor het blussen van branden. Klopt dat, Marion?'

De vrouw rolde met haar ogen en schudde haar hoofd. 'Niet meer dan jullie als albini-o's,' zei ze. Ze stak James haar hand toe. 'En wie ben jij?' vroeg ze.

'James,' zei hij.

'James,' herhaalde ze. 'Dat klinkt officieel genoeg, lijkt me zo.'

'Officieel genoeg voor wat?' vroeg hij.

Ze rolde opnieuw met haar ogen. 'Voor het debutantenbal,' zei ze. 'Overal voor.'

Perry lachte. 'Vlijmscherp, hè?' zei hij, en hij knikte naar

James. 'We zullen voor haar moeten oppassen.' James vond hen allebei aardig.

De dagen waren lang en de opleiding was zwaar. Ze werden vooral gedrild. Ze leerden de standaardprocedures. Sprints waarbij je een brandslang van vijfenveertig kilo een trap op en af moest dragen. Het in gereedheid brengen van brandkranen, het wegslepen van poppen. Ze kregen de vaste routine onder de knie. Ze leerden te reageren op de oproep, de uitrusting in orde te maken, ladders te vervoeren en te beklimmen. Ze moesten, zoals de instructeur het uitdrukte, het punt van 'automatisering' bereiken. Ze moesten in staat zijn altijd automatisch het juiste te doen, zonder erbij na te denken. Maar ze moesten ook in staat zijn na te denken, voor het geval de zaken niet volgens het boekje verliepen. 'Zet je verstand niet op nul, jongens,' zei de instructeur ten minste twaalf keer per dag. 'Hou die grijze massa aan de praat.'

De eerste paar dagen werden Marion en de andere vrouw stevig geplaagd. Maar de andere vrouw ontdekte dat ze zwanger was en hield ermee op. En toen alleen Marion nog over was, stopten de plagerijen. Ze was net zo sterk als de mannen, stevig gebouwd en grover in de mond dan de meesten. James, Marion en Perry werden een trio. Ze vormden een team bij de driloefeningen en studeerden samen. Ze waren hier om verschillende redenen. Perry was een dromer: hij wilde werken voor de nationale parken, hij wilde de man zijn die massa's water over de bomen uitstortte, hij wilde een held zijn en de bossen redden. Hij had al een vliegbrevet. Marion wilde iets anders doen dan het serveerwerk dat ze al vanaf haar zestiende deed en meer geld verdienen dan op een andere manier mogelijk was voor haar als vrouw met alleen high school. En James – hij kon niet uitleggen waarom hij meedeed en wist niet eens precies of hij het zelf wel wist. Dus zei hij maar dat hij bij de vrijwillige brandweer op het eiland wilde. Dat hij iets goeds wilde doen. Levens en eigendommen wilde redden. 'Sint-James,' noemde Perry hem.

Op zaterdagavond, voordat hij naar huis ging, gingen ze

samen drinken. Het was prettig om met mensen van ongeveer zijn leeftijd om te gaan. Hij hield van de kameraadschap, van de gesprekken, van de vrolijkheid. Perry en Marion werden soms zo dronken dat hij een taxi moest bellen om hen naar huis te brengen. Ze waren drie vrienden – alleen maar vrienden. Voor het eerst in zijn leven had hij werkelijk het idee dat hij bevriend was met een vrouw – en met een man. Hij had het idee dat hij met hen over alles kon praten, al deed hij dat natuurlijk niet. Dat paste nu eenmaal niet bij hem. Marion boog zich over de tafel heen, haar adem zoet van de amaretto die ze graag dronk, en zei: 'Kom eens een beetje los, James! Wees eens niet zo'n houten klaas.' En Perry schudde zijn hoofd en zei: 'Marion, je kunt net zo goed aan een boom vragen of hij een radslag voor je maakt.'

De laatste week van de opleiding was de toetsweek. De toets was een echte brand, als die er was, of anders een speciaal aangestoken brand. Je wist nooit wanneer je toets kwam. De brandweerlieden in opleiding waren vierentwintig uur per dag oproepbaar. Ze woonden in de kazerne en deden kaartspelletjes of poetsten het chroom als ze niets anders te doen hadden. Als je voor je toets slaagde, kreeg je het certificaat, en daarna kon je zelf bepalen wat je ging doen: elk brandweerkorps in de staat zou je aannemen zo gauw er een plaats vrij was. Perry deed stoer. 'Ik ga schitteren,' zei hij alsmaar. 'Ik ben er kláár voor.' Marion glimlachte alleen maar en was zwijgzaam. James had geen greep op de dagen en nachten, zijn zenuwen gingen met hem op de loop.

De oproep kwam laat op een dinsdagavond. Een echte brand. Toen ze dit keer hun uitrusting aantrokken, voelde het anders aan; de werkelijkheid had een andere smaak, en gaf alles een bepaalde scherpte.

Het huis was een oud Victoriaans gebouw dat in appartementen was opgesplitst. Het lag aan een smalle straat die maar één huizenblok lang was. Het was misschien eens een boerderij geweest, of zelfs het middelpunt van een landgoed, omringd door hectaren eersteklas land. Maar nu was het alleen nog een oud gebouw, ingeklemd tussen nieuwere gebouwen waar het hoog boven uitstak, als een pauw tussen kippen. Zoals bij de meeste oude gebouwen was het hout droog, verkeerden de elektrische leidingen in slechte staat en was de constructie open. Een ballonconstructie. Een brand die in de kelder begon, kon binnen enkele minuten op zolder zijn zonder op een andere verdieping te stuiten.

Toen ze er arriveerden – een paar minuten na de oproep – lekten de vlammen uit alle ramen naar buiten. De instructeur nam James terzijde. 'Dit is niet jouw proef,' zei hij. James knikte. Marion en hij moesten voor de huurders zorgen, die in pyjama en kamerjas op het trottoir bij elkaar stonden, sommigen blootsvoets. De commandant vroeg: 'Is iedereen eruit? Weten jullie dat zeker?' Ze knikten allemaal: een stel studentes van in de twintig, een man van in de dertig en een Aziaat met zijn vrouw en twee kinderen. James en Marion wikkelden hen in dekens, lieten hen pantoffels aantrekken en moedigden hen aan om achter in de ambulance te klimmen, waar een verwarming en koffie waren.

Perry was in het huis en hanteerde de brandspuit, die in zijn handen worstelde als een reuzenslang. Zijn gezicht stond verbeten maar op een bepaalde manier ook opgetogen. Hij was er dol op, hij vond het heerlijk om vuur te bestrijden; dat kon iedereen zien aan het rode hart van zijn ogen, die gloeiden ondanks het ijslaagje dat hem door de waternevel algauw bedekte.

Maar de brand ging door. Het was koud die nacht. Ver onder nul. De wind was niet sterk maar wel snijdend, en daardoor werd de temperatuur nog een stuk lager. Het water vernevelde eerst en bevroor vervolgens op het gebouw voordat het veel goeds had kunnen uitrichten. Het Victoriaanse huis was verloren; hun grootste zorg was nu de bescherming van de omgeving – de naburige gebouwen, de garage en het huis ernaast. Het vuur was luidruchtig, het knapte en loeide, en leefde op een wonderlijke manier in de stramme kou en de middernachtelijke duisternis. Vuurballen schoten de lucht in en leken een ogenblik te blijven hangen en vonken rond te strooien voordat ze weer naar beneden vielen, alsof de kou het vuur zo dik als gelei maakte.

Al hun inspanningen ten spijt vatte de garage onder hun ogen vlam. De garage was eigenlijk een oude schuur, die door een smal gangetje van het huis gescheiden werd. Eén vlammentong flitste uit de luchtkoker in de nok, en vervolgens stond het dak in vuur en vlam.

Marion en James stonden bij de twee mannen die in het gebouw hadden gewoond. Met zijn vieren staarden ze als gehypnotiseerd naar de geboorte van de nieuwe brand. 'Staan er nog auto's in de schuur?' vroeg James aan de mannen, maar ze schudden het hoofd. Toen kwam een van de studentes aangerend, haar deken achter zich aan slepend. 'Florence!' gilde ze, en ze keken haar niet-begrijpend aan.

Uit de richting van de schuur weerklonk geschreeuw. Toen James zijn hoofd omdraaide, zwaaiden de deuren net open, schijnbaar vanzelf. Perry, die zijn spuit op de deuren had gericht, sloot de toevoer een ogenblik af en staarde voor zich uit. Door de opening kwam een wandelende vuurzuil – een vrouw, om wie het vuur zich had heen gevouwen als de blaadjes van een gloeiende bloem. Een ogenblik stond ze daar. Haar gezicht was verdwenen achter haar brandende haren, alleen haar mond was zichtbaar en wijdopen alsof ze in stilte Perry toegilde, die verbijsterd en met opengevallen mond voor haar stond en het moment ondraaglijk lang rekte.

Het was Marion die naar voren schoot, de slang uit Perrys handen wrong, het spruitstuk opendraaide zodat er een waternevel uitspoot, en die op de brandende vrouw richtte. De vrouw viel om; de vlammen doofden. Maar het was al te laat.

James staarde naar de verkoolde hoop die enkele ogenblikken eerder nog een mens was geweest. Maar voor zijn geestesoog zag hij het water dat in een boog door de lucht spoot, de truck met zijn neus in het meer, de rook, het brandende rode vishutje – en toen in het hutje lichamen die kronkelden in de vlammen. Zijn benen lieten het afweten, zijn geest verliet zijn schedel en hij viel flauw op het ijzige trottoir, voor zijn vrienden, voor alle anderen.

Later kwam het verhaal dat Florence oud, dakloos, een beetje gek en vereenzaamd was geweest. De studentes hadden haar dekens, eten en onderdak gegeven en waren met haar bevriend geraakt zoals je vrienden wordt met een zwerfkat of zwerfhond. Ze gaven haar het gevoel dat ze veilig en welkom was. Maar door de verschrikkingen van de brand hadden ze niet meer aan haar gedacht totdat het te laat was.

Toen de zon opkwam, zaten James en Perry in de pompwagen toe te kijken hoe enkele andere mannen oranje tape aanbrachten rond het perceel van het Victoriaanse huis, waarbij ze de heesters en lantaarnpalen gebruikten omdat er geen paaltjes in de bevroren grond te krijgen waren. In het ochtendlicht oogde Perry's gezicht nog spookachtiger dan anders; hij zag er voor zijn drieëntwintig jaar oud uit. Hij knikte toen James hem vroeg of hij voor zijn toets was geslaagd. 'En Marion ook,' zei Perry. 'Het was haar toets wel niet, maar ze is ook geslaagd.'

James trof haar weer in de kazerne, waar ze uitrustingsstukken aan het opbergen was. Staand in de deuropening bekeek hij haar even, zonder dat ze er erg in had. Toen ze zijn kant uitkeek, stond haar gezicht bars. 'Gefeliciteerd,' zei hij.

'Waarmee?'

'Ik heb gehoord dat je geslaagd bent.'

Ze klom op de zijkant van de wagen en begon de platte slang van zijn spoel te wikkelen; na een brand moest je altijd controleren of hij niet in de knoop zat of verdraaid was, zodat hij de volgende keer dat je hem nodig had goed zou afrollen. 'Wanneer is jouw toets?' vroeg ze.

Hij nam zijn besluit op dat moment. 'Ik doe hem niet,' zei hij.

Zij stopte met haar werk en keek hem aan. 'Waarom? Toch niet omdat je flauw bent gevallen?'

Hij haalde zijn schouders op. 'Ik denk dat ik er gewoon niet geschikt voor ben,' zei hij. Hij wachtte op haar tegenwerpingen, maar ze kwamen niet – alleen een langdurige blik die hem nauwkeurig opnam. 'Waarschijnlijk heb je gelijk,' zei ze ten slotte, en ze ging door met haar werk terwijl hij toekeek.

Toen de slang netjes was opgerold stapte ze van de wagen en ging voor hem staan. 'Nou James,' zei ze, 'ik denk dat dit ons afscheid is.' Ze stak haar armen uit en hij kwam naar haar toe. Ze was zo klein dat hij zich moest bukken om zijn kin op haar kruin te leggen. Haar huid voelde warm door het T-shirt dat ze aanhad; haar schouders voelden stevig onder zijn handen. 'Het ga je goed,' zei hij, terwijl hij het rokerige luchtje van haar haren inademde.

Toen hij bij de deur was, riep Marion hem. 'Hé,' zei ze. 'Misschien kan ik eens bij je langskomen?'

'Tuurlijk,' zei hij en ging naar huis.

Toen hij op het eiland terugkwam, besloot hij de hut op de richel op te knappen.

Hij had van Tante begrepen dat de hut was gebouwd toen zij nog een meisje was en er op de boerderij nog echt werd gewerkt. De hut was bedoeld als woning voor tijdelijke knechten in de zomer. Er was één kamer met een gat voor een kachelpijp. Er was geen water en geen stroom. Hij maakte er een gootsteen, een kast en een aanrecht; hij dichtte de kieren en verving de gebroken ruiten; hij sleepte een houtkachel, twee schommelstoelen, een tafel, een kampeerbed en wat vaatwerk naar boven. Het was nooit zijn bedoeling geweest er te gaan wonen. Hij wilde alleen een plekje voor zichzelf, een plekje waar hij soms naar toe kon. Een plekje waar hij Marion mee naar toe kon nemen als ze langskwam.

Ze verscheen onaangekondigd, zoals hij had vermoed.

De eerste avond openden ze het deurtje van de houtkachel en keken naar het vuur alsof het een televisie was. Ze schommelden, dronken in de sneeuw gekoelde wijn en praatten. Toen kwamen ze overeind, kleedden elkaar uit en kropen in bed. Hij vond dat heerlijk. De directheid ervan, de eenvoud, zelfs die eerste keer. Ze had ronde borsten met grote tepels, en door de wijn smaakte haar mond naar appel. Als hij in het donker zijn ogen sloot, leek ze helemaal te bestaan uit handen, mond en huid.

In bed vertelde ze hem over haar moeilijke ouders, haar onberekenbare broer en de grote zus van wie ze afhankelijk was; over de mannen met wie ze wat had gehad; over de kwetsuren uit haar kinderjaren. Hij vertelde haar hoe zijn ouders waren gestorven, hoe Tante hem bij zich in huis had genomen en hoe het geweest was om op te groeien op het eiland. Vergeleken met haar had hij niet veel verhalen te vertellen. Misschien omdat hij niet erg geoefend had. Hij had natuurlijk vriendinnetjes gehad; één of twee keer had hij zelfs gedacht dat hij verliefd was geweest. Maar het was nooit van lange duur geweest, en hij had nooit precies begrepen waarom niet, afgezien misschien van het feit dat hij niet bereid was geweest zijn leven te veranderen.

Met Marion was hij op zijn gemak, te zeer op zijn gemak om daarover na te denken.

Het kampeerbed in de hut was smal, zodat ze als ze er sliepen altijd tegen elkaar aanlagen. Zijn kin rustte op Marions schouder. Zijn knieën lagen tegen Marions dij. Hij had één hand op haar buik, waarmee hij voelde hoe ze in- en uitademde. Soms werd een van hen 's nachts wakker en bracht alles opnieuw op gang. Meestal was hij dat, doordat een seksuele droom zo sterk was dat hij de grens tussen slapen en waken deed vervagen. Plotseling merkte hij dan dat hij in haar was, niet precies wetend wie hem daar had gebracht. Soms bleven ze lange tijd zo liggen, zonder te bewegen. Twee mensen samengebracht door dat wat tussen hen in lag. Door dat wat hen bond.

Ze hielden elkaar warm, zelfs tijdens de koudste nachten. In het hol onder de dekens. Als kinderen trokken ze de dekens over hun hoofden om hun neuzen te verwarmen, te giechelen en elkaar te betasten totdat ze happend naar adem weer boven kwamen. 's Ochtends sprong hij uit bed om meer houtblokken op het vuur te gooien, en vervolgens sprong hij er weer in totdat het vuur de kamer had verwarmd. Soms was het dan warm genoeg om zonder kleren rond te lopen, en bereidden ze een ontbijt van met flessenwater gezette koffie en in de winkel gekochte donuts, geserveerd op zijn gebarsten borden. De haren hingen dan in haar slaperige ogen. Twee uit vlees geschapen wezens die gewone dingen deden. Hij hield ervan haar naakte lichaam te zien, te zien hoe haar spieren en botten samenwerkten. De ongebroken lijn van het vlees, nu eens roze, dan weer bruin, hier en daar bijna wit: donzig en glad. De aflopende lijn van haar rug boven haar billen. Haar torso die in het midden smaller werd, maar niet veel; een lichte binnenwaartse kromming, dat was alles. Ze had sterke benen, een sterke rug en sterke schouders – ze was mooi op haar manier.

Ze waren die weken altijd samen. Zij had nog geen werk; ze wachtte totdat er een plek vrijkwam in de kazerne in de stad, waar je beter betaald werd. Elke dag gebruikte ze Tantes telefoon om naar het huis van haar zus te bellen, om te horen of er nieuws was; elke dag dat er geen nieuws was, was hij daar dankbaar voor.

Ze had niets meegenomen, want ze was niet van plan geweest om te blijven. En dus droeg ze zijn spijkerbroeken, strak aangehaald met haar riem, en zijn flanellen shirts met de zoom tegen haar knieën. Ze liepen door het bos, kwamen terug in de hut, aten en vrijden. Eén keer per dag gingen ze naar Tantes huis, brachten hout naar binnen, vulden haar kachel, gebruikten de telefoon, pakten proviand en namen een bad – met zijn tweetjes tegenover elkaar in de badkuip, met hun benen in elkaar vervlochten.

Hij maakte zich zorgen over Tante, die zo oud was en het grootste deel van die winter alleen moest zijn, maar ze zei dat het prima was, dat het prima met haar ging; hij moest zijn gang gaan en ervan genieten. Toen ze begon te hoesten, zei ze hem dat ze een koutje had gevat, meer niet. Ze beloofde alleen nog te zullen opstaan om naar de wc te gaan en thee en geroosterd brood voor zichzelf te maken. 'Het gaat uitstekend met me,' zei ze, hem afwimpelend met een stem als gravel dat door je hand heen gleed. Ze had een hoestje, dat was alles; daarvoor had ze haar kruidenthee, hij werd bedankt. Ze was ver boven de tachtig en had wel geleerd voor zichzelf te zorgen. 'Waarom haal je niet een van die lekkere stukken biefstuk uit de vriezer?' vroeg ze. Zo liet ze hem weten dat ze het uitstekend vond dat Marion er was, dat álles uitstekend ging. Ze leek bijzonder ingenomen met de situatie, alsof het altijd al haar bedoeling was geweest: dat hij iemand zou leren kennen met wie hij gelukkig was. Hij was dankbaar en nam de biefstuk. Ze bakten hem in een braadpan op de houtkachel en aten hem rood, met aardappels die ze in aluminiumfolie in het vuur hadden geroosterd. Ze dronken er rum en cola bij.

Toen er bijna vier weken waren verstreken, kwam het aanbod voor een baan. 'Ik moet het accepteren,' zei Marion. 'Niet elke kazerne wil een vrouw aannemen.' Hij knikte. 'Het is een kans om mezelf te bewijzen,' zei ze. 'Daarna is alles mogelijk.' Hij knikte nogmaals.

De volgende ochtend stond zij als eerste op en trok haar eigen kleren weer aan. 'Ik ben bij mijn zus,' zei ze. 'Bel me morgenavond, dan vertel ik je hoe het op mijn eerste dag gegaan is.'

Hij knikte, ze kusten elkaar en zij vertrok. Zijn shirts bleven met opgerolde mouwen achter.

Diezelfde ochtend ging hij naar Tantes huis met een kussensloop vol wasgoed. Ze was nog niet op, en dus nam hij het direct mee naar de kelder en zette de wasmachine aan. Aan de lakens zat een luchtje van de afgelopen maand, van hem, van Marion, van hen samen. Al zijn kleren roken naar haar. Hij drukte zijn neus tegen het kruis van de spijkerbroek die ze had gedragen en schaamde zich daar niet voor. Het was een zilte geur, die hem van nostalgie vervulde.

Ze waren op een beslissend punt aangeland, Marion en hij; zo ervoer hij het. Wilde hij met haar trouwen? Hield hij van haar? Hij voelde zich op zijn gemak bij haar. Dat was voldoende. Hij kon haar niet loslaten, maar hij kon haar ook niet tegenhouden.

Hij dacht aan Marion toen hij de trap op liep en de keuken in kwam. De kachel was bijna uit; hij pookte de kooltjes op en vulde hem bij, en door dat gerommel hoorde hij Tante niet. Maar toen hij ten slotte de kachel sloot, hoorde hij de raspende hoest achter haar deur.

Ze lag op haar zij, in elkaar gedoken op het smalle bed, met de dekens op de vloer. Ze ademde zwaar. Haar gezicht was vaal, haar lippen waren blauw. Haar ogen rolden in hun kassen. Dat vertelde hij de dokter, nadat hij haar had toegedekt en naar de telefoon was gelopen. Ze stuurden een ambulance, die haar naar de eilandkliniek bracht. Daar spoten ze haar vol met penicilline terwijl hij formulieren invulde en documenten ondertekende. Toen kwam de helikopter en werd ze overgevlogen naar het ziekenhuis op het vasteland. Hij kon niet meevliegen, zeiden ze, en dus reed hij met de truck naar het veer en wachtte daar, zo geduldig als hij kon. Hij belde Marion vanuit een telefooncel, omdat hij haar wilde laten weten wat er aan de hand was. Maar er nam niemand op.

Tantes longen zaten zo vol met vocht, zei de dokter, dat ze er bijna in was verdronken. Toch verzette ze zich zo tegen de verpleegsters dat ze haar kalmerende middelen moesten geven – niet ongevaarlijk op haar leeftijd, maar ze hadden geen keus. James bleef bij haar, dag en nacht, luisterde naar het gorgelende gefluit van haar ademhaling en hield haar hand vast die als een bos dunne takjes in de zijne lag. In die lange, stille, nachtelijke uren verbaasde hij zich over haar kracht en haar levenswil. Het zou zo makkelijk voor haar zijn geweest om het op te geven, en wanneer hij haar zag lijden dacht hij soms dat dat ook het beste zou zijn geweest.

Maar de penicilline miste zijn wonderbaarlijke uitwerking niet, en op een dag ontwaakte ze, keek hem woedend aan en gaf hem ervan langs omdat hij haar in leven had gelaten. 'Wat doe je hier eigenlijk?' zei ze ten slotte, toen hij haar duidelijk had gemaakt dat ze daarin niets te kiezen had. 'Ga naar huis en zorg dat mijn huis op orde is.'

In zijn truck op de veerboot dacht hij weer aan Marion. Ze moest zich hebben afgevraagd waarom hij niet had gebeld, waarom er niemand opnam wanneer zij hem belde. Hij sprak met zichzelf af dat hij haar zou bellen zo gauw hij weer thuis was.

Toen doemde uit de koude nevel voor hem het eiland op, en

vergat hij het weer. Tantes leidingen waren kapotgevroren, en het duurde dagen om de schade te herstellen. Toen bracht hij Tante naar huis en moest hij voor haar zorgen. Op een avond belde hij Marion, maar opnieuw werd er niet opgenomen. Het werd lente, hij moest de tuin in orde maken. Nadat hij daarmee klaar was, belde hij opnieuw, maar ditmaal zei een stem dat het nummer van haar zus buiten gebruik was. Hij ging naar het vasteland en reed langs het huis waar haar zus had gewoond; in het gordijnloze raam prijkte een bordje TE HUUR. Hij ging naar de brandweerkazerne waar ze haar eerste baan had gekregen en hoorde dat ze alweer verder was gegaan, waarheen precies wist niemand. 'Ergens in het westen,' zei iemand. 'Chicago misschien?' Volgens een ander was ze naar het zuiden gegaan. Hij kon haar met geen mogelijkheid vinden.

Lange tijd hield hij het gevoel dat hem iets kostbaars tussen de vingers door was geglipt. Geleidelijk aan trok dat weg en werden zijn herinneringen objectiever. Wat was er nu eigenlijk tussen hem en haar geweest, afgezien van de seks? Voortdurend vonden eenzame mensen elkaar, en seks kon op een bepaalde manier een band tussen hen vormen. Maar een echte band hield meer in dan dat, meer zoiets als hij met Tante had. Hij kon niet bij haar weggaan en wilde niet riskeren dat ze alleen zou sterven. Vanwege de manier waarop ze van hem afhankelijk was en hem nodig had. Na alles wat ze voor hem had gedaan.

En het leek er lange tijd op dat ze zou sterven. Dan zou hij vrij zijn. Tot dan kon hij wel wachten.

Maar de vogel die in Tantes borst fladderde, was net zo veerkrachtig als de mees die de hele winter naar voedsel zocht, bijna uitgehongerd maar zonder ooit van de honger te sterven. Ze bleef in leven, en ze verweefden hun levens nauwer met elkaar dan ooit, ze verweefden ze tot één leven, dat bijeen werd gehouden door gewoonten, rituelen en verplichtingen.

Pas na bijna een jaar bracht hij weer een bezoek aan de hut. Hij ging er op een ochtend in het vroege voorjaar naartoe, met de bedoeling zich ervan te vergewissen dat hij nog intact was.

Het was er koud en bedompt. De haard wilde niet trekken omdat er in de schoorsteen vogels waren neergestreken. Muizen hadden in de kast een nest van karton en papier gemaakt; ze piepten toen hij de deur opende en zwegen toen hij hem weer sloot. De matras op het kampeerbed was zwart van de schimmel.

Hij zette een van de schommelstoelen in de geopende voordeur en ging zitten. Omdat de bladeren nog niet waren uitgekomen kon hij aan de overkant van het meer bijna de blauwe, met sneeuw bedekte bergen zien. Op een dag waren Marion en hij boven op de richel stil blijven staan om naar die bergen te kijken, die nauwelijks zichtbaar waren door het waas. 'Hoe kan iets wat zo ver weg is zo echt zijn?' had ze zich afgevraagd. 'Waarschijnlijk zeggen zij dat ook over ons,' zei hij grijnzend. En zij sloeg hem tegen zijn arm, hij zette het op een lopen, zij zat hem achterna en ving hem uiteindelijk, maar pas toen ze het bed hadden bereikt, dat nog warm was van die ochtend.

Hij ontdekte dat hij zich elke keer wanneer hij terugging naar de hut iets anders kon herinneren, een ander moment, een andere gewaarwording, een ander beeld dat hem mee terugnam naar die tijd. En vervolgens kon hij zijn ogen sluiten, de wind voelen en zich voorstellen dat hij door haar werd aangeraakt. Acht jaar lang was dat alles wat hij had. Alles wat hij durfde te hebben.

Zolang Tante hem nodig had, deed het er niet toe wat hij nodig had.

'En nu is ze niet meer,' zei Faith.

Hij kreeg opnieuw een brok in zijn keel; hij kon alleen maar knikken. Een ogenblik zwegen ze. Toen zei hij: 'Jouw beurt.'

Faith rolde van hem weg en ging overeind zitten, waarbij het licht op de botten van haar schouders viel. 'Te vervelend,' zei ze. 'Bovendien weet je alles al wat je moet weten.' Toen keerde ze zich met een lachje weer naar hem toe en pakte zijn hand. 'Ik heb honger, laten we iets klaarmaken voor de lunch,' zei ze en trok aan hem in een poging hem het bed uit te krijgen.

Hij trok terug. 'Nee,' zei hij. 'Vertel me over je huwelijk.'

Er kwam een andere uitdrukking op haar gezicht. 'Mijn huwelijk,' zei ze ten slotte, 'is heel veel verder weg dan de bergen, en bij lange na niet zo echt.' Ze pakte haar sigaretten; toen hij de verbitterde trek op haar gezicht zag, probeerde hij haar niet meer tegen te houden.

Er was een tijd dat ik alleen wilde zijn.

Het was winter. Als vijftienjarige reisde ik zonder geld over het spoor, zonder te weten waar ik heen ging, wat me niet uitmaakte zolang het maar weg was. In lege goederenwagons bedacht ik vaak hoe prettig het zou zijn als de kou me net zo lang in haar armen zou houden tot het rillen ophield, maar mijn lichaam was nog jong en wilde zich niet overgeven aan zo'n kille minnaar.

Toen, op een morgen, klonk er een vreselijk geratel. Door de houten latten heen zag ik zonneschijn en een groot, moerassig meer. Mijn longen zogen de zwoele lucht in, mijn hart ging tekeer. En toen de trein stopte, brachten mijn voeten me naar buiten en dompelden me onder in de stroom van een zinderende stad – en opnieuw in een broeierig en gecompliceerd liefdesleven.

Vier

Ik ben maar één keer getrouwd.

Het was in New Orleans. Ik was pas zestien, maar dankzij de net beëindigde Grote Oorlog had ik een lucratief baantje op het kantoor van een van de grote scheepvaartlijnen op de Mississippi. Aan mijn bureau zwoegde ik op vrachtbrieven, inventarislijsten en facturen, waarmee ik vertrouwd was door de zaak van mijn vader. Mijn bureau was een van de bureaus in een lange rij: achter elk bureau zat een jongedame zoals ik, en allemaal hadden we witte katoenen handschoentjes aan om geen inkt aan onze handen te krijgen. Onder onze kantoren lag als een slapende alligator de brede, modderige rivier; als we opstonden om ons uit te rekken, konden we kijken naar de stoomboten met hun schoepenraderen, naar de mensenmenigtes en de uit houten kratten bestaande torens, en dan wisten we dat we onze bijdrage leverden aan dat alles. Ik weet niet hoe het met de andere meisjes zat, want ik ben nooit echt bevriend geraakt met een van hen, maar mij deed het wel iets om dichtbij het middelpunt van al die handel te zijn. Het was een plaats waar het bruiste van het leven en waar veel geld van eigenaar wisselde. Een plaats vol macht. Een plaats voor mannen.

Om twaalf uur mochten we het gebouw uit. Meestal nam ik mijn in papier verpakte lunch mee en nuttigde hem op een bank bij de werf. Maar soms dwaalde ik in plaats daarvan over de French Market en at gebakken oesters op brood, of dronk koffie met warme, zoete beignets aan een tafeltje in de open lucht alsof ik een dame was die de tijd aan zichzelf had. Dat deed ik ook die dag.

Alle andere tafeltjes waren vol; bij het mijne stond nog een

extra stoel. De man die mijn echtgenoot zou worden, glimlachte me toe van onder de dikke lok blond haar die in zijn
ogen viel, en ik wist, zoals je dat als vrouw weet, dat wij ten
minste een tijdlang elkaars lot zouden delen.

Hij was acteur, schrijver, leraar en student – allemaal tegelijk.
Hij was vroeg teruggekeerd uit de oorlog – hoewel hij dat niet
zei, veronderstelde ik dat hij gewond was geraakt. Hij heette
William. Hij gaf me kaartjes voor de vaudeville-show waarin
hij die avond zou optreden. Ik ging erheen, uit nieuwsgierigheid naar die knappe jongeman die zo beleefd had gevraagd of
hij aan mijn tafeltje mocht aanschuiven en vervolgens, toen hij
was gaan zitten, brutaalweg mijn hand had gepakt en hem had
gekust met de woorden: 'Goddank heeft niet elke vrouw zulke
ogen als jij.'

Ik trok mijn hand terug en legde hem in mijn schoot. 'En
waarom dan wel?' vroeg ik. Ondanks mezelf kwam er een lachje op mijn gezicht; hij stond zo voor aap.

'Omdat dan de wereld stil zou staan.'

'En waarom dát dan weer?' Hij had nu eenmaal A gezegd.

'Omdat wij mannen elke keer stapelverliefd zouden worden,'
zei hij, 'en tot niets meer zouden komen.'

Je moet begrijpen dat er nooit eerder iemand met me geflirt
had. Je moet begrijpen dat ik ondanks de zwoele lucht van
New Orleans innerlijk bevroren was maar ernaar hunkerde te
kunnen smelten. Misschien verklaart dat waarom ik me door
hem liet overdonderen. Of misschien had ik gewoon behoefte
aan een vriend.

Het theater was klein maar rijkelijk opgesmukt, als een met
goud afgezet juwelenkistje met fluwelen bekleding. Toen de
lichten uitgingen zag ik dat het plafond een nachthemel was
waarin op toverachtige manier sterrenbeelden bewogen. Het
publiek, dat had zitten roezemoezen, werd onder deze nachtelijke illusie wonderlijk stil. Toen begon de voorstelling, die
bestond uit een reeks parodieën en sketches met een moraal,
afgewisseld met liedjes – sommige melancholiek, andere geestig
of schunnig. William had me gewaarschuwd dat hij in de loop

van de avond verschillende rollen zou spelen, maar aanvankelijk zag ik hem helemaal niet, omdat hij optrad in vrouwenkleren. Pas tijdens een rustig moment in de tweede sketch – over de gevaren van alcohol, meen ik – fixeerden zijn ogen zich op mij in het publiek, en herkende ik zijn schalkse en vrolijke blik. Daarna keek ik gefascineerd toe hoe hij voor vrouw speelde, wat hij heel overtuigend deed met zijn expressieve mond roodgestift, rouge op zijn wangen en gekrulde, zwartgemaakte wimpers. Met een zwarte pruik en oogschaduw op speelde hij een vrouw uit het Verre Oosten; met witte krulletjes en een hoepelrok aan een hofdame. Zijn stem was al even plooibaar; voor de ene rol was hij schril en hoog, voor de andere laag en wulps.

Misschien had ik me door dit talent moeten laten afschrikken, al was het maar omdat het duidelijk maakte hoe kameleontisch hij kon zijn. Maar in plaats daarvan dacht ik: een man die vrouwen zo goed begrijpt...

Een portier bracht me een geparfumeerde enveloppe met een uitnodiging om aan het einde van de avond naar de kleedkamers te komen. Maar ik was nog niet toe aan zo'n ontmoeting en schreef dat het me speet – en toen, in een impuls, nodigde ik hem uit me nog eens te ontmoeten, de volgende dag rond lunchtijd.

Zo jong als ik was, was ik naar New Orleans gekomen met een verleden – een verleden dat William even vlot afdeed als mijn ontbrekende vinger, het feit dat ik geen familie had en het feit dat ik arm was. 'Je bent mooi, slim, ijverig en lief,' zei hij. 'Wat zou ik verder nog moeten verlangen?' Goedbeschouwd moest ik over net zo veel heenstappen als hij; zijn familie uit Arkansas had hem verstoten; hij had niet veel geld; een groot deel van zijn verleden was een raadsel voor me. Maar omdat nooit eerder iemand me het hof had gemaakt, was ik zo door zijn aandacht gevleid en zo ontzet toen hij me ten huwelijk vroeg dat ik maar heel even aarzelde voordat ik ja zei. Ik schreef mijn vader een brief met het nieuws van onze verloving; toen hij reageerde met een royaal huwelijkscadeau waren wij al getrouwd.

We konden ons geen huwelijksreis veroorloven en besloten in plaats daarvan onze eerste huwelijksnacht door te brengen in het huis dat we hadden gehuurd, een lang, smal huis in de Faubourg Marigny, een buurt met lange, lage en smalle huizen, met aan de straatkant strakke gevels. In die tijd werd in New Orleans de onroerendgoedbelasting berekend aan de hand van de hoeveelheid straatlengte, en daarom waren veel huizen net zo gebouwd als het onze, met kamers als treinrijtuigen achter elkaar, zodat je met een geweer van de voordeur naar de achterdeur had kunnen schieten zonder iets te raken.

Maar al was het niet mijn droomhuis, het was in elk geval ook niet het pension waar ik tot dan toe had gewoond, en waar ik een toilet moest delen met twaalf andere meisjes en een bed met twee van hen. En de ligging was goed: op loopafstand van de French Quarter en een korte tramrit verwijderd van Williams werk, net aan de overkant van Canal Street. Helaas lag aan de overkant van de straat ook een café dat werd bezocht door matrozen wier dronken stemmen makkelijk tot ons huisje doordrongen.

Die eerste avond dus. Allebei aan het eind van ons Latijn liepen we als verdwaasd door onze nieuwe kamers en verplaatsten de paar meubels die William had meegebracht. Toen was het tijd om naar bed te gaan. 'Ik ga nog even naar buiten voor een sigaret,' zei hij, en dat beschouwde ik als een hoffelijke manier om mij ongestoord te laten uitkleden. Dat deed ik dan ook. Ik trok mijn nachtpon aan, maar met niets eronder. Toen stond ik voor een dilemma. William had al één smal bed, en omdat dat het goedkoopst was, hadden we nog zo'n bed voor mij gekocht, zodat er nu twee bedden op onze slaapkamer stonden, met een klein nachtkastje ertussen. Hoorde ik nu in zijn bed te gaan liggen, of juist in mijn eigen bed? Moest ik naar hem toe komen, of hij naar mij? Met een verlegen en onzeker gevoel gleed ik mijn eigen bed in en deed het licht uit.

In het donker lag ik een poosje te luisteren naar ratten die over de zolder rondscharrelden en naar de geluiden van onze buurt: muziek, ruziënde mannen, iemand die steeds weer dezelfde naam riep: *Mally, Mally, Mally*... Ik luisterde ingespannen, in afwachting van Williams binnenkomst. Maar hij bleef zo lang weg dat ik in slaap viel.

Toen ik hem op me voelde, dacht ik eerst dat ik droomde – dezelfde droom die ik al in de koude nachten tijdens mijn reis had gedroomd. Een droom vol warmte en veiligheid. Ik verwelkomde hem. Ik wilde mijn handen omhoog brengen, mijn armen om hem heen slaan en hem vasthouden. Maar ik kon het niet.

Ik opende mijn ogen en zag, in het flauwe licht dat door ons raam viel, mijn kersverse echtgenoot bovenop me. Zijn ogen waren gesloten; hij was nog aangekleed, maar ik voelde hem in me bewegen, met een afstandelijke sensatie van korte stootjes. Ik probeerde me ook te bewegen, maar zijn handen op mijn armen ontmoedigden me. Vervolgens hield het, even snel als het was begonnen, weer op. William zuchtte, liet mijn armen los en was verdwenen.

Ik hoorde hoe hij zich uitkleedde en in zijn eigen bed stapte, en daarna lag ik daar weer in het donker. Misschien, dacht ik, was dit de manier waarop respectabele katholieke echtelieden het deden. Misschien had ik daarom vrijwel nooit iets gemerkt van de keren dat mijn ouders gemeenschap hadden. Het was logisch: als het doel van seks de voortplanting was, waarom zou je je er dan al te zeer aan te buiten gaan? Ik wou alleen dat het niet zo vreugdeloos was; ik voelde, en wist zelfs dat het zo niet hoefde. Maar als dit zondevrije seks was, dan moest ik me gelukkig prijzen dat ik zo'n kuise en zorgzame echtgenoot had.

Daarna kwam William één keer in de week bij me, altijd in mijn slaap, altijd snel en altijd zonder een woord te zeggen.

Toch was ik blij dat ik getrouwd was, hoewel algauw duidelijk werd dat we geen alledaags huwelijk zouden krijgen. Als ik met mijn werk zou zijn gestopt en thuis zou zijn gebleven, zoals toentertijd de meeste vrouwen deden, zouden we al gauw vanwege onze schulden in de gevangenis zijn beland. William was een man met veel talenten, maar niet een daarvan was erg lucratief. Zijn acteren leverde eigenlijk niets op; ik besefte dat aanvankelijk nog niet, maar hij trad op zijn best periodiek op. Om brood op de plank te krijgen was hij les gaan geven, iets waarvoor hij eenzelfde talent had. Hij gaf les op een particuliere jongensschool, waar zijn manische optreden en zijn radde tong hem geliefd maakten, zonder dat dat hem veel opleverde. Hij gaf literatuur, en natuurlijk toneel; hij regisseerde de najaarsmusical en het voorjaarstoneelstuk. Daarin speelden de jongens de mannen- en de vrouwenrollen, en soms gaf hij zichzelf een klein rolletje, om te laten zien hoe je moest acteren.

Williams derde roeping – waarvoor hij helaas minder talent had – was het schrijven van toneelstukken. Daarvan hield hij het meest, en hij leerde het vak van een groot toneelschrijver die vroeger bekend was geweest en die zijn wijsheden wekelijks per post verstrekte tegen een vergoeding die William beschouwde als een aalmoes en ik als een klein fortuin, gezien onze omstandigheden. Maar zelfs ik moest erkennen dat we ons, met onze beide salarissen, deze uitgaven konden veroorloven.

Toen we iets meer dan een jaar getrouwd waren, deelde William me mee dat hij, op advies en aanmoediging van zijn mentor, zijn leraarsbaan eraan had gegeven. Natuurlijk stond ik achter zijn beslissing; als goede echtgenote geloofde ik in zijn talent, ook al had ik nooit werk van hem gelezen omdat het naar zijn idee nog niet rijp was voor publiek. Ik stemde ermee in om mijn vaders huwelijkscadeau, dat we tot dan toe opzij hadden gelegd, aan te spreken voor zijn 'verlofjaar'.

Vanaf dat moment doet ons verhaal denken aan het bekende verhaal over bedrogen ambities en de mislukking van de liefde. Want hoeveel ik ook van hem hield en wat ik ook voor hem deed, hij kon niet worden wat hij niet was. Hij veronachtzaamde zijn ware talenten – acteren en doceren, zo nauw aan elkaar verwant – voor een talent dat altijd net buiten zijn bereik zou blijven. Hij bezat noch het temperament om in eenzaamheid te kunnen werken, noch het geduld voor uitgestelde beloningen dat je als schrijver moet hebben. Hij hield van publiek, en het enige publiek dat zijn schrijven hem bracht, was zijn mentor, die hem prees met alle objectiviteit die je mocht verwachten van een oude man die zijn uiterste best moest doen om aan de kost te komen.

Maar hier dwalen we af van die welbekende intrige. Noch Williams mislukking als schrijver, noch geldgebrek vernietigde ons huwelijk. Door mijn aangeboren zuinigheid hielden we het huishouden financieel op peil, en William was steeds vol hoop. Hij wijdde zich dag in dag uit aan zijn ambacht en speelde net vaak genoeg in plaatselijke opvoeringen om zijn honger naar applaus te stillen. In die eerste jaren pakte William soms op een onverwacht moment mijn hand vast, keek me in mijn ogen en zei: 'Marguerite, je schenkt me vreugde.' En ik kon daar, in alle eerlijkheid, op antwoorden: 'Jij mij ook.' We waren gelukkig.

In het vierde jaar veranderde William. Hij kreeg slaapproblemen, en op lange slapeloze nachten volgden dagen vol irritaties. Ik dacht dat zijn chagrijnigheid voortkwam uit oververmoeidheid en stimuleerde hem om de hulp van een dokter in te roepen. Dat deed hij, maar de onverklaarbare slapeloosheid duurde voort, en ik bespeurde bij hem een grondeloze woede, alsof ik iets verkeerd had gedaan, iets heel bepaalds waarvoor ik me moest verontschuldigen of dat ik weer goed moest maken – ik had alleen geen idee wat dat was. Intussen leek zijn animositeit alleen maar toe te nemen als ik extra lief voor hem was, en zijn ogen gingen steeds matter staan, zoals bij iemand die alle hoop heeft verloren.

Toen de wekelijkse nachtelijke bezoekjes helemaal ophielden, werd ik zelfs nog bezorgder. Misschien, zo dacht ik, kwam zijn diepe verdriet voort uit mijn onvermogen om zijn behoeften te bevredigen. Als ik een oudere vrouw had gekend zou ik raad bij haar hebben gezocht, maar toentertijd kende ik die niet. En dus deed ik zonder advies of raad wat ik dacht te moeten doen, en vertrouwde ik op mijn instincten, niet als echtgenote maar als vrouw.

Het aantrekkelijkste onderdeel van ons huis was de verwaarloosde tuin waarop onze slaapkamerramen uitzagen. Die nacht stonden de gardenia's in bloei met hun zoete, bijna weeë geur. Boven ons op zolder scharrelden nog altijd ratten rond. William beweerde altijd dat het waterratten waren die binnenkwamen door de ventilatieopeningen in het dak. Ik had geprobeerd die toegangswegen af te sluiten – door ze dicht te stoppen met staalwol –, maar zonder resultaat. Soms vroeg ik me af of er in het huis niet misschien een ziel van een vermoorde rondspookte.

Die nacht ademde ik, nadat we naar bed waren gegaan en het licht uit hadden gedaan, diep de gardeniageur in en stond op. Nerveus liet ik mijn nachtpon op de vloer vallen en vlijde me naast William in zijn bed neer. Ik liet mijn hand zijn nachthemd in glijden en streelde hem over zijn borst; met mijn lippen raakte ik zijn gezicht aan. Het verleden had me geleerd dat mannen makkelijk op te winden zijn, maar daar lag mijn man: klaarwakker maar roerloos en versteend, alsof mijn aanrakingen iets waren wat hij moest verduren, iets wat afschuwelijk maar noodzakelijk was. Ik bracht mijn hand verder omlaag, en nog verder, om aan te raken wat hij me nooit had laten aanraken, en mijn hand bereikte de beharing onder op zijn buik; er ontsnapte een kreun aan zijn lippen, en ik voelde me aangemoedigd.

Maar toen pakte hij mijn hand in de zijne en klemde hem stevig vast. 'Niet doen,' zei hij alleen, alsof zijn woede niet toeliet dat hij verderging.

'William,' zei ik met zachte stem en mijn mond naast zijn oor.

Een ogenblik later werd ik het bed uit geschoven en vond mezelf terug op de vloer, waar ik een tijdlang verbijsterd bleef zitten voordat ik in staat was om te spreken. 'William,' zei ik, nog altijd met zachte stem, 'ik ben je vrouw. Kun je me niet zeggen wat er aan de hand is? Waarom kunnen we niet...'

'Wat heeft het voor zin,' prevelde hij in het donker, 'als er geen kinderen van komen?'

'Geen kinderen.' Bij die woorden trof de waarheid die ik lange tijd van me af had gezet me recht en pijnlijk in het hart. Ik wist dat het verleden waarvoor ik op de loop was gegaan, was teruggekeerd om me te kwellen. Ik huilde toen, ik huilde om mezelf en om de baby's die er niet zouden komen, ik huilde om William. Toen legde ik hem, zo goed en zo kwaad als het ging, uit wat er was gebeurd en vroeg om vergiffenis omdat ik het niet eerder had verteld.

Hij kon me niet vergeven.

In plaats daarvan sloeg in de loop van de daaropvolgende maanden zijn wanhoop opnieuw om in woede, en ditmaal richtte zijn woede zich op mij. Mijn bloeduitstortingen deden me minder pijn dan de wetenschap dat ons huwelijk een aardige, grappige, vrolijke man zo ver had gebracht. Want ik wist zeker dat als ik genoeg of anders van hem had gehouden – of als hij genoeg of anders van mij had gehouden –, hij de kracht zou hebben gehad om de realiteit onder ogen te zien, niet langer vruchteloze dromen na te jagen en te houden van het leven dat hij had en dat zijn eigen rijkdom kende, ook al was hij dan kinderloos. Wij zouden weer gelukkig zijn geweest.

Hoe meer pijn hij me deed, des te meer gaf ik mezelf daarvan de schuld. Totdat ook ik geen greep meer op mijn eigen moedeloosheid had. De dagen kon ik volhouden: ik hield me bezig met mijn werk. Maar de nachten werden ondraaglijk. We bleven in dezelfde kamer slapen, maar ik kon nauwelijks slapen; het geluid van zijn ademhaling in het bed dat zo dichtbij en toch zo ver weg was, hield me wakker. Groene sleepnetten vol gedachten werden door mijn hoofd getrokken. Ik hield van hem en kon hem niet verlaten, maar ik kon ook niet blijven.

Ik zat in de val.

En dus begon ik te drinken, een klein beetje rond bedtijd, als hulpmiddel om te slapen. Vervolgens werd het meer en meer, totdat ik bij het avondeten een fles goedkope wijn opentrok en die in de loop van de avond zorgvuldig ledigde. Ik viel pas in mijn bed neer op het moment dat ik het bewustzijn verloor.

De drooglegging was toen volledig doorgevoerd. Maar omdat het hier New Orleans was – in menig opzicht een apart land met eigen wetten – was alcohol nog onveranderlijk verkrijgbaar. Drank was alleen onbetaalbaar. Ik begon te bezuinigen op andere eerste levensbehoeften om genoeg over te houden voor mijn avondwijn. Ik kocht brood van een dag oud, en toen van twee dagen oud. Ik kocht minder groente en fruit. We aten kaas in plaats van vlees. Ik verstelde mijn oude kleren om ze langer mee te laten gaan, totdat zelfs mijn ondergoed wel een brailletekst van klein verstelwerk leek. We vervielen tot een bestaan dat in alle opzichten arm was: arm aan levensmiddelen, arm aan vooruitzichten, arm aan liefde.

Denk niet dat ik niet besefte waar ik mee bezig was. Als ik me in het heldere licht van een maandagmorgen aankleedde om naar mijn werk te gaan, bezwoer ik mezelf dat ik zou veranderen, beloofde ik mezelf dat alles beter zou gaan. Maar naarmate het einde van de dag naderbij kwam, groeide de wetenschap dat ik niet naar huis kon als er geen fles op me wachtte die me de nacht door zou helpen.

Ik werd gered door een wonderlijk toeval.

Op een avond liep ik, haastig op weg naar huis, de open deur van mijn laatste wijnleverancier binnen om daar te ontdekken dat hij was verhuisd, zoals bij zulke louche zaakjes wel vaker voorkwam. Voor me stond nu een woud van schildersezels, allemaal met een kruk ervoor, waarvan er op dat moment maar één bezet was. 'Kan ik u helpen?' vroeg de man die gekleed in een shirt vol verfvlekken op de kruk zat. 'Hebt u soms interesse in schilderlessen?' De geuren van verf en terpentijn vulden mijn neusgaten; ik schudde mijn licht geworden hoofd. De man keek me vragend aan en glimlachte. 'In tekenen dan misschien? In tekenlessen?'

Ik betrapte mezelf erop dat ik, haast tegen mijn wil, knikte. En dat betekende voor mij het begin van een nieuw leven.

Die eerste avond in het tekenatelier, toen ik leerde kijken met mijn ogen in plaats van met mijn verstand, werd ik verliefd op deze eenvoudige kunstvorm waarvoor ik, als ik mijn leraar mocht geloven (wat ik niet altijd deed), een natuurlijke aanleg had. Om me het tekenen te kunnen veroorloven, schraapte ik al het geld bij elkaar dat ik had – ik gaf er zelfs het drinken voor op. Eerst was dat moeilijk, maar ik merkte dat ik na een dag werken en een avond tekenen vlot in slaap viel en niet meer hoefde te drinken. Eén keer per week ging ik naar de cursus, waar mijn leraar me ertoe bracht te experimenteren met diverse technieken: gouache, Oost-Indische inkt, pastel, zilverstift en aquarel. Op weg naar huis na mijn werk en op zondag, mijn enige vrije dag, dwaalde ik door de stad op zoek naar onderwerpen om te tekenen. New Orleans herbergde erg veel verschillende soorten mensen, mensen die me al hadden gefascineerd toen ik voor het eerst in de stad kwam, zo weinig vertrouwd waren ze voor me geweest: jazzmuzikanten, zwarte mannen die de trottoirs en de straten aanveegden, exotische danseressen die van taxi naar nachtclub snelden. Maar ik ontdekte dat ik voor mijn tekeningen de voorkeur gaf aan dingen boven mensen, en dat ik bepaalde soorten dingen prefereerde boven andere: bepaalde structuren, vormen en patronen – een stapel schotels op de vlooienmarkt, een oude vilten hoed op een tafel. Ik kon niet benoemen wat deze voorwerpen gemeen hadden, maar ze hadden iets fascinerends dat aan gezichten ontbrak.

Toen ik op een late voorjaarsdag na mijn werk zo rondzwierf, ontdekte ik een van die zij-*rues* die zo smal zijn dat het er zelfs rond het middaguur nog donker is – een spleet tussen twee gebouwen die nauwelijks de naam 'steeg' kon dragen, laat staan 'straat'. In het zwakke licht glansde één schone ruit, zodat ik ernaartoe getrokken werd. Een klein wit bord – er stond alleen, in fijne letters, *Quiltmaker* op – prijkte achter de ruit, naast een quilt waarvan iets afstraalde dat ik nooit eerder had gezien.

Ik liep door de open deur naar binnen. Binnen was het lichter dan buiten, er brandde overvloedig licht van elektrische lampen. Aan houten frames hingen meer quilts zoals die in de etalage. Ze waren gemaakt van stoffen met rijke texturen, afwerkingen, motieven en vooral kleuren: het groen en zwart van olijven, het paars van aubergine, het rood van bloed op een schaal, het blauw van jeneverbessen. De ruiten, driehoeken, vierkanten en achthoeken van deze stoffen waren in kunstige motieven aangebracht – ze draaiden weg vanuit het midden als een wervelwind, of liepen nu eens de ene en dan weer de andere kant uit, als tarwe die door een grillige wind verschillende richtingen uitgeblazen wordt.

Mijn moeder had quilts gemaakt. Als kind had ik ze als iets vanzelfsprekends beschouwd en onder een quilt geslapen alsof het de eerste de beste deken was, die niet meer respect verdiende dan een stuk kriebelige wol. Haar quilts waren knap maar zonder verbeeldingskracht in elkaar gezet, besefte ik nu. Ze had ze gemaakt van restjes van oude jurken – van haar en van mij – en technieken gebruikt die haar door haar grootmoeder waren geleerd, met als enige motieven de patronen die ontstonden door de toevallige herhaling van stoffen op het veld van grote, lege vierkante vlakken. Haar quilts waren warm en duurzaam geweest, en geen straf voor het oog, maar toch in de eerste plaats sober. Ze waren gemaakt voor het lichaam, niet voor de ziel.

Deze quilts daarentegen waren kunstwerken. Ik bekeek ze uitvoerig, de een na de ander, en voelde hoe ze me absorbeerden. Ik begon er hele tableaus op te ontwaren, verhalen die niet in woorden of afbeeldingen konden worden weergegeven maar die niettemin een grote emotionele diepgang hadden – op eenzelfde manier als dat bij muziek het geval kan zijn. Ik wilde er een mee naar huis nemen en hem om me heen slaan.

Er was niemand anders in de winkel. Ik stak een hand uit en raakte een van de quilts aan. Het oppervlak was koeler dan de lucht, even koel als zijn kleuren: een heleboel blauwschakeringen, die allemaal direct waren ontleend aan de natuur, aan de lucht, aan meren, zeeën, vijvers en blauwe bloemen – de korenbloem, de ridderspoor en de monnikskap. Ik tilde de opgevouwen quilt van zijn rek. Hij was zwaarder dan ik had verwacht. De gedachte kwam bij me op dat ik hem kon meenemen; dat ik gewoon de deur uit kon lopen met de quilt in mijn armen. Hij zou van mij zijn, en daarmee was de kous af. De blauwe koelte in mijn armen.

Een stem zei: 'Blauw past bij u.'

De spreekster kwam te voorschijn van achter enkele rekken

achter in de ruimte. Het was een lange vrouw met een gezicht dat jonger was dan het bijna witte, kortgeknipte haar waardoor het werd omgeven. Ze was ook in het wit gekleed: in een lange, smalle witte rok met daarop een witte linnen blouse met een open kraag en tot de ellebogen opgerolde mouwen. Haar donkere ogen wierpen een snelle blik op me, alsof ze mijn koopkracht taxeerden. Toen begon ze enthousiast een soort verkooppraatje. 'We maken ze van zijde,' zei ze met de knarsende stem van zoveel vrouwen uit het zuiden. Ze stapte naar voren en liet haar hand over de blauwe quilt in mijn armen gaan. 'Van de restjes van stropdassen. Gebaseerd op quakermotieven.' Ik keek nog eens en zag de vertrouwde dessins: de paisley- en jacquardmotieven, de strepen van stropdassen. 'We kopen de zijde in bij fourniturenzaken hier in de stad. Wilt u eens zien hoe ze gemaakt worden?'

Ze gebaarde naar de achterkant van de ruimte, waar ik een bijna aan het oog onttrokken deuropening zag. Ik knikte, legde de quilt terug en volgde haar naar een atelier waar het licht door dakraampjes binnenviel. Er waren zes jonge vrouwen aan het werk, die gebogen over enorme frames met minuscule naalden zaten te stikken. Tot mijn verbazing zag ik dat er bruine en gele vrouwen naast blanke vrouwen werkten. Ze waren allemaal net zo gekleed als de eigenares, wat wil zeggen dat ze er heel wat beter bij liepen dan ik, met mijn warme onderjurken, ondergoed en kousen aan. Ze waren ook blootsvoets, hun schoenen stonden keurig op een rij rechts van de ingang.

Ik keek lange tijd hoe ze een rood met gouden quilt bewerkten voordat ik besefte dat de witharige vrouw keek hoe ik stond te kijken. 'Ik ben Judith,' zei ze, en ze stak haar hand uit.

'Marguerite,' zei ik en drukte haar hand.

Ze pakte een zilveren doosje uit een heupzak in haar rok, opende het en bood me een sigaret aan. Ik schudde mijn hoofd. Ze trok met haar vinger voor zichzelf een sigaret los, stopte het doosje terug, stak met een lucifer de sigaret aan en keek door de rook heen naar mij. Ik bedacht dat ik nog nooit zo'n elegante vrouw had gezien, met de lange witte sigaret tussen lange vingers die niet zo wit waren. 'Je komt hier niets kopen, niet-waar Marguerite?' Haar ogen taxeerden mij nogmaals, alsof mijn situatie in het zonlicht werd onthuld.

Gegeneerd vanwege de armoedigheid van mijn kleding schudde ik mijn hoofd en begon zoekend naar woorden uitleg te geven. Ik had behalve William nog niemand over mijn nieuwe hobby verteld; en het viel niet mee haar duidelijk te maken hoe belangrijk het tekenen voor me was en waarom ik had rondgezworven met een schetsblok onder mijn arm. Maar ze lachte en knikte alleen, keek me in de ogen en zei: 'Ja, ik begrijp het.'

Ze nodigde me uit voor een kop koffie op haar binnenplaats. Daar maakten in het volgende uur haar geïnteresseerde blik en vriendelijke vragen het zo makkelijk om te praten dat ik pas bij mijn vertrek verrast bedacht hoe intiem ons gesprek en hoe openhartig ik was geweest. Ik had haar zelfs – zij het niet al te gedetailleerd – verteld over William, over onze situatie en over hoe ongelukkig ik was. Ze vertelde me dat zij ook getrouwd was geweest en dat ze was gescheiden. En ondanks de klank van spijt in haar stem, zag ik dat zij had overleefd, dat ze zich zelfs uitstekend staande hield en dat ze daar troost uit putte.

Maar de echte verrassing kwam van de vreugde die ik had gevoeld toen we praatten over kunst en kunstenaars. Mijn enthousiasme moet een naïeve indruk op haar hebben gemaakt; wat voor mij zo nieuw was, was voor haar bekend terrein. Ik kon geen naam noemen, of zij had er wel van gehoord. Ze was in Parijs, Londen en New York geweest; ze had de grote galerieën bezocht en grote werken gekocht. 'Ik kan je voorstellen aan mensen die misschien belangstelling voor je werk hebben,' zei ze, en toen wist ik dat ze met me bevriend wilde raken.

Het belangrijkste was dat ik aan het eind van die dag de indruk had dat zij, als ze mijn tekeningen mooi vond, me in de winkel zou laten exposeren, en die gedachte – dat mijn werk zou worden bekeken en verkocht – deed me ongelofelijk veel plezier. Ik zou haar de volgende ochtend mijn beste werk brengen. Toen ik me bij zonsondergang naar huis spoedde, ging mijn hoofd als een razende tekeer. Ik wilde haar iets fris brengen, iets wat het beste toonde waartoe ik in staat was. Ik wilde iets maken wat op haar eenzelfde uitwerking zou hebben als haar quilts op mij hadden gehad.

Ik probeerde een geschikt onderwerp te bedenken, maar er kwam niets bij me op. Alles kwam me clichématig en afgezaagd voor.

Toen ik thuiskwam, was ik welhaast tot wanhoop vervallen. In plaats van naar binnen te gaan, waar William ongetwijfeld was weggezakt in zijn gemelijke somberheid, liep ik door de poort onze tuin in. De vervallen en verwaarloosde tuin was voor mij uitgegroeid tot een symbool van ons huwelijk, en daarom meed ik hem meestal. In een hoek stonden twee kapotte rotanstoelen tegen elkaar aan; de tegels op de grond lagen op een paar plaatsen los, zodat er aarde was vrijgekomen die onkruid had verleid om wortel te schieten. De enige zichtbare tekenen van de vroegere glorie van de tuin waren een magnolia met donkere bladeren, die in het vroege voorjaar met haar witte bloesems nog altijd de lucht vervulde van een geur van citroen, de verwelkte bloemen van een camelia en de doornige, bladerloze takken van een dode rozenstruik. Maar die waren overwoekerd door een wildgroei van wingerdranken en inheemse planten, soms als bomen zo groot.

Ik staarde lange tijd gedachteloos naar deze planten en kruiden. Langzamerhand verdween hun schijnbare wanorde en wist ik ze van elkaar te onderscheiden. Toentertijd kon ik ze nog niet benoemen – dat kwam later pas. Ik zag in de verstrengeling van bladeren en bloemen alleen de vormen en kleuren waarnaar ik op zoek was geweest. Hier was mijn onderwerp.

Ik werkte tot ver na zonsondergang. Op een gegeven moment, lang na middernacht, kwam William in de deuropening naar mij staan staren terwijl ik in het donker zat te werken, met olielampen om me heen en een tekenbord op de rotanstoelen. We hadden al veel eerder het punt bereikt waarop we niet meer met elkaar praatten. Ik keek naar hem op maar sprak niet; hij verdween weer.

's Ochtends dekte ik doodmoe de tekening zorgvuldig af en bracht hem naar binnen. Terwijl ik probeerde William niet wakker te maken, nam ik een bad, kleedde me aan en ontbeet, in afwachting van het tijdstip waarop Judith me verwachtte.

Op zondagmorgen was het stil in de French Quarter, op het geluid van de zwabbers na waarmee zwarte huisbedienden stoepjes schoon dweilden na de uitbundige zaterdagnacht. Net als de meeste zaken was ook de quiltwinkel gesloten. Maar toen ik er aankwam, was de deur open. Ik ging naar binnen, zigzagde door de rekken met quilts heen en ging naar het atelier achterin. Het was leeg, maar de deur naar de zonbeschenen binnenplaats stond open. En daar zat Judith, in nachtpon en gestreepte satijnen peignoir aan de tafel van ijzerwerk, waarop koffie en croissants voor twee personen stonden. Ze zat een krant te lezen, met haar voeten op de andere stoel. 'Daar ben je!' zei ze, en terwijl ze me verheugd toelachte, zette ze haar voeten neer en gebaarde met haar sigaret naar de stoel dat ik kon gaan zitten.

Ik schudde mijn hoofd. 'Als ik je de tekeningen niet meteen laat zien sterf ik van de zenuwen,' zei ik tegen haar.

'Laat ze dan zien,' zei zij.

Eerst liet ik haar de tekeningen uit mijn portfolio zien. Fruitschalen, stapels schotels, oude hoeden. Ze knikte en maakte zachte, tevreden geluidjes, maar zei niets. Toen liet ik haar de nieuwe tekening zien, die nog vastzat op mijn tekenbord, en tilde het schutblad op zodat zij hem kon bekijken. Ze floot zachtjes. 'Wanneer heb je deze gemaakt?' vroeg ze.

'Vannacht.'

Ik bekeek hem met haar. Het was in hoofdzaak een tekening van, naar ik later leerde, de bloem van een doornappel, *Datura wrightii*. Hij was enorm wit en ontplooid als een smalle paraplu – een hoorn, een trompet, met scherpe uiteinden die aangaven waar de bloembladen zouden zijn gescheiden, als God ze had willen scheiden. Ik had de bloem neergezet door hem zelf nauwelijks te tekenen – door de bladeren eromheen in te vullen met zwarte inkt, zoals ze er in het vreemde licht van mijn lampen hadden uitgezien. De details van de bloem zelf had ik in pastel gedaan – de fletse schaduwen in zwak lavendel en geel, en in het hart de stralende oranje stamper en meeldraden. Terwijl ik ernaar keek, kwam de muffe, zure lucht van de bloem weer in mijn neus. Het was een plant die zowel mooi als boosaardig was – hij was, zo ontdekte ik later, lid van de nachtschadefamilie en behoorlijk giftig.

Judith zei verder niets. Maar toen ik me naar haar toekeerde, glimlachte ze naar me en wist ik dat ze hem mooi vond. 'Kan ik hem kopen?' vroeg ze, tamelijk onverhoeds.

Mijn antwoord verraste zelfs mezelf. 'Je mag hem hebben,' zei ik. 'Als cadeau.'

Ze keek me lang en rustig aan. Voor het eerst merkte ik de kleur van haar ogen op – een diep groenbruin, waarin de warmte van het bruin en de koelheid van het groen samengingen. 'Wat kan ik je ervoor teruggeven?' vroeg ze, maar het was geen echte vraag; we kenden allebei het antwoord. Haar vriendschap en haar steun zouden mijn beloning zijn.

De expositie zou 'Floralius' – bloemenfeest – gaan heten. Dat was Judiths idee. Tussen haar boeken had ze een oud werk gevonden waarin inheemse bloemen stonden gerangschikt, met hun Latijnse geslachts- en soortnamen, met beschrijvingen maar zonder illustraties. 'Stel je dit boek eens voor met jouw tekeningen,' zei ze, en ik zag het onmiddellijk voor me.

Twee maanden lang tekende ik als een bezetene zodra ik er een ogenblik voor kon vrijmaken: 's ochtends vroeg, laat in de avond, zelfs tijdens de lunch. 's Zondags zocht ik naar bloemen op braakliggende en overwoekerde terreinen, tussen de rotsen langs de Mississippi en in de moerassen. Ik bestudeerde hun namen en beschrijvingen in het boek, en nam er een heleboel mee, die ik in vloeipapier wikkelde en in Judiths ijskast bewaarde. Voor deze uitstapjes trok ik op aanraden van Judith een mannenbroek, een mannenhemd en zware schoenen aan en stopte ik mijn haren weg onder een hoed – deels omdat mijn eigen kleren en schoenen ongeschikt waren voor de wandelingen en klautertochten die ik moest maken, en deels om mezelf minder kwetsbaar te maken voor ongewenste toenaderingen van landlopers die ook op zulke plaatsen rondzwierven. Algauw kreeg ik het gevoel alsof ik leefde op een spiegel met twee kanten, waarvan de ene kant een echtgenote en plichtsgetrouwe kantoorjuf liet zien en de andere een onafhankelijke vrouw en kunstenares, die rondzwierf door de woestenijen van het zuiden. Deze splitsing veroorzaakte geen gevoel van onbehagen, integendeel ik was heel gelukkig met het evenwicht dat ik erdoor kreeg.

De expositie werd geopend. We hadden mijn werk opgehangen op Judiths binnenplaats, waar mijn bloemen eruitzagen alsof ze daar ter plaatse waren opgeschoten. Ik had niemand die ik kende over de expositie verteld, zelfs William niet – als ik moest mislukken, wilde ik dat zo onopvallend mogelijk doen. Maar tot mijn verbazing kwamen er tientallen mensen; een paar bezoekers waren bevriend met Judith, maar de anderen waren vreemden die waren aangelokt door haar aankondigingen: posters die op lantaarnpalen, hekken en muren in de buurt waren geplakt. Er werden verschillende tekeningen verkocht, voor meer geld dan ik ooit voor mogelijk had gehouden; Judith hield toezicht op de verkoop en speelde de verzamelaars tegen elkaar uit om de prijzen op te voeren. Ze behartigde mijn belangen fanatiek, naar haar zeggen gedreven door haar oprechte geloof in mijn talent en mogelijkheden.

Toen de schemering kwam, verbleekten de tekeningen tegen de muren en lieten onze gasten ons alleen op de binnenplaats. 'Je bent een fantastische kunstenares,' zei Judith. Ik omhelsde haar. 'Jij bent een fantastische vriendin,' zei ik tegen haar. 'Hoe kan ik je ooit bedanken?'

Ze zette een stap terug. 'Dat kun je niet,' zei ze met een nonchalant schouderophalen. 'En dat hoef je ook niet.'

Judith was mijn eerste echte vriendin – ze accepteerde me volledig zoals ik was. Had William mijn tekortkomingen door de vingers gezien, zij aanvaardde ze met plezier. 'Alles wat je is overkomen,' zei ze me, terwijl ze mijn hand ophief zodat we allebei het litteken konden zien op de plaats waar eens mijn vinger had gezeten, 'heeft je gemaakt tot wat je nu bent. Dat is niet iets om je voor te schamen, alleen maar iets om trots op te zijn.'

We vertelden elkaar onze geheimen. Ik kreeg te horen dat Judiths man rijk was geweest, maar wreed. Toch nam zij de schuld op zich voor het mislukken van hun huwelijk: ze had, zei ze, een 'te eigenzinnige' persoonlijkheid. Ze geloofde sterk in echtscheidingen. Uiteraard was ze niet katholiek.

Op een dag, onder de lunch, veegde ze haar mond af, legde haar servet neer en sprak me toe. 'Je moet van William scheiden,' zei ze, alsof ze daar lang over had nagedacht. 'Hij parasiteert op jou. Hij slurpt al jouw geld op voor zijn pleziertjes, voor zijn lessen. Hij berooft je van je trots. Hij berooft je van je levensvreugde – dat zie ik iedere keer als je hier weggaat.'

Ik wist dat het waar was wat ze zei, maar een bepaald deel van me, een restant van de godsdienstigheid uit mijn jeugd, wilde niet instemmen met het idee van een echtscheiding. In mijn ogen was dat een grondeloze fout, een ontkenning van plechtige geloften. Het zou me voor altijd van de kerk vervreemden. Ik zou het nooit aan mijn ouders kunnen vertellen.

Ik had Judith zelfs nog niet alles verteld, en toen ik dat uiteindelijk wel deed en erkende dat we niet langer een lichamelijke band hadden, sterkte dat haar nog meer in haar argumentatie. Uiteindelijk liet ik me overhalen om er met William over te beginnen en hem voor zichzelf te laten beslissen. 'Ik nodig hem uit om te komen eten,' zei Judith, die mijn tegenzin wel bespeurde. 'We zullen samen met hem praten.'

William was verrast door de uitnodiging en verraste mij nog meer door die te aanvaarden.

Het was het eerste avondje uit met hem in een heel lange tijd. Judith schonk de ene fles wijn na de andere. Ik onthield me ervan, omdat ik de alcohol had afgezworen, maar William liet zich niet alleen door de overvloed van de maaltijd – drie soorten vlees, een met linnen en echt zilver gedekte tafel – maar ook door Judith verleiden, door haar charme en, zo stel ik me voor, door haar hese zuidelijke lach. Boven een chocoladetaart en in bourgogne geweekte kersen boog Judith zich over de tafel heen en fixeerde haar blik op Williams rood aangelopen gezicht. 'William,' zei ze, 'mag Marguerite van je scheiden?'

William keerde zich met een geschokte uitdrukking op zijn gezicht naar mij toe. 'Zou jij van me willen scheiden?' vroeg hij. 'Zou je dat kunnen?' Hij nam mijn handen in de zijne. 'Ik dacht...'

Het duurde een ogenblik voordat ik begreep dat hij mijn verzoek níet afwees.

'Ja,' zei ik. 'Als jij het wilt.'

Zijn blik leek zich even naar binnen te keren, alsof hij bij zijn hart te rade ging. 'Ja,' zei hij ten slotte, en er verscheen een brede lach op zijn gezicht. Ik had hem sinds onze huwelijksdag niet meer zo gelukkig gezien. 'Ja,' zei hij nog eens, en uit de manier waarop hij in mijn handen kneep, sprak een liefde die ik allang had doodgewaand.

Ik was verrast door het geluksgevoel waarmee ik zelf reageerde. Het was of een duistere, zware geest mijn lichaam had verlaten. Ik was weer vrij.

Toen de scheiding definitief was, leek het vanzelfsprekend om bij Judith in te trekken. Ze was mijn vriendin; ze had een kamer over. Zoals ze het zelf uitdrukte: 'Wij gescheiden oude vrijsters kunnen wel voor elkaar zorgen. Wie heeft er nu een man nodig?' Ze was veertig en maakte een grapje. Ik was vijftien jaar jonger en beschouwde ons geen van beiden als oude vrijsters, ook niet in de nabije toekomst, maar ik was blij dat ik zo'n fraaie woning kreeg – de vertrekken boven haar winkel waren ruim – en blij dat ik bij zo'n vriendin kon wonen.

Als voorbereiding op mijn komst knapte Judith haar bovenste verdieping op, die ze 'de balzaal' noemde. Het was een zolder die in niets leek op alle andere zolders die ik ooit had gezien. Er waren hoge plafonds, glanzende vloeren en enorme ramen aan beide kanten. Het was moeilijk voorstelbaar waar hij oorspronkelijk voor had gediend, maar Judith hield vol dat het een danszaal was geweest. Toen we die dag de trap op liepen, bekende ze me dat ze zenuwachtig was. 'Ik heb geprobeerd me voor te stellen wat jij mooi zou vinden,' zei ze. 'Jij en ik zijn zo verschillend.' Ze had gelijk: haar smaak ging uit naar felle kleuren, en ze was een verzamelaarster – haar kamers waren zo vol met spullen dat je ogen er nooit rust kregen. En hoe leuk ik dat ook vond, het was niets voor mij.

Maar toen ik op die eerste dag de deur van mijn kamer opende, straalde me een bijzonder aangename ruimte tegemoet; ik had me geen betere combinatie van eenvoud en luxe kunnen voorstellen, en nog altijd kan ik dat niet. De muren waren in een verbluffende kleur geschilderd, niet wit maar ook niet echt een andere kleur; afhankelijk van het licht dat erop viel, hadden ze een gele, roze of blauwachtige weerschijn. Het had een kalmerend effect, bijna alsof ze van kleur verschoten om zich aan te passen aan je stemming – of daar een tegenwicht aan te bieden. Onder een van de ramen stonden een ronde tafel met rechte poten en twee bijpassende stoelen, alle van donker hout; op de tafel, op een gesteven linnen kleedje, stond een vaas gevuld met blauwe ridderspoor. Tegen een van de muren stond een bank met een bekleding van roze brokaat. Ernaast stond aan de ene kant een tafeltje met een lamp, en aan de andere kant bevond zich een klein boekenrek. Midden op de vloer lag een rond tapijt dat was geknoopt in blauw- en roodschakeringen. Onder het raam stond een met wit linnen bekleed hemelbed – en opgevouwen op het voeteneind lag de prachtige blauwe zijden quilt waar ik eens mijn zinnen op had gezet.

'O, Judith,' was alles wat ik kon uitbrengen.

'Vind je het goed?' vroeg ze.

Ik kon haar ten antwoord alleen maar omhelzen.

Toen Judith zich van me losmaakte leek ze een beetje gegeneerd, maar ook blij. Ze liep naar het nachtkastje, waar ze champagne in ijs voor ons had klaargezet, en twee glazen.

Ik stond nog een minuut lang sprakeloos te staren naar mijn prachtige kamer, naar de onberispelijke inrichting en de liefdevolle accenten. Ten slotte zei ik – een beetje lomp, vrees ik

'Judith, je hebt er veel te veel aan uitgegeven.'

'Geld moet rollen,' zei ze, en ze schonk champagne in. 'Op jouw geluk, liefje.'

Op Judiths binnenplaats groeide een avocadoboom waarvan de vruchten op de grond vielen en daar bleven liggen totdat wij ze nodig hadden. Er was ook een vijgenboom, waaraan de vijgen hingen als kleine bruine zakjes, die weerstand boden aan je gebit maar zoet en korrelig smaakten, en een citroenboom, waarvan de citroenen bijna te zuur waren om te eten, maar heel geschikt voor limonade op een warme dag. Het was een paradijs, en ik was nooit zo gelukkig als in de paar jaar die toen volgden. Ik hield op met mijn werk en bracht mijn tijd door met tekenen en het ontwerpen van quilts voor Judith. We hingen de tekeningen naast de quilts en verkochten van allebei evenveel. We veranderden het bord in de etalage: AMBACHTE-LIJKE KUNST, stond er nu, TEKENINGEN EN QUILTS VOOR DE KRITISCHE VERZAMELAAR. We beleefden samen een korte maar welvarende periode, in die jaren tussen mijn scheiding en de Grote Crisis.

Het geluk was ook huiselijk. Judith en ik ontwikkelden heerlijke vaste gewoonten. We stonden vroeg op en ontbeten samen, op de binnenplaats of in haar kamer, met verse croissants of muffins, cichoreikoffie en fruit. Vervolgens werkten we tot een uur of elf. Dan stuurden we iedereen naar huis om te lunchen en een siësta te houden, en maakten voor onszelf een verrukkelijke lunch klaar. Om twee uur hervatten we het werk, en om zes uur hielden we er weer mee op. Het avondmaal bereidden we traag, met een glas sherry in onze hand, onderwijl pratend en lachend. Ik geef toe dat we een beetje dik werden van het genoegen dat we schepten in het eten en het eten koken, maar wat maakte dat nu uit?

De avonden brachten we lezend door, Judith in haar makkelijke stoel en ik op de canapé in de kamer die ze haar studeervertrek noemde. Ze liet me kennismaken met nieuwe terreinen als literatuur, kunst, filosofie en geschiedenis, die ik als kind had moeten ontberen, en droeg zodoende bij aan mijn verdere ontwikkeling. Ik merkte dat ik helderder kon denken, dat ik het verleden in een nieuw licht kon bezien en zelfs mijn ouders kon zien zoals ze werkelijk waren, zodat ik hun ten minste dat kon vergeven wat buiten hun macht lag. Mijn liefde voor kennis bloeide weer op, ik volgde colleges op de vrouwenuniversiteit en behaalde uiteindelijk mijn diploma, nog iets wat ik dank aan Judith, die het collegegeld betaalde en mij de tijd gaf om te studeren.

Ik voelde dat ik een volwassen vrouw werd – geen vrouw die even wereldwijs was als Judith, maar evengoed een vrouw die haar eigen levenslot kon bepalen. In deze gemoedstoestand – vervuld van mezelf, zou je kunnen zeggen – leerde ik Charles kennen.

Hij kwam aan het eind van een middag in de winkel, toen Judith weg was om zijde in te kopen. Hij was anders dan de klanten die we meestal hadden; hij droeg een nogal ruige broek en een paar bretels op een boordloos hemd, en had vuile, zware schoenen aan zijn voeten. Maar met één blik op zijn gezicht wist ik dat hij een 'kritische verzamelaar' was, en waarschijnlijk rijker dan hij door zijn kleding liet blijken. Hij had een gladde huid, fijne trekken, intelligente ogen en een krachtige kin en mond.

De combinatie van ruigheid en verfijning trok me aan. Toen ik mezelf met uitgestoken hand voorstelde en hij mijn hand schudde alsof het een mannenhand was, voelde ik direct sympathie voor hem. Hij verklaarde zijn komst: hij was hier vanwege de verjaardag van zijn moeder. 'Zij is niet gauw tevreden,' zei hij.

'Wij kunnen iedereen tevreden stellen,' zei ik, blozend toen ik de dubbelzinnigheid van mijn woorden besefte.

Hij glimlachte, maar greep de mogelijkheid om mij in de maling te nemen niet aan. 'Uw zelfvertrouwen bevalt me,' zei hij, en ik zag dat hij het oprecht meende.

Ik verkocht hem die dag een mooie quilt, met een complex geometrisch rozenmotief. Op weg naar de deur bleef hij staan voor een van mijn tekeningen, en wel van de *Rosa rugosa*, een wilde roos. 'Wat is dit voor bloem?' vroeg hij. 'Ik heb hem nog nooit gezien.'

Ik bekende dat hij niet in Louisiana groeide; ik had hem uit mijn hoofd getekend.

'Hebt u dit getekend?' vroeg hij. Ik knikte alleen maar. 'Dan wil ik die ook graag,' zei hij.

'Uw moeder zal heel tevreden zijn,' zei ik, en ik haalde de tekening van de muur om hem in te pakken.

'O,' zei hij, opnieuw met een glimlach, 'maar de tekening is voor mijzelf.'

Toen ik Judith die avond over de quilt en de tekening vertelde, keek ze me lang aan en zei ten slotte: 'Je laat iets weg.'

'Nee,' zei ik, en ik schudde mijn hoofd maar vermeed haar blik door naar de pan te kijken waarin ik stond te roeren.

'Jawel,' zei ze.

'Goed dan,' zei ik, en ik legde de lepel neer. 'Ja. De man die ze gekocht heeft.'

'Naam?'

'Charles Morley.'

'Morley,' zei ze. Ze pakte een sigaret uit haar doosje, stak hem op, inhaleerde en hoestte. 'Morley. Een heel goede familie in deze contreien,' zei ze, met een stem die hees was van de rook. 'Een heel goede familie. En die Charles?' vroeg ze, me een voorzetje gevend.

'Hij neemt me mee uit naar het theater,' zei ik.

Judith deed alsof ze blij was. 'Dat is geweldig,' zei ze. 'Geweldig.'

Charles en ik begonnen elkaars gezelschap te zoeken. Eén keer, hooguit twee keer in de week. Aanvankelijk wist ik niet zeker of het wel een romance was, zo traag kwam het op gang. Maar van lieverlede realiseerde ik me dat hij me op voorname wijze het hof maakte. We leerden elkaar kennen – we leerden elkaar echt kennen, zoals ik nog nooit met een man had meegemaakt. En ik vond het ontwapenend hoe deze man mij methodisch onderrichtte over zichzelf, en zichzelf over mij. Elk uitje bracht ons naar een nieuwe bestemming, maar stond altijd garant voor gesprekken. Na het theater, als we naar huis liepen; aan tafel in een stil restaurant; in een rijtuigje tijdens een tour door de stad; tijdens een picknick aan het water. Op een zaterdagochtend liet hij me het bedrijf van zijn familie zien, een scheepvaartmaatschappij niet ver van waar ik vroeger had gewerkt. Hij nam de tijd om me alles te laten zien: balen katoen die nog ontpit moesten worden, in papier verpakte tabaksbladeren en houten kratten met machineonderdelen. Op de dag van onze ontmoeting kwam hij direct van dit bedrijf, en toen we over de kaden liepen had hij diezelfde vuile zware schoenen aan – maar ook een schoon, wit overhemd met boord, duidelijk ter ere van mij.

Ten slotte nodigde hij me uit voor een ontmoeting met zijn familie – zijn moeder en zusters, want zijn vader leefde al lang niet meer. Toen ik het ik aan Judith vertelde, zei ze alleen: 'Ik ben blij voor je, Marguerite.'

De nacht voor deze gewichtige gebeurtenis kon ik niet slapen. Ik denk omdat ik nog niet helemaal eerlijk tegenover Charles was geweest. Ik was bang dat hij, hoe aardig hij ook was, net als William kinderen wilde en me zou afwijzen als hij wist dat ik geen kinderen kon krijgen; het leek me oneerlijk bij zijn familie op bezoek te gaan zonder het te hebben verteld, maar het ontbrak me aan moed. Uiteindelijk stond ik op, trok een droge nachtpon aan en ging naar de keuken op de eerste verdieping om wat water te drinken.

Ik kwam langs Judiths kamer, waarvan de deur zoals gebruikelijk gesloten was. Toen ik er voorbij liep, meende ik dat ik haar hoorde hoesten. Ik legde mijn hand op de deurkruk, maar aarzelde. Ik wist dat ze er een hekel aan had als ik haar betuttelde; moest ik naar binnen gaan? Maar net op dat moment werd het geluid erger en veranderde het in een afschuwelijk kokhalzen. Ik klopte hard aan. Er kwam geen antwoord; het geluid hield aan. Ik stormde naar binnen. 'Sorry...' zei ik. In het licht van haar bedlamp zag ik Judith. Tranen liepen over haar wangen. 'O God, Judith,' zei ik, en ging naar haar toe. Ze deed haar handen voor haar gezicht en probeerde zich van me af te wenden.

Ik sloeg mijn armen om haar heen. 'Wat is er aan de hand?' vroeg ik. 'Zeg het dan, je kunt het toch tegen me zeggen.'

'Je weet het wel,' zei ze, met haar gezicht nog steeds in haar handen.

Ik had geen idee wat ze bedoelde. Ik schudde mijn hoofd en streelde haar haren. 'Zeg het me dan,' zei ik opnieuw.

Ze maakte zich van me los en keek me met roodomrande ogen aan. 'Nou,' zei ze ten slotte, terwijl ze overeind ging zitten en haar schouders rechtte. 'Nou,' zei ze nogmaals, en ze schraapte haar keel. 'Het lijkt erop dat ik van je hou.'

Ik liet haar los, ging zitten en wendde mijn blik af – niet zozeer om haar niet te zien als wel om mezelf een moment bedenktijd te geven. Toen ik weer opkeek, staarde ze me aan met zoveel verdriet in haar blik dat ik mijn armen weer om haar heen sloeg en haar troostte met de enige troostrijke woorden die er waren: 'Ik hou ook van jou, natuurlijk hou ik ook van jou.'

Toen ze eindelijk sliep, ging ik terug naar mijn kamer, overstuur – ja zelfs verontrust – maar zonder precies te weten waarom. Ik vond het niet onprettig om te weten dat Judith van me hield. Maar ik wist niet wat voor betekenis ik eraan moest toekennen. Ik wilde altijd bevriend met haar blijven; ik kon me geen leven zonder haar voorstellen. Maar tegelijk had ik me nooit een voorstelling van een leven met haar gemaakt. Ik wist natuurlijk dat sommige vrouwen van elkaar hielden, zelfs lichamelijk; ik was naïef maar niet onwetend. Maar ik voelde me niet op die manier tot Judith aangetrokken. Ik voelde iets voor haar wat duurzamer en minder voorbijgaand was. Ja, erkende ik bij mezelf, ik hield van haar; niet zoals je van een vriend of vriendin en evenmin zoals je van een echtgenote of echtgenoot houdt, maar toch hield ik van haar, meer dan ik ooit van iemand had gehouden.

Lange tijd lag ik wakker in het bed dat ik van Judith had gekregen. Ik lag met mijn hoofd aan het voeteneind, zodat ik naar de nachtelijke hemel kon turen. Ik zag hoe het licht werd en hoe het zwart overging in blauw, bijna net zoals op de quilt onder mijn hoofd. En toen de bleekste kleurschakering de ochtend aankondigde, dacht ik bij mezelf: is er, afgezien van liefde, iets van belang? En ik zei tegen mezelf: nee.

De volgende ochtend ging ik naar Charles. Hij vatte het bericht vriendelijk en begrijpend op, zoals ik van hem had verwacht. Ik vertelde hem dat ons samenzijn fantastisch was geweest, magnifiek. Maar dat het niet kon opwegen, ook niet in de toekomst, tegen wat ik met Judith had. We behoorden tot dezelfde diersoort, zij en ik; we kenden elkaar zoals dat alleen voor leden van dezelfde soort is weggelegd en begrepen elkaar beter dan een man en een vrouw elkaar ooit zouden begrijpen. We hielden van elkaar zoals alleen echte vrienden of vriendinnen van elkaar kunnen houden: onvoorwaardelijk, teder, zonder verlangens of verwachtingen. En we hadden samen een leven opgebouwd waarvan we ons geen van beiden konden voorstellen dat we het ooit zouden opgeven. Ik wist welke keuze ik moest maken.

Waren Judith en ik elkaars geliefden geworden? We waren in alle opzichten intiem met elkaar – intellectueel, emotioneel. We troostten elkaar als dat nodig was; we lagen bij elkaar als we het koud hadden of ons eenzaam voelden. We hielden van elkaar; daarom waren we elkaars geliefden. Of we die laatste grens al dan niet hebben overschreden is irrelevant, en gaat behalve ons niemand wat aan.

De Grote Crisis sloeg in New Orleans even hard toe als in de rest van het land. Toen de markt instortte, deden kennissen van ons hetzelfde als vele anderen: ze benamen zich op een moment van diepe wanhoop het leven. In de stad was de crisis een smartelijke en angstige periode, en ik wenste in die tijd dat we weer op Grain Island konden zijn, waar armoede een natuurlijke toestand was, overleven een levensstijl en geld bijna nutteloos.

Zo gauw duidelijk werd dat de moeilijke tijden voorlopig zouden aanhouden, sloten we de winkel. Maar gedurende dat hele gruwelijke decennium bleven we steeds nadenken over de toekomst en plannen maken. En ik bleef tekenen zolang mijn middelen toereikend waren.

We gingen een zuinig, rustig leven leiden. Het was daarbij onze voornaamste troost dat we niet in aandelen hadden belegd en dat de bank waar ons geld op stond – wonderbaarlijk genoeg – niet failliet ging. Onze spaarpot was nog intact, maar we werkten om hem in stand te houden, om zo veel mogelijk te sparen, want we wisten niet hoe lang de magere jaren nog zouden duren. We gaven zo veel als we konden aan anderen; de vrouwen uit onze buurt wisten dat ze bij ons om eten konden komen wanneer hun kinderen honger hadden, en zolang ze het zich kon permitteren zorgde Judith dat haar voormalige werkneemsters een kleine maandelijkse som ontvingen om ze te helpen in leven te blijven. We hadden een degelijk dak boven ons hoofd; we hadden de groentetuin op de binnenplaats, die ons het merendeel van ons voedsel verschafte; we draaiden elke penny om, stonden vroeg op en gingen vroeg naar bed om stroom te sparen en verstelden onze oude kleren. En zo doorstonden we samen de Crisis van jaar tot jaar, totdat hij voorbij was.

Toen kwam de oorlog. Alle zijde werd in die tijd voor parachutes gebruikt. Judith verbaasde me door haar patriottisme, door in een fabriek te gaan werken waar soldatenlaarzen werden gemaakt. Ik ging weer in de haven werken en verzamelde oude schoenen voor vluchtelingen. De oorlog ging in een golfbeweging op en neer, en wij werden door die golf meegevoerd.

Na afloop van de oorlog overtuigde ik Judith, haar beweringen dat ze te oud was ten spijt, om de winkel te heropenen. We hadden mijn tekeningen en de overgebleven quilts in vochtbestendige kisten in de koele kelder bewaard; nu haalden we ze weer te voorschijn en luchtten ze op de binnenplaats. Ze waren nog net zo mooi als vroeger. We schilderden en decoreerden de winkel opnieuw, en zetten advertenties in de *Times-Picayune*. Algauw werden we weer ontdekt. Na bijna twee decennia van zuinigheid hongerden de mensen naar schoonheid en luxe. Het geld rolde weer. Judith was gelukkig. En ik ook.

Judith knipte haar witte haar kort, zodat het haar gezicht omlijstte als een aureool. Ze was natuurlijk veranderd; de jaren begonnen zichtbaar te tellen. Hoewel ze ouder was dan ik, had ik altijd verwacht dat ik eerder zou sterven dan zij. Ze leek sterker dan ik, ontembaar.

Ik denk dat ze me ook zou hebben overleefd als ze geen sigaretten had gerookt. Al jarenlang kon ze vanwege haar gehoest niet goed slapen; nu werd ze zo kortademig dat een gesprek al een hele opgave was. Ze moest lachen om wat ze haar 'gevoileerde' stem noemde. Ik smeekte haar om naar een dokter te gaan.

De winter was dat jaar ongewoon koud. In januari zakten de temperaturen angstaanjagend vaak tot onder het vriespunt, en 's nachts vroor het soms meer dan tien graden. Het groen in de stad verschoot van kleur en werd bruin; het was alsof je in een sepia foto woonde. Tot dan toe waren we de winter altijd doorgekomen met af en toe een warm haardvuur om de kilte te verdrijven; nu moesten we voortdurend een kachel aan hebben. Desondanks vroren de leidingen kapot.

In de winkel was geen kachel, en daarom overreedde ik Judith om een klein oliekacheltje te kopen, met als argument dat de klanten langer zouden blijven als het warm was. Hoe langer ze bleven, hoe beter ze door de quilts konden worden betoverd. Judith hield niet van die lucht, en ze vreesde dat hij in de quilts zou gaan hangen. Ik maakte me zorgen over haar gezondheid. Ik wist dat het niet goed voor haar was om dag in dag uit in die koude, vochtige winkel te zitten.

Op een avond ontdekte ik een zakdoek met bloedvlekken. Judith probeerde zich ervan af te maken met de bewering dat het van het vlees kwam dat ze voor het avondeten had klaargemaakt, maar ik geloofde haar niet. Ten slotte kreeg ik haar zo ver dat ze naar een dokter ging. Na een week of twee hoorden we wat er aan de hand was. De dokter vertelde ons dat hij bij andere rokers hetzelfde had gezien; hij adviseerde Judith met klem om te stoppen. Ze hield alleen haar zilveren doosje omhoog en haalde er weer een sigaret uit, waarbij de elegantie van het gebaar ongedaan werd gemaakt door de hoestbui die erop volgde.

Het jaar daarop deed ik mijn uiterste best om haar te verplegen. Ik wist dat ze niet meer beter zou worden; ik hoopte alleen haar leven te kunnen rekken, en daarmee ons bestaan met elkaar. De dokter raadde ons aan uit New Orleans te vertrekken, uit de klamme hitte en schimmels die haar symptomen alleen maar verergerden, maar Judith wilde niet weg, en ik evenmin. Ik wilde alleen maar thuis zijn, samen met haar.

Toen ze verder achteruitging, zat ik urenlang aan haar bed en las haar voor. Als ze sliep, keek ik naar haar gezicht en dacht aan alle redenen waarom ik van haar hield. Niet de minste daarvan was hoe ze, zelfs toen ze op sterven lag, van mij bleef houden.

Op een dag hadden we een vreselijke ruzie. Ze was lange tijd doorgegaan met roken, maar nu ze niet meer zonder hulp haar bed uit kon komen, was ik haar de sigaretten gaan toebedelen, waarbij ik ze opspaarde voor de tijdstippen waarop ze er, naar ik wist, de meeste behoefte aan had: bij haar ochtendkoffie en vlak na het avondeten. Maar die dag was de voorraad na het ontbijt op, en ik suggereerde dat dit een goed moment was om helemaal te stoppen. 'Begrijp je dan niet,' zei ze, 'hoe weinig plezier er dan voor me overblijft?'

Ik was moe; ik was gespannen. Toch heb ik geen excuus; ik had niet mogen reageren zoals ik reageerde. 'Denk ook eens aan een ander in plaats van aan jezelf,' zei ik tegen haar. 'Denk eens één keer aan mij.'

De gekwetste uitdrukking op haar gezicht was bijna niet te verdragen. 'Ik denk *alleen maar* aan jou,' zei ze.

Nog geen uur later liep ik van de winkel naar huis, met een pakje sigaretten in mijn hand. Het was een kristalheldere dag in februari 1950, de week na Mardi Gras, en hier en daar glinsterden de goten nog van de kraaltjes en muntjes. Terwijl ik daar liep raakte de heldere lucht vervuld van een vreemde, scherpe stank. Maar ik dacht er verder niet bij na, totdat ik ons steegje vol rook aantrof.

De brandweermannen waren er nog, de ambulance was al weg. De bovenverdiepingen hadden, zo vertelden ze me, alleen rookschade geleden. De winkel was daarentegen volledig verloren gegaan. 'Zijde brandt niet makkelijk,' vertelde de brandweercommandant me. 'Het vuur moet erg heet zijn geweest.' Ik herinner me zijn beroete gezicht, zijn witte tanden en de blaasjes op zijn lippen. En de bittere, bittere stank van verbrande zijde.

Iemand moet me naar het ziekenhuis hebben gebracht, maar ik herinner me niets van de rit ernaartoe. Ik herinner me alleen het groezelige kamertje waar ik alleen zat te wachten. Buiten was de lucht nog helder en open, maar hij werd bezoedeld door het sombere filter van een vuil raam. Ik zat daar urenlang, me vaag bewust dat de tijd verstreek en dat ik slecht behandeld en genegeerd werd, maar het ontbrak me aan de wilskracht of de moed om uit mijn stoel op te staan en vragen te stellen. Ik dacht niet; ik kon niet denken. Ik kon alleen nog luisteren naar de gedachten die mijn geest uit eigen beweging voortbracht, willekeurig, razend en onsamenhangend – als een bij die gevangen zit in een potje zonder lucht.

Ten slotte kwam er een verpleegster die me naar Judith toebracht. Ze lag in een zuurstoftent, met haar gezicht zo in het verband dat ik alleen haar ogen kon zien. Op mijn aandringen liet de verpleegster me de tent binnen. Ik legde mijn mond tegen Judiths oor en zei haar naam. De groenbruine ogen gingen trillend open. Ze kon niet praten. Ik nam haar verbonden hand in de mijne.

Al na enkele ogenblikken stuurden ze me terug naar het wachtkamertje. Even later kwam een man binnen. Ik zag hoe zijn mond bewoog. Een paar leverkleurige lippen in een vaalgeel gezicht. Ik hoorde wat hij zei. Hij legde me uit dat er sectie zou worden verricht. Sectie was regel in zulke gevallen, zei hij. Altijd wanneer de verdenking van boze opzet bestond. In dit geval was er gelukkig (hij gebruikte dat woord werkelijk: *gelukkig*) geen boze opzet in het spel geweest. Er bestond een kans dat het om zelfmoord ging. Maar omdat ze stervende was geweest en over laudanum kon beschikken, viel zelfmoord uiteraard moeilijk te bewijzen. Misschien was ze gewoon gevallen, en had ze het kacheltje omgestoten en niet meer overeind kunnen komen. Hoe dan ook, de verzekering zou vrijwel zeker betalen...

Ik geloof dat hij nog steeds niet was uitgepraat toen ik het kamertje uit liep.

Judith was stervende geweest, op dat laatste ogenblik dat we samen waren. Ik had dat niet geweten voordat de man was gaan praten. Ik was er, zonder het te beseffen, van uitgegaan dat ze op de een of andere manier wel zou herstellen als ze de verzorging kreeg die ze nodig had. Maar ze was stervende geweest, en opeens wist ik heel zeker dat ze had willen sterven; dat ze, zelfs als ze het vuur niet eigenhandig had aangestoken, het had laten branden.

En nu zou ze ontleed worden. Aan stukken gesneden. Haar lichaam zou geschonden worden door deze man, wiens enige bedoeling het was haar dood te benoemen. Ik dacht aan Judith, met haar huid van haar afgestroopt, weggetrokken om de zwarte massa in haar longen en haar roerloze hart te onthullen. Mijn mooie Judith. Dood, en nu ten prooi aan de vernietiging.

Ik draaide me om. Ik vond de man met de leverkleurige lippen. 'Nee,' zei ik tegen hem. 'Geen sectie. Ik sta het niet toe.'

Hij vroeg welk recht ik had om de sectie tegen te houden.

Ik ben haar geliefde, wilde ik zeggen, had ik kunnen zeggen – misschien heb ik het zelfs gezegd, gezien de uitdrukking op het gezicht van de man.

'Het spijt me,' zei hij. 'Maar alleen een familielid heeft het recht...'

Bij de begrafenis stond ik erop dat de kist gesloten bleef. Niemand trok mijn recht op die beslissing in twijfel.

Ik liet iemand tegen betaling de winkel en het atelier slopen, er alles uit verwijderen behalve het houtwerk dat de rest van het huis ondersteunde. Het weer werd warmer. Ik bleef thuis en zat in de koele zon op onze binnenplaats. Ik voelde me uitgehold, geteisterd.

Ik kreeg bezoek van Judiths advocaat. Ik had niet over haar testament nagedacht; we hadden er nooit over gesproken; de tijd had daar nog niet rijp voor geleken, ze was pas zestig toen ze stierf. Ze had mij uiteraard alles nagelaten – het huis, haar spaargeld, haar investeringen. Maar, zei de advocaat, er waren complicerende factoren. Het testament werd aangevochten door haar zoon.

Haar zoon. Eindelijk hoorde ik het verhaal. Hoe ze was gescheiden van haar echtgenoot en hoe hij haar royaal had betaald om de jongen bij hem te laten. Wat moet ze wanhopig graag bij hem weg gewild hebben, dacht ik. Vervolgens kwam de jongen, intussen een man, naar mij toe om zijn recht te halen. Net als zijn moeder was hij lang, maar daar hield de gelijkenis op, want hij was egoïstisch, had de vettige huid en de wanhopige blik van een man die halverwege zijn leven is geko- men zonder iets te hebben bereikt, en hij liet me in niet mis te verstane bewoordingen weten dat hij met me zou strijden tot- dat hij me mijn erfenis had afgenomen. Ik zag de vader weer- spiegeld in de zoon en meende te weten waarom Judith hem had verlaten.

Ik had de kracht niet om met hem te strijden, en wilde dat ook niet. Ik kon niet leven in een huis dat zo vol was van mijn verdriet en wilde het niet verkopen vanwege de herinneringen die ermee verbonden waren. Judiths huis was voor mij een last waaraan ik me niet kon onttrekken en waarvan ik me niet kon ontdoen. Dus gaf ik het aan hem.

Ik verhuisde naar een hotel. Tijdelijk, hield ik mezelf voor. Mijn leven werd een opeenvolging van momenten die zich opstapelden tot uren, dagen en maanden. Nu alleen de winkel- puien mijn herinneringen nog vulden, verloor ik de seizoenen en de jaren uit het oog. Ik kwam pas weer tot mezelf toen ik hoor- de van de dood van mijn ouders: eerst mijn moeder, en toen mijn vader, in de winter van 1955. Ik had ze zo lang niet gezien dat ik niet om hen treurde, maar ze bijschreef op de lijst van mijn verliezen. Maar de afwikkeling van hun nalatenschap gaf me iets te doen – gaf me een doel, zij het tijdelijk. En dus vertrok ik uiteindelijk de stad uit en kwam thuis op het eiland, met slechts één ding bij me om me aan het verleden te herinneren.

Wat hield je veel van Judiths quilt.

Toen je nog een baby was, legde ik je erop om je een schone luier te geven, en soms liet ik je er bloot op liggen, zodat je over de gladde zijde kon rollen. Als een aaltje lag je daar dan te kronkelen, kreetjes te slaken en te zingen. Het is nu erg moeilijk om je voor te stellen dat je ooit zo klein bent geweest. Het boogje van je plasje als ik je niet vlug genoeg de luier aandeed.

En later, toen je ouder was, werd de quilt op regendagen onze blauwe lucht, een tent boven onze hoofden waaronder we spelletjes deden: kaartspelletjes, indiaantje, vadertje en moedertje. En als je koorts had, was het de quilt die je kalmeerde en je koelte schonk – en mij ook.

Twee dagen nadat Caroline de documenten had ondertekend om jou aan mij over te dragen, ging ik naar het huis van de hulpsheriff om je op te halen. Je kunt je niet voorstellen hoe me de schrik om het hart sloeg toen ik aanklopte en er niemand opendeed. Door een raam kon ik zijn vrouw – ze heette Alma – aan de keukentafel zien zitten, met haar rug naar mij toegekeerd. Ik tikte tegen de ruit. Ze draaide zich niet om, maar ik kon horen wat ze zei. 'Ga weg, oude vrouw,' zei ze. 'Hij is van mij. Jij zult hem nooit krijgen.' Als een heks in een sprookje. Tot op de dag van vandaag weet ik niet of ze die woorden echt heeft gesproken of dat ik dat alleen maar dacht. Maar ik weet wel dat ze uitdrukten wat ze voelde.

Ik had medelijden met Alma, werkelijk. Ze moet dolgraag een kind hebben gewild. En ik wist hoe gemakkelijk het was om van jou te gaan houden. Maar je was mijn jongetje, je was van mij, en ik stond je niet af.

Mijn verstand zei me dat ik op de hulpsheriff moest wachten. Ik stond in de voortuin onder de bladerloze bomen en keek naar de weg of hij er aankwam. De dooi die een paar dagen daarvoor was begonnen, had doorgezet; de nog resterende sneeuw lag op slinkende, door ruiming gevormde hopen. Als ik een rookster was geweest, zou ik hebben gerookt; de sigaret was uitgevonden om dit soort momenten op te vullen. Maar voor mij was dat wachten alleen vervuld van rusteloosheid en toenemende angst voor wat ze met jou zou doen of misschien al had gedaan.

Ik liep naar de achterkant van het huis, op zoek naar iets wat ik kon gebruiken. De hulpsheriff had blijkbaar de afgelopen zomer een stookplaats voor de barbecue gebouwd; een stapel overgebleven bakstenen lag binnen handbereik. Ik pakte een steen, ging terug naar een raam aan de voorkant en brak een ruit – een klein ruitje maar. Geluidloos en voorzichtig, zodat zij me niet zou horen en het glas jou niet zou bezeren als je dicht in de buurt was. Ik stak een hand naar binnen, ontsloot het raam, schoof het omhoog en klom het huis in. Eenmaal binnen stond ik enigszins versteld van mezelf. Terwijl ik daar met bonzend hart in hun huiskamer stond, wenste ik dat ik zo'n risico niet had hoeven nemen. Maar elke moeder zou hetzelfde hebben gedaan als haar zoon in gevaar verkeerde.

Het was, denk ik, het soort thuis dat je had moeten hebben. Klein, knus en onberispelijk. Warm, vrolijk zelfs. Een Afghaanse sprei op de rugleuning van de bank. Goed gestoffeerde stoelen. Geplooide gordijnen voor de ramen. Zelfs een televisie, iets wat ik nooit in mijn huis zou willen hebben. Een paar stukken speelgoed van jou lagen op een hoopje in een hoek, maar van jou was niets te bekennen. En dus luisterde ik beter en hoorde je kleine bewegingen en je stem achter een deur.

Ik opende hem. Er liep een trap naar beneden. Het was een kelder. Hield ze je in de kelder? Zonder een spoor van verbazing keek je naar me op. 'Hallo Tante,' zei je. Je zat te spelen op de koude aarden vloer, speelgoedsoldaatjes stonden in rijen opgesteld. 'James,' zei ik, 'het is tijd om naar huis te gaan.'

Je stond zonder iets te vragen op, kwam naar mij toe en pakte mijn hand vast. We gingen de trap op. Maar toen we door de deur binnenkwamen, stond ze daar. Wat uit haar mond opsteeg, was meer een weeklacht dan een woord, het treurigste geluid dat ik ooit had gehoord: 'Nee!'

'Kom, James,' zei ik, en ik sloeg mijn arm om je heen, pakte je schouder vast en zorgde dat ik tussen jou en haar in bleef staan.

'Nee!' jammerde ze opnieuw, terwijl ze op je afkwam, met haar handen als klauwen uitgestrekt.

Ik duwde haar weg. Ze struikelde, en viel bijna. Meteen wilde ik dat jij dat nooit had gezien, maar er was niets meer aan te doen. Ik verplaatste ons in de richting van de deur, die als door een wonder openging toen wij hem bereikten. De hulpsheriff stapte naar achteren en liet ons door.

'Ze is daar,' zei ik, en ik wees achteruit, terwijl wij in de richting van de truck liepen.

Hij knikte alleen en ging naar binnen.

De volgende dag stuurde ik hem een cheque voor het raam. We hebben er nooit meer over gesproken.

Ik had een kamer voor je in orde gemaakt. Je speelgoed lag er, je kleren, al je spulletjes uit de caravan. Op je bed lag de blauwe zijden quilt. De eerste avond vroeg ik of je bij mij wilde slapen. Je zei van niet. Je wilde op je nieuwe kamer slapen; je was opgewonden omdat je daar mocht slapen. Ik maakte er een haardvuur aan, vergewiste me ervan dat het veilig was en ging weg. Maar ik kon je niet alleen laten, dus sliep ik vlak voor je open deur. Bij elk geluid dat ik hoorde dacht ik dat jij het was. Maar je verroerde je niet. Je sliep goed.

Ik wist wat de mensen zouden zeggen. Over wat ik de vrouw van de hulpsheriff had aangedaan. Over het feit dat ik Caroline had betaald om jou te krijgen. De mensen zouden verschrikkelijke dingen zeggen; sommigen zouden misschien zelfs naar de rechter willen stappen om jou te laten weghalen. Maar op de een of andere manier wist ik dat de hulpsheriff dat allemaal zou tegenhouden. Ik dacht dat hij het begreep, en ik had het bij het rechte eind.

Afgezien van het feit dat jij 's nachts bij me bleef, was ons leven in essentie hetzelfde gebleven. Oppervlakkig beschouwd leek het nauwelijks tot je door te dringen dat je ouders er niet meer waren. Wanneer je naar ze vroeg, herinnerde ik je aan het simpele feit dat ze samen met je oom Homer waren gestorven, en jij knikte dan plechtig en speelde weer verder met je klei, je blokken of je truck. Ik dacht dan ook dat je het had begrepen en geaccepteerd, en dat je net zo van mij zou gaan houden als je van hen gehouden had. Ik was blij toen de lente kwam en daarna de zomer. Hoe verder we van die gebeurtenissen af waren, des te zekerder ik me voelde.

Je was altijd dol op aardbeien geweest. Daarom had ik het jaar daarvoor een aardbeienveld geplant in de zanderige aarde ten zuiden van het huis, waar de ochtendzon het langst scheen. In je eerste zomer bij mij zouden we onze eerste oogst binnenhalen. Je werd in juni van dat jaar vijf, oud genoeg om mee te helpen. Ik had grote plannen om talloze potten heerlijke jam te maken en de jam die we zelf niet konden gebruiken op de boerenmarkt te verkopen. Ik dacht dat het goed voor jou zou zijn om te zien hoe arbeid inkomsten opleverde. Ik zag al voor me hoe je op een kruk bij het fornuis in een pan dampende jam zou roeren; ik zag al voor me hoe je voor de ene glimlachende klant na de andere zou uittellen wat ze terugkregen van hun dollar.

Toen de sneeuw smolt en de driebladige planten verschenen, maakte jij er dagelijks een tochtje naartoe om hun groei in de gaten te houden. De felgroene, ruige plantjes groeiden snel dankzij de mest die ik aan de aarde had toegevoegd. Op de dag dat de eerste bloemetjes uitkwamen, kwam jij blozend van opwinding bij me. Vervolgens vielen de witte bloemblaadjes af en zwollen de groene knopjes aan door de voorjaarsregen. Wat rijpten ze langzaam! Eerst werden ze heel lichtroze, daarna werd de kleur steeds dieper. En op een dag pakte je me bij mijn hand en sleurde me mee vanaf de waslijn waar ik kleren aan het ophangen was. 'Is hij rijp, Tante?' vroeg je al wijzend, en ja, daar was hij, de eerste rijpe aardbei. 'Mag ik hem opeten?' vroeg je, en natuurlijk zei ik ja.

Daarna ging het snel. De eerste dag een pond, de volgende dag een kilo, en daarna een hele stortvloed. Elke ochtend zaten we voordat het warm werd, getweeën gehurkt tussen de perkjes te plukken, emmers en teilen vol. Daarna maakten we ze binnenshuis schoon. Ik gaf je een scherp mes en leerde je hoe je het moest gebruiken, en jij verwijderde de kroontjes en sneed de aardbeien door. Ik deed ze in pannen met suiker en pectine, en daarna kookten we ze. De dampende potten en deksels die klaarstonden om met tangen uit hun reinigingsbad te worden gehaald. Glanzende donkere potten die in rijen op het aanrecht stonden terwijl wij er de laatste hand aan legden. De ene pot met heerlijke jam na de andere. Je at verse aardbeien en likte de pannen uit voordat ik ze afwaste. Twee hele weken lang aten we nauwelijks iets anders dan aardbeien.

Op de eerste boerenmarkt zagen we het. Of beter, daar werd het opgemerkt. We installeerden ons in de schaduw en stelden onze potten achter op de truck tentoon. We vroegen vijftig dollarcent per pot. De klanten stroomden niet toe zoals ik me had voorgesteld, maar we hadden er een paar. Een van hen keek glimlachend op je neer en zei: 'Wat ben jij een schattig jongetje.' En toen je haar de twee quarters overhandigde die ze terugkreeg van haar dollar, zei zij: 'Kind, wat heb je daar op je vinger?'

Donkerrood was het gezwelletje, zo groot als een erwt; het was niet echt verbazingwekkend dat het tot dan toe onopgemerkt was gebleven. Je waste zelf je handen, je ging zelf in bad; je werd al een grote jongen. Toen ik je hand in de mijne nam en ernaar keek, probeerde ik er geen punt van te maken. 'O,' zei ik, 'alleen maar een moedervlek. Niets om je zorgen over te maken.' De vrouw glimlachte door haar grimas heen en ging weg; omdat jij niet van streek leek, vergat ik het algauw weer.

Een week of twee later kwam je naar me toe. 'Tante,' zei je, met uitgestoken hand. De moedervlek was gegroeid; hij was nu even breed als je wijsvinger en bloedde als ik erop drukte. 'Hij lijkt op een aardbei,' zei je, en hij leek inderdaad op een kleine, rijpende bes. Ik glimlachte en probeerde de overeenkomst met een grapje af te doen. 'Misschien hebben we er te veel gegeten,' zei ik, 'en krijgen we er dat van.'

Maar ik was bang.

Dokter Milton was toen nieuw hier. Hij had het land aan de overkant van onze weg gekocht en hield samen met zijn dochtertje Faith vakantie in de caravan waar jouw ouders hadden gewoond. Ik had hem maar een of twee keer gesproken; ik wist dat hij arts was, maar niet wat voor arts en hoe hij ons zou ontvangen. Maar ik zette je diezelfde minuut nog in de truck en reed met je naar de caravan.

We hadden geluk dat hij thuis was. 'Ja?' zei hij, en hij kwam naar de deur. Ik liet hem jouw hand zien. 'Juffrouw Deo,' zei hij, 'ik ben oogarts. Ik heb hier wel wat instrumenten, maar zo'n behandeling luistert nauw. Het moet heel precies gebeuren. De vinger van de jongen is maar klein, de zenuwen liggen dicht onder de huid. En er moet een weefselonderzoek worden gedaan. Dit soort kanker kan weer terugkomen. Begrijpt u dat?'

Ik had het niet begrepen. Kanker. Dat was het dus, dit aardbeigezwel. Het woord maakte me bang, banger dan ik ooit was geweest. En het maakte me alleen maar vastberadener. Ik had het al te lang laten groeien; ik wilde niet meer wachten. Bovendien was ik er zeker van dat je, als ik je naar iemand anders zou brengen, nooit meer thuis zou komen. Als ik naar de dorpsdokter of naar het vasteland ging, zou het voor iedereen duidelijk zijn dat ik had gefaald, gefaald als jouw voogd, jouw moeder. Het zou hun het bewijs leveren dat ze over mij gelijk hadden gehad. Het zou me jou kunnen kosten. 'Als u ogen kunt opereren,' zei ik, 'moet een vinger geen probleem opleveren.'

'Ik kan het niet verantwoorden om...'

'Alstublieft,' zei ik.

Hij moet de angst en de vastberadenheid in mijn blik hebben gezien. Met een scherpe, gedesinfecteerde scalpel verwijderde hij met twee zorgvuldige incisies het gezwel. Je huilde niet, dat herinner ik me nog. Maar dat is alles wat ik nog weet, zozeer werd ik door mijn eigen zorgen in beslag genomen. Het meisje was aanwezig, ze moet er geweest zijn; jullie moeten elkaar toen voor de eerste keer hebben ontmoet. Maar ze was waarschijnlijk heel klein, en ik kan me niet herinneren haar te hebben gezien; ik denk dat ik te zeer op jou geconcentreerd was. Ik was zo bezorgd voor je vinger dat ik aan niets anders meer dacht. Ik was zelfs iets nog belangrijkers vergeten: dat dit de eerste keer was dat je terugkwam in de caravan waar je was geboren.

Tijdens de rit naar huis hield je je verbonden hand omhoog, zoals de dokter je had opgedragen. Je stilzwijgen kwam me toen natuurlijk voor – het was angstaanjagend dat er iemand met een mes in je sneed. Pas die avond begon ik me zorgen te maken. Je kreeg je avondmaal niet naar binnen, ook al had ik je lievelingskostje gemaakt – hamlapjes met aardappelpannenkoekjes. Je begon eraan, maar na een hap hield je er weer mee op. Ik kon je niet verleiden, zelfs niet met ijs. Ik dacht dat je 's nachts wel wakker zou worden van de honger, maar dat gebeurde niet. En de volgende ochtend liet je je eieren en je worst koud worden. 'James Jack,' zei ik, een boze toon opzettend. 'Nu ga je eten. Verspil je eten niet.' Je keek naar me op. Ik verwachtte opstandigheid in je blik te zien, maar die was er niet. 'Ik kan het niet,' zei je. 'Ik kan het niet.' Je stak een vork vol ei in je mond maar kon het niet doorslikken; je moest het uitspugen. En ik besefte dat je de waarheid sprak.

Ik dacht en hoopte dat het een reactie op de operatie was. Ik vreesde dat het meer te betekenen had, iets ergers. Er verstreek een dag, en nog één. 'Wil je iets eten, James Jack?' vroeg ik geregeld. Je schudde je hoofd. Je had honger, maar kon niet eten.

Je lag maar op de canapé, bleek en zwak. Buiten was de zomer in volle glorie, overdag was het warm en groen en 's nachts koel en winderig, maar jij bleef binnen. Je wilde de gordijnen dicht hebben. Zelfs halverwege de middag sliep je onder Judiths quilt, alsof je het koud had. Ik nam je temperatuur op; die was normaal. We ontdekten dat je een beetje water kon drinken, maar dat was alles. We probeerden alle soorten eten die ik kon bedenken. Je kon niet eten. Ik vroeg je waarom niet. 'Alles smaakt vies,' zei je. 'Hoezo vies, kleintje?' vroeg ik. Je maakte een grimas naar me; je had er de pest aan als ik je kleintje noemde. 'Dood,' zei je. 'Alles smaakt dood.'

Op de vierde dag reed ik weer naar de dokter om hem raad

te vragen. Maar hij was naar huis gegaan. Ik zat daar in de truck, mijn zicht op de gesloten caravan wazig door de tranen. Terwijl ik daar zat, herinnerde ik me de dag dat ik daarheen was gegaan met de biscuitjes, en wat een dik babytje jij was geweest, toen je op en neer sprong in je loopstoeltje en je moeder en mij toelachte. Toen drong het tot me door: dit was nog maar een paar maanden geleden jóuw huis geweest. Je was er op een morgen weggegaan en nooit meer teruggekomen. En toen je er terugkwam, waren je ouders weg en was er een vreemde man met een mes voor hen in de plaats gekomen. Hun spullen waren weg, alles was veranderd. Ik had je dikwijls verteld dat je ouders waren overleden, dat ze dood waren. Was het mogelijk dat je het tot op dat moment niet had begrepen? 'Dood,' had je gezegd. 'Alles smaakt dood.'

Ik kwam thuis zonder te weten wat ik moest doen, maar in elk geval dacht ik dat ik nu wist wat het probleem was. Terwijl ik in de afkoelende truck zat, besloot ik naar het vasteland te bellen en je daar naar het ziekenhuis te brengen, naar de eerste hulp. Ik moest het doen, wat de gevolgen ook zouden zijn. Ik kon je niet laten verhongeren.

Ik stapte uit de truck. Overal rond het huis stonden bloeiende bloemen. Prachtige bloemen, geurige bloemen. Eind juli was de beste tijd voor mijn tuin, waarop alles op zijn volst en weelderigst was. Toen ik het bed met daglelies passeerde dat langs het huis stond, rook ik hun kruidige geur, plukte een bloemblaadje af en stak het in mijn mond. Het smaakte schoon en fris, levend. Het bracht me op een idee.

Ik maakte een zak van mijn shirt en begon bloemblaadjes te verzamelen. Van de daglelie, van de Oost-Indische kers, van viooltjes – zelfs rozenblaadjes. Een prachtige, schitterende salade van bloemen, als slapende vlinders gevangen in het net van mijn shirt.

Ik snelde het huis in. Ik vond een kommetje en vulde het. Ik bracht het naar jou – je lag op de canapé met je ogen half dicht. 'James Jack,' zei ik tegen je. 'Hier heb je iets levends dat je kunt eten.'

Je opende je ogen en kwam iets overeind. 'Bloemen?' vroeg je. 'Bloemen,' zei ik. 'Net geplukt.'

Je tastte in de kom, haalde er een paars bloemblaadje uit en legde het voorzichtig op je tong. Ik stelde me voor hoe het daar helemaal wegsmolt. Ik keek toe of je zou kokhalzen. 'Kruidig,' zei je. Je slikte het door en pakte nog een blaadje uit de kom, het goudgele bloemblad van een daglelie, dat zo groot was dat je het doormidden moest bijten. Dat deed je en je kauwde en slikte één helft in, en vervolgens de andere. 'O,' zei je. 'Zoet,' zei je. Je at nog een blaadje, dit keer van een Oost-Indische kers. 'Bitter, net als peper. Maar ik vind het lekker.' En je at door, totdat ze op waren.

Daarna viel je in slaap. Ik zat naast je en keek hoe je sliep, zoals ik ook had gedaan toen je nog heel klein was. Toen je je ogen weer opsloeg, was ik er nog. 'Tante,' zei je. 'Ik heb honger.'

Later die avond zaten we op de veranda, waar we in de duisternis tuurden, naar de geluiden van de zomer luisterden en de geuren opsnoven van de bloemen die in de avond bloeiden. Ik legde je uit dat niet alle bloemen eetbaar waren; ik beloofde dat ik je de volgende dag zou laten zien welke je kon eten. Toen kwam je naar me toe en ging je op mijn schoot zitten, zoals je soms nog placht te doen – zij het steeds minder – als je bang of ongelukkig was. Lange tijd zei je geen woord maar hield je je alleen aan me vast. Toen sprak je, met zo'n klein stemmetje dat ik eerst dacht dat ik het me verbeeldde. 'Tante,' zei je, 'jij gaat nooit dood, hè?'

Ik hield je gezichtje in mijn handen en keek je in de ogen. 'Nee,' beloofde ik.

En dus heb ik mijn belofte gehouden en ben ik uiteindelijk erg oud geworden.

Je eerste schoentjes. Zacht wit leer, zolen zo dun als papier. Toen je leerde lopen, hield je je vast aan mijn vingers, eerst met twee handjes, toen met één. Drie maanden lang gingen we samen overal naartoe. Toen je ten slotte alleen kon lopen, bleef één handje in de lucht, dat mijn onzichtbare vinger vasthield.

Je groeide uit je schoentjes voordat ze versleten waren, en dus stuurde ik ze weg, waarna ze in brons gegoten weer terugkwamen. Kreukels, plekken, de kleine bollingen van je teentjes, alles was geconserveerd, als dierbare herinnering aan de baby die je was geweest. Ik kan er niet naar kijken zonder weer de liefde te voelen die ik voor je koesterde, toen en nu. De liefde waarvan ik wil dat jij hem zult voelen; de liefde die jij zult moeten ontdekken.

•

Vijf

Het was vreemd om zonder tante te lunchen. Het was vreemd om zonder haar in de keuken te zijn, in de wetenschap dat haar kamer leeg was en dat ze nergens in huis was – in feite helemaal nergens. Het was vreemd om alleen te zijn met Faith, omdat enkel Tantes afwezigheid maakte dat ze alleen waren. Toch waren ze niet alleen; Tante was overal, en niet alleen in wat ze had achtergelaten. Elke keer dat hij de keuken in kwam, zag hij haar gekromde gestalte over de gootsteen gebogen staan of de hoek om lopen naar de badkamer. In het geknetter van het haardvuur hoorde hij hoe ze hem riep, hoe de beddenveren kraakten als ze opstond en hoe ze zich schuifelend voortbewoog. Op een gegeven moment dacht hij, toen hij uit het raam keek, dat hij iemand langs zag lopen, een schimmige verschijning in de sneeuw die naar de schuur liep. Maar toen hij ging kijken, waren er geen sporen en zag hij alleen de donkere, lege rechthoek van de geopende schuurdeur.

James moest het huis uit. Het was nog een paar uur licht. Hij wilde gaan vissen.

'Vissen?' vroeg Faith. 'IJsvissen?' Hij knikte. 'En de sheriff dan?' James haalde zijn schouders op en zei: 'Maak je daar maar niet druk om.' Ze lachte bevreemd naar hem, maar zei: 'Goed dan.'

Ze maakten samen chocola. Faith hield de melk op het fornuis in de gaten terwijl James de chocoladesiroop uit de koelkast en de thermosfles uit de kast haalde. Hij overhandigde haar een houten pollepel, en ze roerde de siroop door de melk. 'Meer,' zei hij, en hij pakte het blik uit haar hand en keerde het boven de pan om totdat de melk donker zag van de chocolade.

Faith keek hem met dat bevreemde lachje aan. 'Je houdt van chocola,' zei ze.

'Hmm,' zei hij.

'Ik ook,' zei ze.

Hij zorgde dat ze zich dit keer in laagjes aankleedde en spullen van hem over die van Tante aantrok, zodat hij er zeker van was dat ze warm zou blijven.

De lucht klaarde op. Hij vond dat bemoedigend. De die dag gevallen droge sneeuw stoof achter de truck op toen ze naar de aaswinkel reden. Het gaf hem een prettig gevoel om Faith naast zich in de truck te hebben, het was goed om te weten dat ze later weer zouden vrijen. Hij verwonderde zich een beetje over zichzelf, want had hij wel het recht om zich zo kort na Tantes dood prettig te voelen? Toen probeerde hij zich voor te stellen hoe hij zich zou voelen als ze nog leefde en besefte dat hij dat niet kon weten. En dus hield hij op erover na te denken.

Hij verwachtte dat Faith het niet lang zou volhouden. IJsvissen was niet het soort bezigheid waar de meeste vrouwen plezier in hadden, tenminste niet de vrouwen die hij kende. Tante was de enige uitzondering, en zij had het leuk gevonden omdat ze iets voor niets kreeg: vis op tafel die je zelf had gevangen, zonder tussenpersoon, zonder dat je iemand geld hoefde te betalen. Voor hem ging het om het alleen zijn. Daar kon je je hoofd leegmaken in de bijt in het ijs zoals je een emmer vuil schoonmaakwater in een gootsteen leeggoot. Je kon je gedachten met het aas mee laten wegzinken en mijmeren over het leven. Over de gevaren ervan. Dat een mens net zo goed als vis op de wereld had kunnen komen. Of dat een mens, die als mens op de wereld was gekomen en zich veilig en superieur waande, elk moment onder het ijs terecht kon komen alsof hij een vis was. Dat herinnerde hem eraan dat hij niet meer of minder belangrijk was dan wie of wat dan ook. Het haalde de banden tussen hem en het heelal aan. Hij bleef er nederig door.

Hij vroeg zich af hoe het voor Faith zou zijn. Of ze net als Tante alleen van het eigenlijke vissen zou houden, van thuiskomen met goed eten. Of dat ze zou voelen wat hij voelde en zou zien wat hij zag. Het mysterieuze ervan, de spanning. Het verbaasde hem dat hij er nog van hield nadat het hem zijn familie had gekost. Hij had er al sinds zijn kinderjaren behoefte aan gehad. Dat moment waarop je het eerste ijs op stapte, zonder te weten of het je zou houden of niet. Massief water. Zwart ijs. De planten eronder nog groen, meewuivend met de stroming. De vissen die ertussen zwommen. Op het water lopen. Hij geloofde niet dat Christus op het water had gelopen, maar hij kon wel geloven dat Hij op het eerste ijs had gelopen, dat zo glad en transparant was als glas.

Faith bleef in de stationair draaiende truck zitten terwijl hij de aaswinkel in ging. Binnen hing een muffe visstank. In vijf bruisende tanks glinsterden witvissen die scholen vormden, rondzwommen en zilverachtig van richting veranderden. 'Morgen Warren,' zei James tegen de aasman. 'Morgen James Jack,' groette de aasman terug. Dat was alles; verder viel er niets te zeggen. Warren wist wat James wilde; James wist hoeveel geld hij in de emmer bij de deur moest leggen. Toen het net de tank in ging, stoven de witvissen uiteen als gemorst kwikzilver.

Hij dacht terug aan de laatste keer dat Tante met hem was gaan vissen. Het was meer dan een jaar geleden – of alweer twee jaar? Hij was bijna bang geweest om haar mee te nemen, dat herinnerde hij zich nog. Ze zag er zo breekbaar uit, haar botten waren zo broos en lagen zo dicht onder haar huid. En ze bewoog zich zo traag: steeds één voetje per keer, en na elke stap een pauze. Toch had ze willen gaan vissen. Ze zag er grappig uit met de grote rubberlaarzen en de glimmende winddichte broek aan. Met haar oude parka. Met haar hoofd onder de capuchon in een rode sjaal gewikkeld zodat alleen haar ogen en haar neus nog te zien waren. Daaronder droeg ze zoveel lagen kleding dat ze er bijna haar vroegere omvang en gedaante door terugkreeg. Ze had een goede vangst gehad, dat herinnerde hij zich ook nog. En thuis had ze beslist de vis willen schoonmaken en voor hem bereiden, net als altijd, alleen ging dat nu trager. Toen het eten op tafel kwam, was hij uitgehongerd – maar het wachten was de moeite waard geweest. Ze kon nog altijd koken.

Hij legde het aas achter in de truck bij de grondboor en de tip-ups. Faith had de radio aanstaan, maar zette hem uit toen hij instapte. Dat stelde hij op prijs. Ze reden zwijgend verder.

Het was een goede, koude winter geweest. Hij wist dat het ijs dik genoeg was. Toch zou hij, als Faith niet bij hem was geweest, de truck aan land hebben laten staan en naar het vishutje zijn gaan lopen. Maar hij wilde de truck dicht in de buurt hebben voor het geval Faith verwarming nodig had. Hij reed langzaam; op het ijs reed je niet graag hard. Faith zette evengoed grote ogen op, en hij wist wat ze dacht. 'Achttien à twintig centimeter houdt een truck,' zei hij tegen haar. 'Op de meeste plaatsen is het dik zestig centimeter.'

'Als jij het zegt,' zei ze.

Het vishutje van zijn vader was jaren geleden naar de vuilnisbelt gegaan. Het nieuwe hutje weerspiegelde James' voorkeur voor eenvoud, doelmatigheid en degelijkheid. Hij had het zelf gebouwd van overtollig timmerhout en dakbalken. Dit jaar was het grijsblauw geschilderd, want die kleur had hij over na het schilderen van de veranda van de Chalmers. Hier en daar scheen het groen van vorig jaar erdoorheen. Volgend jaar werd het misschien paars, of wat dan ook. Maar nooit rood. Dat was de kleur van het hutje van zijn oudoom geweest, en die kleur zou zijn hutje nooit krijgen.

Van binnen was het één twintig bij twee veertig, en het dak was op zijn hoogst één tachtig. Aan drie kanten zaten houten planken bij wijze van banken. Er waren drie ramen van plexiglas, voor het licht en om de tip-ups in het oog te kunnen houden. Een kachelpijp diende als schoorsteen voor de houtkachel, die hij ook zelf had gemaakt, van een metalen vat. Er zaten een paar haken aan de muren om spullen aan op te hangen. Er was een deur, en er waren twee gaten in de vloer. Dat was alles.

Ze stapten uit de truck, hij hielp Faith bij het aandoen van haar ijskrappen en daarna hielp zij hem bij het uitladen van de spullen. In het hutje wees hij haar het hout en gaf haar wat kranten. Terwijl zij bezig was met de kachel, boorde hij twee verse bijten in het ijs. Toen dat allemaal gebeurd was, zei hij:

'Laten we naar buiten gaan en een paar tip-ups plaatsen.' Faith haalde onder al haar kledinglagen haar schouders op, knikte en glimlachte flauwtjes. Ze was nog steeds bang – hij kon het aan haar ogen zien. 'Wat is een tip-up?' vroeg ze. Hij liet het haar zien. 'Net een klein hengeltje,' zei ze. 'Voor elke bijt één,' zei hij. Hij bood haar zijn gehandschoende hand aan, en ze liepen het ijs op.

Een moment wilde James dat hij alles met Faiths ogen kon bekijken. Dat hij kon voelen wat zij voelde – angst of ontzag. Hij voelde voor het meer – of het nu winter of zomer was, of het uit ijs of uit water bestond – wat de meeste mensen voor hun familie voelen. Soms haatte hij het, meestal voelde hij er een soort genegenheid voor, maar hij zag nooit hoe het eigenlijk was, hoe mooi en hoe sterk. Het was een deel van zijn leven, net als de wind, het eiland en Tante. Alleen in de droom groeide het meer uit tot iets anders.

De droom was begonnen toen hij nog heel klein was, niet lang na de dood van zijn ouders. Hij was toen bijna elke nacht gekomen; nu kwam hij nog maar af en toe, en hij wist nooit precies wat de aanleiding was. In de droom zwom hij met zijn ouders en zijn oudoom Homer onder het ijs. De zon scheen door het ijs heen en zette het water in een prachtig groen licht. Er waren geen vissen in het water en geen waterplanten, alleen zij met zijn vieren, zwemmend in het groen. Ze hadden eerst hun winterkleding aan, maar geleidelijk trokken ze die uit, laag na laag, totdat hun huid ook groengekleurd was door het iriserende groene licht van de zon. Ze kregen er schubben door, net als vissen. Ze waren geen vissen, maar toch konden ze onbeperkt onder water zwemmen. Met groene ogen keken ze omhoog door het groene ijs. Ze hadden allemaal groene ogen.

Na de droom voelde hij zich altijd getroost en verdrietig tegelijk. Het was geen nachtmerrie. Alleen maar een droom over de dood.

Maar het meer in zijn droom was niet het echte meer. Het meer in zijn droom was vriendelijk, goedaardig, rustig en veilig. Het echte meer was dat allemaal niet, al kon het bij tijd en wijle wel die indruk wekken. Maar hij was gewend geraakt aan de wispelturige aard en de veranderlijkheid ervan. Hij kende het meer, reageerde er instinctief op en deed altijd het juiste. Maar voor Faith was het meer niet vertrouwd, en angstaanjagend. Door de lagen handschoen die haar hand van de zijne scheidden, kon hij voelen hoe ze beefde. 'Gaat het goed?' vroeg hij. 'Uitstekend,' zei ze.

Hij maakte de slee in orde, legde het touw in Faiths hand en nam zelf de grondboor, waarna ze begonnen. De wind liet de sneeuw wat verwaaien, en ze kregen vlokken in hun wenkbrauwen en wimpers. Ze zetten acht tip-ups neer, twintig meter van elkaar, in een rechte lijn vanaf het oostelijke raam van het hutje, zodat ze ze van binnenuit konden zien. Toen ze de zevende bijt boorden, gaf het ijs een sonore knal. Faith schrok zo dat ze bijna omviel. 'Jezus,' zei ze, terwijl ze haar evenwicht probeerde te bewaren. 'Wat was dat?'

'Niets, niets,' zei hij. Hij kwam overeind en pakte haar bij haar elleboog om haar te steunen. 'Het ijs praat alleen maar,' zei hij. Faiths adem kwam in snelle kleine wolkjes naar buiten. 'Het ijs praat,' zei ze, en ze haalde diep adem. 'Inderdaad.'

Ondanks zichzelf moest hij lachen. 'Expansie,' zei hij. Daarna wees hij op de bijt in het ijs. 'Heb je gezien hoe lang ik bezig ben geweest om die te boren? Zie je hoe dik het ijs is? Vijf centimeter houdt iemand die loopt. Je hoeft echt niet bang te zijn.' Ze keek hem aan. 'Tenzij je me niet vertrouwt natuurlijk,' zei hij.

'Weet je, dat is gek,' zei ze. Hij trok zijn handschoen uit, stak zijn blote hand in de emmer met witvis, deed aas aan de haak en plaatste de tip-up boven de bijt. Daarna zetten ze zich weer in beweging, en dit keer hield Faiths hand zijn arm omklemd. 'Ik vertrouw je.'

'O,' zei James, en hij zorgde dat zijn toon luchthartig bleef, 'maar ik ben zo gevaarlijk.' Hij zweeg om haar te kussen.

'Ja,' zei ze. 'Dat weet ik.' Haar toon was serieuzer. Hij wist dat ze op dat moment aan Tante dacht, aan wat ze die nacht zouden gaan doen.

Toen de laatste bijt klaar was, kwam hij overeind en keerde zich naar Faith toe, die over het meer uitkeek. 'Het is net een wit schildersdoek,' zei ze. 'Zo vlak.'

Hij keek samen met haar naar de witte sneeuw- en ijsvlakte. Ver weg bewoog de gestalte van een andere visser, klein en grijs tegen het wit. Een ogenblik had James het gevoel dat hij net zo klein was, gereduceerd tot een streek verf op een doek met Faith naast zich als een andere streek, meer niet. Toen liepen ze terug, hij hield zijn hand op haar arm om haar te steunen, en voelde hij zich weer groot.

Toen ze bij de eerste tip-up kwamen, wipte het oranje vlaggetje omhoog. 'Beet!' zei James. Hij rende naar de bijt toe en knielde erbij neer. Hij wachtte met ophalen tot het tollen ophield. Toen het zover was, tilde hij de lijn op en liet hem door zijn blote vingers lopen totdat hij het gewicht van de vis voelde, waarna hij hem nog een paar seconden liet lopen. Vervolgens sloeg hij met een snelle polsbeweging de haak vast en haalde langzaam, hand voor hand, de vis binnen.

Het was een flinke baars, geen pronkstuk maar groot genoeg om te eten, gelig met donkergroene banen. Hij hield de spartelende vis voor zich, zodat Faith hem kon zien. 'Mooi,' zei ze met een glimlach, en hij wist dat ze in elk geval voor het vissen gevallen was. Hij haalde zijn fileermes te voorschijn en sneed de buik van de vis open. Twee kussens bleekoranje kuit barstten eruit. 'Een moedertje,' zei James. 'O,' zei Faith. Hij liet de vis en de kuit in de emmer vallen. Hij plaatste de lijn opnieuw, en zwijgend gingen ze terug naar het hutje.

Het was binnen al warmer geworden. Hij haalde twee lijnen te voorschijn, voorzag er voor Faith één van aas en gaf hem aan haar. Ze ging op een omgekeerde emmer zitten en liet de lijn in het groenig verlichte water zakken. Hij schonk een beker chocola voor haar in, zocht in zijn zak naar iets waarvan hij wist dat het erin zat – een rolletje zuurtjes met citroensmaak – en gaf haar een zuurtje. Ze pakte het aan en stak het in haar mond. 'Je hebt het onthouden,' zei ze.

Terwijl hij naar Faiths hoofd in de capuchon keek, dat over

de bijt gebogen was, beeldde hij zich in dat ze niet meer van haar man hield maar van hem, en dat ze gelukkig getrouwd waren. Ze keek weer naar hem op. 'Wat is er?' vroeg ze.

'Ik zat te bedenken,' zei hij, 'dat Tante gelijk had.'

'Waarover?'

'Over ons,' zei hij.

De avond na zijn eerste ontmoeting met Faith had James Tante tijdens het avondeten over zijn dag verteld zoals hij dat altijd deed, waarbij hij niets verzweeg, maar ook niets vertelde dat niet verteld hoefde te worden. Toch leek het bericht van de dood van de dokter haar minder te doen dan het bericht van Faiths komst. 'Vertel me eens wat meer over haar,' zei Tante. 'Heeft ze rood haar? Dat herinner ik me niet.'

'Waarschijnlijk niet haar eigen kleur,' zei James, zich concentrerend op het snijden van zijn vlees.

'Waarschijnlijk niet,' zei Tante. Toen hij opkeek, staarde ze hem aan. 'Ja dus,' zei ze.

'Ja wat?'

'Dat je haar leuk vindt,' zei ze.

'Natuurlijk vind ik haar leuk,' zei hij.

Ze rolde met haar ogen.

'Ze is getrouwd, Tante,' zei hij, terwijl hij zichzelf nog wat aardappels opschepte.

Tante haalde haar schouders op.

De volgende dag bleef hij uit de buurt van de caravan van de dokter. Hij bedacht klusjes die hij bij het huis moest doen. Een loszittend luik dat gerepareerd moest worden. Hout dat gehakt moest worden. Hij ging naar de winkel, kocht olie en een oliefilter, ging naar huis terug en ververste de olie in zijn truck. Hij bleef bezig. Hij werkte hard. Maar die nacht kon hij niet slapen.

De volgende ochtend bij het ontbijt, zei hij: 'Ik denk dat ik wat hout naar de dochter van de dokter breng. Ik denk niet dat ze genoeg heeft om de hele week mee door te komen.'

'Blijft ze dan een week?' vroeg Tante, met een plagerige blik op hem gericht.

'Ik weet het niet,' zei hij, beseffend dat hij het niet had gevraagd.

Tante knikte. 'Nou,' zei ze. 'Ik denk dat je maar eens wat hout naar de dochter van de dokter moet gaan brengen. En zoek dan meteen uit hoe lang ze nog blijft.'

Hij had een uur nodig om de truck te laden. De vroege ochtendlucht was ijzig, maar door het werk moest hij zweten. Hij bedacht dat hij zich even moest wassen voordat hij vertrok, maar besloot dat toch niet te doen. Het was idioot om zich te wassen als hij toch weer zou zweten wanneer hij het hout voor haar opstapelde. Hij stapte in de truck en reed naar haar toe.

Faith deed open voordat hij de truck uit was. 'Hoi,' zei ze. Ze was aangekleed, maar had kleren aan waarin ze wellicht had geslapen, en ze zag er slaperig uit.

'Ik heb wat hout voor je meegebracht,' zei hij.

'Dank je.' Ze zei het alsof ze op zoiets had gerekend; hij zag dat ze eraan gewend was dat mensen dingen voor haar deden zonder dat ze erom had gevraagd.

'Ik leg het aan de beschutte kant van de caravan,' zei hij. 'Dan waait de sneeuw er niet zo gauw overheen.'

'Als er nog sneeuw komt,' zei ze.

Ze stond in haar spijkerbroek en T-shirt in de deuropening.

'Je vat nog kou,' zei hij. 'Als je daar zo blijft staan.'

'Ik ga mijn jas aantrekken en dan kom ik je helpen.' Voordat hij haar had kunnen zeggen dat dat niet nodig was, was ze al naar binnen gegaan.

Hij reed de truck achteruit naar de andere kant van de caravan. Daar had zijn vader de houtstapel altijd neergelegd; dat herinnerde hij zich nog uit zijn vroege jeugd, uit de tijd toen zijn ouders deze caravan hadden gehuurd van de boer die voor de dokter de eigenaar van het land was geweest. Het hout dat de dokter had achtergelaten, lag hier ook opgestapeld, maar niet goed; hij haalde dat eerst weg. Omdat het ouder en droger was en sneller zou branden, wilde hij het als laatste op de stapel leggen. Toen hij met lossen was begonnen, kwam Faith de hoek om.

'Wat moet ik doen?' vroeg ze.

'Nou,' zei hij, en vervolgens liet hij haar zien hoe ze de gekliefde blokken hout moest stapelen zodat ze stabiel en strak tegen elkaar aan lagen terwijl er toch nog wat lucht tussen zat. De punt van elk blok moest tussen de krommingen van de twee eronder liggende blokken rusten, en er moest ruimte tussen de stapel en de caravan overblijven voor de luchtcirculatie. Ze leerde snel, en samen stapelden ze het hout twee keer zo snel op als hij het had ingeladen. 'Nou,' zei Faith enigszins buiten adem. Ze veegde de houtsplinters van haar handschoenen en de voorkant van haar jas. 'Dat is heel goed werk.'

James knikte.

'Kom je nog een beker chocola drinken?' vroeg Faith, en James knikte opnieuw.

Later die dag maakten ze een wandeling langs de weg. Toen hij vroeg hoe lang ze nog bleef, wilde ze niet meer zeggen dan 'een poosje'. De volgende dag vond hij een nieuw excuus om naar haar toe te gaan, en de dag daarop ook. Ze praatte makkelijk met hem, zoals dat soms tussen vreemden ging; hij hoefde alleen maar een vraag te stellen, en dan sprak zij vrijuit. Hij realiseerde zich dat hij probeerde dingen over haar te weten te komen, zoveel mogelijk – dat hij onderzoek naar haar deed, zoals naar een truck die hij wilde kopen en zoals naar Tantes toestand toen ze in het ziekenhuis lag.

Hij kwam veel over haar te weten. Faith hield van de smaak van zoet met zuur, ze hield meer van thee met citroen en suiker dan van koffie, ze hield van zuurtjes met citroensmaak en van de roze ananassaus op Chinese gerechten. Ze hield van de kleur blauw en had thuis een servies van blauw glas. Ze kreeg het snel koud, vooral aan de toppen van haar vingers. Ze hield van dieren maar had nooit een huisdier gehad omdat ze licht allergisch was. Ze had een baan bij een verzekeringsmaatschappij die ze niet leuk vond maar die goed betaalde, dus waarom zou ze ermee ophouden? Wat moest ze anders doen? Toen ze nog een klein meisje was, had ze eens haar tong tegen een bevroren vlaggenstok aangehouden en meer dan een uur staan wachten voordat iemand haar was komen helpen. Haar moeder was niet lang na haar geboorte overleden. Als gevolg daarvan had ze te veel van haar vader gehouden en miste ze hem nu meer dan haar man. Ze noemde de woning waar haar man en zij woonden de 'résistance'.

Haar man. Dat was het enige onderwerp dat Faith uit de weg ging. James kwam veel kleine dingen over haar te weten, maar de hoofdzaak niet. Hij kon zich er van alles bij voorstellen – in zijn ogen leken slechte huwelijken allemaal op elkaar – maar wist niets zolang zij hem er niet over vertelde.

Op de vierde dag zei Tante: 'Nodig haar uit om te komen eten.' En dat deed hij. Die avond maakte hij de haard in de voorkamer aan en kookte een lekkere maaltijd – een stoofschotel met wild, een groene salade en taart als dessert – terwijl Tante hem vanuit haar keukenstoel adviezen gaf.

Hij was onverklaarbaar nerveus voor hun afspraak, misschien uit angst dat Tante Faith op de een of andere manier zou krenken, of andersom. Maar Faith ging meteen naast Tante zitten en begon een gesprek, en vanuit de keuken hoorde hij hen samen lachen als jonge meisjes. Hij vroeg zich af of ze het over hem hadden en voelde zich verlegen maar ook trots.

Het enige gespannen moment was aan tafel, toen Tante zich naar Faith boog en vroeg: 'Waarom heb je je haar geverfd?' Hij kromp ineen vanwege haar aanmatigende vraag.

Maar Faith deed er niet moeilijk over. 'Ik weet het niet,' zei ze, en staarde peinzend naar het plafond. 'Om mijn man te ergeren misschien?' Ze glimlachte, en Tante glimlachte terug, twee vrouwen die wisten waar het om ging en hem buitensloten. Maar dat vond hij wel leuk.

Faith had iets te veel wijn gedronken, zei ze aan het eind van de avond. 'Zou je me naar huis kunnen brengen?' Hij meed Tantes blik toen hij Faith naar de truck begeleidde; hij wist dat ze zat te grinniken.

Door het lawaai van de truck zwegen ze tijdens de paar minuten die ze onderweg waren naar de caravan. Daar zette hij de motor af en keerde zich naar haar toe om haar goedenacht te wensen. 'Dank je,' zei ze, en hij zei: 'Waarvoor?' Daarop boog ze zich naar hem toe, drukte haar wang tegen de zijne en legde haar hand in zijn nek. Het voelde natuurlijk om zijn armen om haar heen te slaan en de omhelzing te beantwoorden. Ze bleven geruime tijd zo zitten, langer dan hoorde. Hij wilde niet loslaten. Wilde haar de vraag die door zijn hoofd speelde niet stellen. Maar hij deed het toch. 'Hoe zit het met je man?' vroeg hij.

Toen maakte ze zich van hem los, en hij had spijt van zijn vraag, omdat hij het antwoord niet wilde weten. 'Hoe het met hem zit?' zei ze.

Hij keek haar aan en wachtte af. 'Ik hou van mijn man,' zei ze, 'als je je dat afvraagt.' Hij ademde uit met een zucht. 'Maar ik denk dat hij niet van mij houdt,' zei ze. Hij legde zijn handen op het stuur. De voorruit besloeg. 'Waarom niet?' vroeg hij.

Ze ademde diep uit, waardoor de ruit nog verder besloeg. 'Dat wil ik je niet vertellen,' zei ze. 'Ik ken je nog niet goed genoeg om je dat te vertellen.'

Hij knikte.

'Het spijt me,' zei ze, en ze stapte onhandig uit de truck en liep struikelend naar de caravan toe. Toen hij zich over de zitting heen boog om het portier dat zij had opengelaten te sluiten, draaide ze zich naar hem om en riep: 'Morgen misschien, goed? Morgen misschien.' En toen ging ze naar binnen.

Dus bleef ze nog een dag, dacht hij. En door die wetenschap reed hij opgewekt naar huis.

De volgende ochtend voordat het licht werd bracht hij Faiths auto terug en ging daarna vissen. Het ijs zag rood door de opgaande zon. Terwijl hij in het hutje zat met zijn lijn, het kacheltje en zijn uitzicht op het lange, witte meeroppervlak, inventariseerde hij in zijn hoofd zijn plannen voor de komende zomer: nieuwe dakspanen op de schuur leggen, de kozijnen schilderen, de tuin inzaaien. Afgelopen jaar hadden ze wat indiaanse maïs geprobeerd – mooi maar nutteloos. Dit jaar wilde hij meer Silver Queen, die prachtige, zoete witte korrels had. En cherrytomaatjes. Er bestond een goudkleurige variëteit die zo zoet was dat hij wel van suiker leek.

Op deze manier hoefde hij niet aan Faith te denken. Of hij haar wel wilde, of zij hem wel wilde. Of dat ze alleen door de wijn zo had gedaan. Hij vermeed de gedachte aan het gevoel van haar hand in zijn nek, haar gezicht tegen het zijne. De zwakke geur van haar haren. Hoe ze bijna tot kussen waren gekomen. Het had hem het grootste deel van de nacht wakker gehouden.

In het eerste uur had hij twee keer beet. Hij raakte allebei de vissen kwijt doordat hij de haak vast wilde slaan voordat ze goed op het aas hadden gebeten. Halverwege het tweede uur constateerde hij dat er bij een van de tip-ups een vlaggetje omhoog was gegaan en besefte dat hij er geen idee van had hoe lang het al omhoog stond, of het net omhoog was gegaan, een paar minuten geleden of nog langer. Hij overwoog of hij op moest staan en de kou in moest gaan om het te controleren. Maar hij kon niet wreed zijn, zelfs niet tegen een vis.

Op de terugweg, nadat hij de vis had losgelaten, zag hij Faith over het ijs aankomen, traag en klein in haar blauwe jas. Ze had geen ijskrappen aan haar laarzen tegen het uitglijden, maar was wel zo verstandig om zijn sporen te volgen.

Hij wilde haar te hulp schieten, maar bleef staan en keek hoe ze zich een weg naar hem toe baande. Eén keer keek ze op van het ijs, zag hem staan en glimlachte. Een onzeker lachje, een vastberaden lach. Om hem op zijn gemak te stellen. Toen ze hem had bereikt, bleef ze staan, en hij zag haar opluchting nu ze niet meer hoefde te vechten om overeind te blijven. Ze trok haar handschoenen uit en haalde een pakje sigaretten uit haar zak. 'Tante vertelde me waar je was,' zei ze.

'Tante weet dat wel,' zei hij.

Met bevende handen stak ze een sigaret op. 'Heb je het koud?' vroeg hij. Ze knikte, en hij gebaarde dat ze in het hutje moest komen.

Ze gingen tegenover elkaar zitten, zo ver van elkaar als in de kleine ruimte mogelijk was. Hij pakte zijn lijn weer op en speelde er een beetje mee. Zij verwarmde haar handen aan het kacheltje. 'Over gisteravond,' zei ze. Hij wimpelde haar woorden af. 'Nee,' zei ze. 'Laat me mijn excuses aanbieden. Het spijt me. Ik had dat niet mogen doen.'

'Niks aan de hand,' zei hij. 'Er is niks gebeurd.'

'Ik denk dat ik het moet uitleggen,' zei ze. 'Laat me...'

'Het is niet nodig.' Hij concentreerde zich op de bijt.

Ze zei niets. Hij keek op. Haar ogen waren rood, maar hij kon niet uitmaken of het door de kou, door tranen of door slaapgebrek kwam. Hij wilde het niet weten, hij wilde het niet horen – het ging hem niets aan – maar ze leek er behoefte aan te hebben om te praten. 'Goed dan,' zei hij.

Ze staarde omlaag in de bijt. 'De nacht voor ik hierheen kwam heb ik het bed in brand gestoken,' zei ze. 'Ons bed – dat van mijn man en mij.'

Ze keek op om te zien hoe hij zou reageren; hij probeerde niet geschokt te kijken.

'We hadden... we hadden daar de laatste tijd niet vaak in gelegen,' zei ze. 'Hij in elk geval niet. Al een jaar niet meer.'

Hij knikte en probeerde de schijn op te houden – tegenover zichzelf in elk geval – dat dit gesprek onschuldig was, een soort vriendendienst. Toen hij vroeg: 'Waarom niet?' probeerde hij haar als een vriend te zien – niet als een vrouw. Hij probeerde elk gevoel weg te stoppen dat verderging dan vriendschap, dan vriendelijkheid. Maar een ander deel van hem wilde haar naar zich toetrekken.

'Ik weet het niet,' zei ze. Ze lachte weer en tikte wat as in haar handpalm. 'Kort verhaal, hè?'

'Er moet meer achter zitten.'

'Nee,' zei ze. 'Niet echt. Ik bedoel, ja – we hebben zo onze problemen. Ik heb daar zo mijn theorieën over.' Ze keek op. 'Maar ik weet niet waarom we geen seks meer hebben.'

'Wat zegt hij ervan?'

'Hij zegt er niks van. Hij zegt alleen dat hij geen zin heeft.' Ze slaakte een lange zucht. 'Ik ben vierendertig, hij is vijftig. Misschien heeft dat er iets mee te maken. Ik wil een kind; hij niet. Dat heeft er waarschijnlijk veel mee te maken.' Ze schudde haar hoofd en staarde door de deuropening van het hutje naar buiten. 'Hoe dan ook,' zei ze, en haar toon was weer verontschuldigend. 'Dat is een klein stukje van het lange verhaal dat je, denk ik, toch niet wilt horen. En gisteravond – gisteravond wilde ik gewoon door iemand aangeraakt worden. Wilde ik gewoon iemand aanraken. Het spijt me.'

Hij schudde zijn hoofd. 'Geen probleem,' zei hij. 'Niets aan de hand.'

'Natuurlijk,' zei ze, 'mag ik je graag. Maar ik kan er niets aan doen. Ik hou van mijn man. Ik heb nog altijd hoop.'

James knikte. 'Ik snap het,' zei hij.

Ze zwegen een paar minuten en keken naar de bijt. Toen James zijn lijn ophaalde, was het aas weg. Hij keek er een ogenblik naar en dacht na. 'Laat me je naar je auto terugbrengen,' zei hij.

Hij gaf Faith ijskrappen en hield ter ondersteuning haar hand vast terwijl ze over het ijs liepen. Aan de oever leunde ze tegen een boom om de ijskrappen af te doen. 'Alsjeblieft,' zei ze, en gaf ze aan hem terug. Ze liep naar haar auto. 'Luister,' zei ze, zich omdraaiend voordat ze het portier opende. 'Ik vertrek niet voor maandag van het eiland. Eerder kon ik geen vliegtuig krijgen.' Hij voelde hoe zijn hart een sprongetje maakte terwijl zijn hoofd aan het rekenen was – vandaag was het pas vrijdag, hij had nog twee dagen. Maar toen zei ze: 'Ik zou je graag nog eens zien, maar waarschijnlijk is het beter als ik dat niet doe.' Ze lachte hem flauwtjes toe. 'Goed?'

'Goed,' zei hij, zo ferm als hij kon. Ze stapte in, sloot het portier en startte de auto.

Hij bleef weg. Hij moest zich er verschillende keren van weerhouden om niet over de weg langs het meer te rijden, alleen om haar auto op de oprijlaan te zien staan. Hij moest zich er verschillende keren van weerhouden om niet na te denken over kleine dingetjes die hij voor haar wilde doen. Over plekjes waar hij haar mee naartoe wilde nemen, uitzichtpunten die hij haar wilde laten zien; over dingen die hij voor haar kon maken en naar haar toe kon brengen. Een vogelhuisje, om voor haar raam te hangen; aanmaakhout voor haar kachels. Er schoten hem zomaar dingen te binnen, alsof ze zijn geliefde was en al een deel van zijn leven was geworden. Hij moest zich eraan blijven herinneren dat dat niet het geval was, maar het leek alsof een deel van hem de sprong naar een denkbeeldige toekomst al had gemaakt. Hij kon de gedachten eraan niet stoppen.

Maar op zaterdag bleef hij druk aan het werk. Hij sleep gereedschap. Hij bracht de schuur op orde. Hij deed boodschappen voor Tante, die haar blik op hem gevestigd hield alsof hij een pan was die ze op het vuur wilde zetten. Maar hij zweeg over de kwestie en vertelde haar niets. En zij was verstandig genoeg om er niet naar te vragen.

Hoewel het niet nodig was, maakte hij de ronde langs de huizen waarop hij die winter toezicht hield. Hij controleerde de luiken en deuren. Hij betrad hun fraaie interieurs en controleerde nog eens of het water was afgesloten en de leidingen waren afgetapt. Bij één huis ontdekte hij tot zijn vreugde dat er door de laatste storm wat ijs van het dak was gevallen en een balustrade op de veranda had beschadigd; hij had de hele middag en een deel van de avond nodig om die te repareren. Of misschien deed hij er met opzet zo lang over. Het was prettig om aan het werk te zijn, om ver van haar te zijn. Een poosje was hij in staat haar te vergeten.

Zondag was moeilijker. Toen hij wakker werd, was hij kwaad op zichzelf omdat hij dagdroomde over een vrouw die hij pas een paar dagen kende. Liggend in zijn bed telde hij hun ontmoetingen en overdacht ze. Het stelde niets voor. En toch had hij die gevoelens voor haar. En nu hij haar niet meer zag, leek alles er alleen maar erger op te worden. Hield hij van haar? Hoe was dat mogelijk? Hij probeerde na te gaan wat hij precies voelde. Een verlangen. Maar waarnaar? Naar seks? Dat zou voor de hand liggen. Maar dat was niets nieuws; dat verlangen was hem wel bekend. Er was iets met haar dat hem raakte, en hij kon het niet van zich afzetten. Ze had het bed in brand gestoken.

Tante was zondagochtend ook prikkelbaar. Ze mopperde

over een paar kranten die hij had laten liggen in de bijkeuken, waar hij de balustrade voor het huis van de Clarks had geschilderd. Toen hij ze in elkaar frommelde en ze met geweld in de kachel propte, beklaagde ze zich daarover. 'Als je iets niet goed kunt doen, neem dan ook de moeite niet,' zei ze. Ze noemde hem de hele morgen 'James Jack' – zo had ze hem als jongen genoemd wanneer hij in de nesten zat. Na de lunch ging ze naar haar kamer en sloot de deur, alsof zijn gezelschap haar te veel was.

De zondag was bij Tante altijd een dag geweest waarop niets kon worden gedaan. Niet omdat Tante gelovig was. Zelfs niet omdat ze het niet goed vond dat er werd gewerkt. Het leek alsof de dag zelf niet wilde meewerken. Alsof het feit dat het zondag was de vaart eruit haalde, de dingen tot stilstand bracht en het huis in een waas van loomheid hulde. Wat voor plannen ze ook maakten, er kwam niets van terecht.

Als jongen had hij zich niet gestoord aan de trage, stille dag. Als volwassene was hij ervan gaan genieten – een dag rust zonder schuldgevoel. Maar vandaag voelde hij zich zoals in zijn tienerjaren: rusteloos, verlangend, niet op zijn gemak. Hij wilde dat de zondag voorbij was en dat het maandag was.

Hij was van plan op maandagmorgen naar de caravan te gaan. Hij hoopte dat ze al weg zou zijn, maar zo niet, dan vermoedde hij dat de betovering wel over zou zijn. Hij zou haar zien zoals ze was, hoe dat ook wezen mocht, en deze gevoelens zouden vanzelf uitdoven. Hij bedacht dat hij afscheid van haar zou nemen, als hij niets anders te zeggen wist.

En dan zou het dinsdag worden en zou alles weer normaal zijn.

Maar nu moest hij de zondag nog doorkomen, een zondag die eeuwig leek te duren. Hij ging op de canapé in de voorkamer liggen en trok Tantes oude zijden quilt over zich heen. Een quilt van blauwe ruiten die in een breed visgraatmotief waren gestikt, als golven die over het oppervlak heen en weer stroomden. De glanzende oceaan waar hij als baby op had geslapen, waar hij als ziek kind onder had liggen rillen, en waarvan hij in zijn jongensjaren een tent had gemaakt. Hij zat vol vlekken en was door talloze wasbeurten versleten, maar nog altijd rook de quilt naar vroeger. Omhuld door die geur sliep hij naar zijn gevoel lange tijd. Maar de klok op de schoorsteenmantel vertelde iets anders. De middag lag nog helemaal voor hem.

Hij maakte een wandeling naar de onderste steengroeve. Hij had daar in de herfst wat bomen gekapt en het hout laten liggen om het in de lente te verzagen en dan ook de takken te verbranden. Hij bedacht om daar eens te gaan kijken hoeveel het ook alweer was. De grijze dag ademde een winterse zwaarheid, de wind blies speels over het pad. Maar het beschut liggende ijs in de groeve was glad en vlak onder een dun laagje volmaakte sneeuw. In de zomer was dit zijn zwembad. Als hij in het koude, diepe water lag, rezen rondom hem de donkere marmeren wanden op. Nu stapte hij het ijs op, bleef even staan, keek over zijn schouder en liep achteruit, waarbij hij zijn laarzen precies in zijn eerdere voetsporen zette. De Man die Verdween in een Steengroeve. Was hij ten hemel gevaren? Ontvoerd door buitenaardse wezens? Was hij zelf een buitenaards wezen? Iemand die de voetsporen zag, zou niet weten wat hij ermee aan moest. Hij vond het een leuke gedachte en vond zichzelf tegelijk stom omdat hij erop gekomen was. Toen hij, opgefrist door de beweging, naar huis liep, keurde hij de gevelde bomen nauwelijks een blik waardig.

Bij zijn terugkeer was het al bijna donker. Tantes deur was dicht. Hij klopte erop. 'Wat?' zei ze, op bitse toon. Hij hoorde de veren van het bed. 'Wat is er?'

'Even weten hoe het met u gaat,' zei hij.

Een ogenblik later ging de deur open en kwam ze te voorschijn. Ze maakte een klaarwakkere indruk. 'Je wilt gewoon eten,' zei ze en kwam naar buiten alsof ze eten moest gaan klaarmaken, ook al was hij al lange tijd degene die 's avonds kookte. Maar hij liet haar meehelpen en probeerde haar niet in de weg te lopen en te zorgen dat zij hem niet in de weg liep.

Al zolang hij zich kon heugen, kaartten Tante en hij op zondagavond na het eten. Terwijl hij afruimde, haalde Tante de kaarten te voorschijn en legde ze op tafel in de voorkamer. Denkend aan de avond van Faiths bezoek maakte hij de haard aan. De kilte verdween uit de kamer. Tante leek zich daar beter door te voelen. 'Ik ga thee zetten,' zei ze, en hij vatte dat op als een teken dat ze hem had vergeven voor de ergernis die hij haar, op wat voor manier dan ook, die ochtend had bezorgd.

Ze speelden ginrummy. Tante won de eerste paar spelletjes. 'Je bent er niet bij,' zei ze, en hij won de drie volgende spelletjes, alsof hij haar duidelijk wilde maken dat ze ongelijk had. De jaarpendule bewoog zijn tweelingbollen heen en weer, liet de minuten verstrijken en wierp zijn schijnsel over de muren. Hij merkte dat hij aan Marion dacht. En daarna aan Faith. Kon hij Faith maar één keer vasthouden. Kon hij zijn handen maar op haar blote schouders leggen. Kon hij zijn armen maar om haar heen slaan en haar geven wat ze nodig had, wat ze verlangde – wat dat ook mocht zijn. Zelfs een kind. Hij probeerde de gedachten uit te schakelen. 'Deze kamer heeft een verfje nodig,' zei hij tegen Tante, die alleen maar naar haar kaarten staarde en zei: 'Doe dat maar als ik er niet meer ben.'

Hij legde zijn kaarten neer. 'Goed,' zei hij. 'Wat is er aan de hand?'

Ze verplaatste een kaart in haar hand. 'Niets,' zei ze, concentratie veinzend. Ze stak haar hand uit om een kaart van de stapel te pakken, draaide hem om en zei, terwijl ze haar kaarten op tafel legde: 'Gin.'

Hij keek naar haar kaarten. 'Tante, dat is geen gin,' zei hij. 'U denkt dat deze drie een acht is.' Hij wees.

'Vertel me niet wat ik denk,' zei ze. Ze schoof haar stoel naar achteren en kwam zo snel overeind dat ze wankelde. 'Als je weet wat ik denk, zou je weten wat er aan de hand is.' Ze greep de rand van de tafel vast.

Hij voelde woede opkomen, maar hield zich in. 'Goed dan,' zei hij. 'Vertelt u me eens wat u dwarszit. Ik kan uw gedachten niet lezen.'

'Inderdaad,' zei ze. 'Dat kun je niet.' Ze ging weer zitten en trok de kaarten naar zich toe. Hij gaf haar de zijne en keek hoe ze probeerde ze te stapelen en te schudden. 'Ik zal je vertellen wat er aan de hand is,' zei ze. 'Wat er aan de hand is, is dat jij een man van dertig bent die niets van zijn leven gemaakt heeft.' Ze legde de kaarten op tafel neer; hij coupeerde ze.

'Vijfendertig,' zei hij. 'En het is onaardig om dat te zeggen.' Het was dezelfde ruzie als altijd. Tante zei dan dat zij hem tegenhield, dat hij bij haar weg moest gaan, dat hij moest doen wat hij wilde, dat hij verder moest in het leven; hij zei haar dan dat hij al deed wat hij wilde, en dat zij zich met haar eigen zaken moest bemoeien; daarop zei zij dat ze zich daarom met hem bemoeide, en hij zei dat hij zich daarom met haar bemoeide. 'Hoe zou u het vinden als ik u zou vertellen,' zei hij, 'dat u een vrouw van vierennegentig bent die niets van haar leven gemaakt heeft?'

Ze begon te delen, de kaarten tuimelden op tafel. 'Ik heb iets van mijn leven gemaakt,' zei ze. 'Voor jou heb ik al een heel leven geleefd.' Ze legde het spel midden op de tafel en draaide de bovenste kaart om. 'Maar jij daarentegen – jij hebt je hele leven alleen maar bij mij gezeten.'

'Wat is hier nou de aanleiding voor?' vroeg hij. Ze gaf geen antwoord en deed alsof ze naar haar kaarten keek. Het antwoord drong tot hem door. 'Ah,' zei hij. 'Het gaat om Faith, hè? Tante, ze is getrouwd.'

Ze gluurde over haar kaarten heen naar hem. 'Daardoor zou je je niet laten tegenhouden als ik er niet was.'

'Jawel,' zei hij.

Ze schudde haar hoofd. 'Je bent verliefd op haar,' zei ze. Hij schudde zijn hoofd. 'Zeg niet dat het niet waar is,' zei ze. 'Ik weet wat ik zie.'

'Ik ken haar nauwelijks,' zei hij.

'Dat doet er niet toe.'

'Ze is getrouwd,' zei hij.

'Dat doet er nog minder toe.'

'Ze houdt niet van mij,' zei hij.

Ze keek hem even aan. 'Misschien niet,' zei ze. 'Maar misschien ook wel.' Ze pakte een kaart en schoof hem opzij. 'Ik denk dat je naar haar toe moet gaan,' zei ze.

'Dat doe ik ook. Morgen,' zei hij. 'Om afscheid te nemen. Dinsdag vertrekt ze.' Hij voelde hoe de leugen van zijn tong rolde als een balletje waarin hij even gemakkelijk had kunnen stikken.

Ze legde haar kaarten neer. 'Ga nu,' zei ze.

'Kom op,' zei hij. 'Het is al laat, we zitten te kaarten.'

'Ga nu,' zei ze. 'Ga naar haar of ga ergens anders heen, maar ga.'

'Tante, kom nou toch.'

'Ik wil je het huis uit hebben,' zei ze.

'Godverdomme, Tante.' Zijn beurt om boos op te staan. 'Godverdomme. Bemoeit u zich met uw eigen zaken.'

Ze wierp hem een kille blik toe. 'Waag het niet om zo tegen me te praten,' zei ze.

Hij was erg kwaad geweest, kwaad genoeg om zijn jas aan te trekken en de deuren achter zich dicht te slaan. Om haar aan tafel met de kaarten achter te laten. Hij ging niet naar Faith, maar naar de hut. Maakte de kachel aan, viel in bed en sliep zo goed en zo kwaad als het ging een droomloze slaap.

Dat was het. Dat was alles. Een kleine ruzie, een van de honderden kleine ruzies die ze hadden gehad in de vijfendertig jaar dat ze bij elkaar waren geweest. Een kleine ruzie, dat was alles.

Maar Tante was achter hem aan gekomen. Om hem te vergeven, of om te zeggen wat ze nog te zeggen had? Of was ze verdwaald? Of had ze geslaapwandeld?

Nee. Ze was helemaal niet achter hem aan gekomen. En ze wist waar ze heen ging. Ze wist wat ze deed. Toen hij haar had gevonden met alleen haar sneeuwwitte nachtpon met rozenmotieven over haar blauwe huid, lag ze op de weg naar de steengroeve. Ze was haar dood tegemoet gegaan.

Hij erkende dat nu voor zichzelf en accepteerde het.

En morgen zou Faith vertrekken. Ook dat erkende hij. Maar nu was ze hier bij hem, haar gezicht rood van de kou, haar blik gefixeerd op de vislijn. En daarvoor, daarvoor alleen, mocht hij dankbaar zijn.

Toen ze ophielden met vissen was het bijna donker. Thuis legde James nieuw hout op het vuur, terwijl Faith zich van haar kleding ontdeed; toen hij opkeek was ze naakt, en ondanks zichzelf glimlachte hij. Het was zo raar om in dit huis een mooie vrouw naakt te zien. 'Laten we in bad gaan,' zei ze.

Marion was de enige vrouw met wie hij samen in bad was geweest, maar dat vertelde hij niet aan Faith. Zo kon hij doen alsof – voor zichzelf en voor Faith – zij de eerste was. Hij liet haar er eerst ingaan en klom toen zelf in de op forse poten rustende kuip. Hij ging tegenover haar zitten, met zijn rug tegen de kraan. Ze trok haar knieën op toen hij het bad in kwam; maar zodra hij zat strekte ze ze, en hij voelde haar glibberige voeten tussen zijn benen tegen zich aan. Hij kon niets doen aan zijn reactie, behalve toekijken hoe er een steeds bredere lach op Faiths gezicht verscheen. 'Mannen zijn zo makkelijk,' zei ze.

'Geweldig idee,' zei hij. 'Een bad.'

Ze lachte en spatte hem nat, en hij lachte en spatte terug.

Ze wasten elkaar en wreven elkaars haren in met shampoo. Het water voelde heerlijk warm na het lange verblijf in de buitenlucht. Het was heerlijk om Faiths hoofd onder zijn handen te voelen. En haar schouders. Haar borsten, haar hele lichaam. Hij bedacht hoe gelukkig het haar zou maken als uit hun vrijen een kind voortkwam. Hij zou dat prettig vinden. Hij zou het prettig vinden om zelf een kind te hebben. Hij wist dat het gevaarlijke gedachten waren, maar schepte er toch behagen in. Toen zij hem in de badkuip naar zich toe trok en op zijn schoot klom, bood hij geen verzet. Ze waren net twee copulerende vissen, nat, glibberig en onbeholpen. Maar ook dat voelde heerlijk en maakte hem gelukkig.

Aangekleed gingen ze weer naar de keuken en zetten thee. Buiten kwam, met de avondkou, de wind opzetten, die de ramen deed rammelen en het huis liet kermen. 'De winter probeert binnen te komen,' zei Tante altijd. 'Hij wil warm worden, als een spook dat genoeg heeft van de kou.'

Na het bad had Faith een van zijn flanellen shirts aangedaan. Geen shirt dat ze schoon uit de kast had gehaald, maar een exemplaar dat ze in de wasmand in de kast had gevonden. 'Ik wil naar jou ruiken,' had ze gezegd. De zoom kwam tot haar knieën. Eronder droeg ze haar eigen broek, en ook had ze haar grote wollen sokken aangetrokken. Ze zat nu met één kousenvoet op de stoel, en liet de andere bungelen, zodat ze eruitzag als een klein meisje. Terwijl hij naar haar keek, besefte hij hoezeer hij haar zou missen als ze weg was.

'Wat is er?' vroeg ze.

'Niets,' zei hij. 'Wat wil je eten?'

'Het is nog te vroeg om daarover na te denken. Ik heb liever een sigaret.' Ze stond op, liep naar haar jack toe, haalde een halfvol pakje sigaretten uit haar zak, liep ermee terug naar de tafel, haalde de lucifers onder het cellofaantje te voorschijn en stak een sigaret op. Ze was voorzichtig en blies geen rook naar hem toe, maar ze rookte wel, alsof ze zijn eerdere verzoek was vergeten. 'Ik moest er, daar op het ijs, aan denken hoe het moet zijn als je verdrinkt. Het lijkt me een betrekkelijk vredige dood.'

'Ik denk van wel,' zei hij. 'Als je ervoor kiest om zo aan je eind te komen. Bij de meeste mensen die verdrinken is dat niet zo.'

Ze knikte. 'Ja, ik denk dat ik aan zelfmoord dacht,' zei ze. Hij fronste blijkbaar zijn voorhoofd, want daarna zei ze: 'Ben jij tegen zelfmoord?'

'Ja.'

'Heb je het nooit overwogen?'

'Nee.'

'Nou,' zei ze, 'jij hebt ook altijd een goede reden gehad om te blijven leven. Iemand voor wie je moest zorgen. Misschien zul je er anders tegenover staan nu je dat niet meer hoeft.'

Hij hoorde de boosheid in haar stem en wist dat die niet voor hem was bedoeld, maar voelde ook zelf kwaadheid opkomen. Hij besloot er niet aan toe te geven. Hij stak zijn hand uit, pakte haar de sigaret af en drukte hem uit op het schoteltje. 'Nu moet ik voor jou zorgen,' zei hij.

In het moment van stilte dat op deze uitspraak volgde hoorde hij alleen het zwakke, regelmatige geluid van de jaarpendule in de andere kamer. Het was niet precies een getik, maar het geluid van een strakgespannen koord dat iedere seconde verder werd afgewikkeld. Het was het geluid van wachten.

Het wachten hield op toen ze de half opgerookte sigaret pakte, hem opnieuw aanstak en diep inhaleerde. 'Voor mij zorgen valt helemaal niet mee,' zei ze.

James haalde zijn schouders op. 'Het valt nooit mee om te zorgen voor iemand die dat niet wil.'

Ze drukte de sigaret weer uit en kwam naar hem toe. 'Ik zou voor jou kunnen zorgen,' zei ze, met haar lippen dicht bij zijn oor en een zo zachte stem dat hij niet zeker wist of hij haar hoorde of alleen de beweging van haar lippen tegen zich aan voelde. Vervolgens zei ze, wat harder: 'Je haar zou bijvoorbeeld weleens geknipt mogen worden.' Ze woelde met haar vingers door zijn haren. 'Er ligt een schaar in de bureaula,' zei hij.

Hij schoof zijn stoel naar het midden van de keuken; een ogenblik later draaide zij om hem heen. 'Tante knipt mijn haar altijd,' zei hij. 'Ik zal heel voorzichtig zijn,' zei zij. Het haar viel naar beneden en kwam terecht op de vloer. 'Net zware zijde,' mompelde ze. Ze drukte haar warme vingers in zijn nek; de schaar ruiste als een paar zilveren vleugels door zijn haren. 'Voilà la beauté,' zei ze ten slotte op fluistertoon. Hij stond op en bekeek zichzelf in de badkamerspiegel. 'Niet slecht,' zei hij en zag haar glimlach achter zich.

Ze kookten. Gebakken verse vis, aardappels, brood, wijn. Ze aten in de voorkamer, aan de grote houten tafel. Het vuur knapte en knetterde in de haard. De rijp aan de binnenkant van de ramen smolt door de warmte van bovenaf. Hij zou zich suf hebben moeten voelen – door de wijn, de warmte, de lange dag – maar hij voelde zich juist klaarwakker en was zich van alles scherp bewust. Hij was niet nerveus, maar aandachtig. Net zoals hij zich de eerste ochtend van het jachtseizoen voelde. Klaarwakker voordat de wekker afliep.

Na het eten legde James Tantes testament op tafel. Ze maakten het open en lazen het samen. Het was al ver in de avond.

De lucht was helder, de sterren waren te voorschijn gekomen; het was tijd om te gaan doen wat ze moesten doen. Maar ze kwamen niet achter de tafel vandaan. Hij wilde alleen maar samen met haar aan tafel zitten, en de tijd stilzetten. Het verleden en de toekomst even vergeten. Alleen praten. 'Vond je het ijsvissen leuk?' vroeg hij.

Ze nam een slok wijn. 'Ik heb geprobeerd te bedenken waar ik zo bang voor was,' zei ze. 'Niet van het water. Niet van het ijs. Om te vallen, misschien. Ik ben altijd bang geweest om te vallen. Ik verlies niet graag de controle over mezelf. Snap je?' Hij knikte. 'Maar het vissen, ja, dat vond ik leuk. Ik snap ook waarom jij ervan houdt.'

Hij wachtte haar uitleg af.

'Je houdt van de rust,' zei ze. 'Je voelt je vrij. Je hebt de ruimte.'

Hij moest glimlachen. 'Het hutje is nogal klein,' zei hij.

Ze lachte. 'Je wordt niet noodzakelijkerwijs door muren ingeperkt,' zei ze.

'En jij?' vroeg hij. 'Waarom vond jij het leuk?'

Ze sloeg haar ogen een moment op naar het plafond. Toen ze haar blik weer omlaag bracht, keek ze hem recht aan. 'Omdat ik bij jou was,' zei ze.

De telefoon rinkelde als een verre wekker. James ging naar de keuken om hem op te nemen. Het gerinkel leek harder te worden, en klonk bij elke keer dat het toestel overging dringender; hij dacht dat het de sheriff was. Bijna nam hij niet op, maar iets zei hem dat hij dat wel moest doen.

Toen de beller naar Faith vroeg, aarzelde hij. Vervolgens zei de stem: 'Ze is er toch, nietwaar?'

'Ja,' zei James.

'Nou, ik ben haar man.'

'Ja?'

'Ik zou haar graag spreken.'

'Ik zal kijken of ze kan komen.'

'Wacht eens,' zei de man. 'Ben jij die vent?'

James wist wat hij bedoelde en vroeg zich af hoeveel de man

wist – of dat hij maar wat giste en alleen maar deed alsof hij iets wist.

'Ja,' zei James.

'Weet jij waarom ze dit doet?' vroeg de man.

'Ja,' zei James.

'Ik betwijfel het,' zei de man. 'En je moet dit weten: ze doet het uit wraak. Ze denkt dat ik vreemdga.'

'Doe je dat?'

'Nee,' zei de man.

'Ik ga haar wel halen,' zei James, en hij draaide zich om om Faith te roepen.

Ze was al naar de keuken gekomen. James zag haar nu, uit haar gezicht was alle kleur weggetrokken. Ze nam de telefoon van hem over.

'Ja?' zei ze.

James ging de kamer uit. 'Hoe heb je me gevonden? Hoe ben je aan dit nummer gekomen?' hoorde hij haar vragen, en de rest probeerde hij niet meer te horen. Het gesprek bleef maar duren, een lang, zacht gemompel van woorden, Faiths stem die aanzwol en weer zachter werd, die kwaad werd en dan weer rustig. Hij dacht dat ze huilde, en toen weer niet. Hij staarde in het haardvuur, in de kooltjes die hem zwart en rood toeschitterden. Hij probeerde te denken aan wat ze die nacht moesten doen, en hoe ze het moesten doen; hij probeerde zich te concentreren op iets wat nu belangrijker voor hem was. Hij legde zijn hand op Tantes quilt, die opgevouwen op de bank lag.

Toen kwam Faith terug.

'Gaat het wel goed met je?' vroeg hij.

'Ja,' zei ze.

'Hoe is hij aan het nummer gekomen?' vroeg hij.

'Dat heeft hij blijkbaar van de sheriff gekregen.'

James knikte.

'Hij wil dat ik naar huis kom,' zei ze. 'Morgen. Ik moet gaan,' zei ze. 'Ik moet gaan. Zijn moeder is ziek. Ik heb een erg goede band met haar.'

James knikte. 'Je kunt beter gaan. Gelukkig heb je de vlucht al geboekt.'

Ze legde haar handen aan weerskanten van zijn nek; hij voelde de warmte van zijn huid onder haar handpalmen. 'Ik hoef niet,' zei ze. 'Ik zou kunnen blijven. Of ik zou terug kunnen komen.'

'Ga,' zei James. 'Ze hebben je nodig.'

'Jij hebt mij ook nodig,' zei ze.

Hij tilde haar handen van zich af, en ze stapte naar achteren. 'Kijk eens,' zei hij. 'Ik kan je niet zeggen wat je moet doen.' Hij haalde diep adem. 'Ik kan alleen maar zeggen dat ik je man niet ben en dat dit...' – hij maakte een handgebaar naar de kamer, het huis, het eiland – 'jouw leven niet is.'

Faith begon te huilen.

'Maar wat als ik dat nu wel wil?' vroeg ze.

Dan moet je niet gaan, wilde hij zeggen, maar je moet van mij niet vragen dat ik je dat opdraag. Hij had het gevoel dat hij langzaam aan stukken werd gesneden; hij had het gevoel dat er niets anders zou overblijven dan het lege huis als zij wegging. Hij had het gevoel dat zij elkaars laatste strohalm waren. Hij had het gevoel dat hij haar goed kon doen, en zij hem. Hij voelde zo veel dat hij het haar wilde vertellen.

In plaats daarvan sloeg hij zijn armen om haar heen, om haar vast te houden totdat ze moesten gaan.

Amerikanen zeggen 'je wilde haver zaaien' in plaats van 'je wilde haren nog moeten kwijtraken'. De wilde haver die ik ken, is helemaal geen haver, maar een lelie die bloeit in mei en de bosranden geel kleurt... Misschien verwijst het 'wilde' uit het spreekwoord helemaal niet naar de haver, maar naar het zaaien, het in het wilde weg verspreiden van de haver die belandt waar hij helemaal niet zou moeten groeien maar toch wortel schiet. En waarom haver? Geen tarwe, geen graan, maar haver. Omdat haver zo snel groeit.

Zes

Ik heb ergens eens gelezen dat onschuld geen deugd is. Misschien verklaart dat iets over mij, of beter, is het tekenend voor mij als jong meisje. Want al was ik onschuldig, ik ben nooit deugdzaam geweest. Dat heeft mijn moeder me geleerd.

Als kind lag ik 's avonds in bed vaak te bedenken hoe ik me de volgende dag beter zou gaan gedragen. *Ik zal gehoorzaam zijn, ik zal niet brutaal zijn, ik zal niet meer eten dan me toekomt, ik zal hard werken, ik zal knapper, sterker, slimmer, netter, stiller en vlugger worden.* Let wel, ik bad niet; het kwam nooit bij me op om te bidden. Wat, denk ik, nog eens te meer bewijst dat ik niet deugdzaam was. In plaats van me om hulp tot God te wenden en mezelf te onderwerpen aan een hogere macht, zoals me was geleerd, worstelde ik met mezelf, op zoek naar manieren om een lagere macht te behagen: haar.

Ik herinner me mijn vormsel en mijn eerste communie. Ik was zes en trots dat ik de catechismus had geleerd. Het was een zonnige dag in juni. Kaarsrecht zat ik op de wagen, met mijn ouders aan weerskanten en een dikke deken over me heen om mijn witte jurk stofvrij te houden tijdens de ruim een uur durende rit. Toen we de helling over kwamen, lag het meer glanzend voor ons, als een spiegel voor de lucht. Mijn vader hielp me van de wagen af en bracht me naar een plekje onder een boom, waar mijn moeder de strik bij mijn middel straktrok, met wat spuug in haar handpalm mijn haar gladstreek en me ter ondersteuning haar arm toestak terwijl ik mijn vuile laarsjes uittrok en de fijne witte muiltjes aandeed die ze, samen met de jurk, voor mij had gemaakt – een week werk. 'Marguerite,' zei mijn vader, en hij nam mijn gezicht in zijn schuurpapieren handen. 'De pastoor geeft je vandaag twee nieuwe namen, in plaats van één. Bernadette en Marie, naar mijn tweelingzusjes. Ze zijn heel jong gestorven.' Ik dacht aan de begrafenis van de dode baby die we eerder die lente hadden bijgewoond. Met een grauw gezichtje had hij in het kleine vurenhouten doodskistje gelegen, en de pastoor had gezegd dat baby's rechtstreeks naar de hemel gingen. Misschien zou ik dankzij mijn dode naamgenootjes nog vromer worden, misschien wel goed of zelfs heilig.

Mijn vader had de kerk zelf gebouwd en daarvoor het zeldzame mooie marmer uit onze steengroeven gebruikt. De kerk was niet groot maar wel mooi. De zwarte muren glansden, de hoge ramen omlijstten uitzichten op bos en meer die mooier waren dan welke gebrandschilderde ruit ook, het altaar was van gladgeschaafd, blank esdoornhout, en er hing een mooie Italiaanse Jezus boven, compleet met bloedende handen en voeten.

Desondanks hadden we geluk gehad dat mijn vader een priester had kunnen overreden om zo'n kleine parochie te komen bedienen – we waren met nauwelijks tachtig mensen. Het gaf niet dat onze priester van een wat dubieuze waardigheid was en dat zijn preken soms onsamenhangend waren en zijn gewaden nooit helemaal schoon. Waar het om ging was dat hij de mis in het Latijn opdroeg, de biecht afnam en ons zuiverde van onze zonden, zodat wij nader tot God en de hemel kwamen. En dat hij mijn ouders beviel, en dan vooral mijn vader, die hem financieel steunde en zonder wiens geldelijke bijdragen er helemaal geen kerk zou zijn.

Toen ik die dag de kerk betrad, had ik het gevoel dat ik ten hemel voer, in mijn witte jurk die om me heen zweefde terwijl de koele lucht in de kerk mijn haar optilde. Maar onder mijn muiltjes lagen geen wolken maar koude stenen treden, waarvan het ruwe oppervlak – bewerkt door de beitel van mijn vader – getuigde van hun aardsheid, evenals de ogen van de priester en de parochie, die eensgezind over mij oordeelden. Het leek of ik zelfs geen ogenblik mocht vergeten hoe zondig ik was.

Het ritueel verliep als in een droom. Ik maakte geen fouten. Alles ging zelfs goed tot op het moment dat de priester – wiens handen trilden van een matineuze onmatigheid – drie druppels wijn op de voorkant van mijn witte jurk morste. Mij was geleerd om te geloven dat miswijn het bloed van Christus werd. Ik zag de druppels als bloed. Drie druppels: de Vader, de Zoon en de Heilige Geest. Het duizelde me. Ik tuurde omhoog naar de crucifix en dacht dat ik Christus zag bewegen en dat hij nog meer bloed op me liet spatten. Mijn adem ontsnapte me in een zucht. Ik viel in zwijm. Ik liet de leuning los en viel bewusteloos op de stenen vloer.

Toen ik mijn ogen opsloeg, glimlachte het vriendelijke, grove gezicht van mijn vader me van bovenaf toe. 'Het is een zegen van God,' zei hij en sloot me in zijn armen.

Op de wagen sprak mijn moeder nauwelijks. Pas thuis keek ze me aan. 'Helemaal bedorven!' zei ze. Ik wist dat ze de jurk bedoelde waaraan ze zo hard had gewerkt. Maar de woorden griefden me alsof ze op mij sloegen.

Ik ben geboren in 1903. Mijn moeder was toen al bijna veertig en twintig jaar getrouwd met mijn vader. Hoe een godvruchtig katholiek echtpaar de overvloed aan kinderen van zoveel andere godvruchtige katholieke gezinnen wist te vermijden, zou ik niet kunnen zeggen. In elk geval vertelde mijn moeder me dikwijls over die moeizame eerste jaren, toen het bedrijf van mijn vader nog jong was. Ik was een bofferd, zei ze – en daarmee zei ze me tegelijk dat zij niet zou toestaan dat ik verwend zou raken door dat geluk. Zij was dankzij hard werken geworden tot wie ze was, en als ik sterk en deugdzaam en een goede echtgenote wilde worden, zou ik even hard moeten werken als zij.

Ons leven draaide om werken. Zo was het hier aan het begin van de eeuw, toen we nog leefden van het land. Er was geen respijt. We stonden op voordat het licht werd en werkten elke dag tot het donker werd, in de lente, de zomer, de herfst en de winter, behalve natuurlijk op de zondag, die alleen anders was doordat ons werk door kerkbezoek werd onderbroken.

Voor mijn geboorte had mijn moeder in haar eentje gezwoegd. Zij heerste over het huis, de tuin en de schuur, en mijn vader werkte in de steengroeven – een arbeidsverdeling die hun beiden goed beviel. Toen ik werd geboren, veranderde er niets. Mijn vader vertelde trots hoe ze na anderhalve dag al uit het kraambed was verrezen, vastbesloten om 's ochtends te gaan melken; als een indiaanse droeg ze mij op haar rug. De boerderij was haar leven – zelfs een baby kon dat niet veranderen. Ze zou me desnoods op het land hebben gebaard, denk ik – alleen zouden dames, echte dames, zoiets nooit hebben gedaan.

Zo gauw ik kon lopen, begon ik ook te werken. Ik werkte hard, maar ik was nog een kind en vervulde mijn taken nooit goed genoeg. Ik begreep niet goed waarom je tomaten in de mand moest leggen en je ze er niet in kon laten vallen; waarom aanmaakhout parallel en niet schots en scheef in de kist moest worden gelegd; en waarom onkruid moest worden uitgetrokken, en wortels niet. Ik was een kind, maar zij mat me naar haar eigen maatstaf en strafte me meer dan eens.

Op een keer – ik was zeven of acht – vroeg ze me naar het dichtstbijzijnde huis te lopen, een afstand van zo'n drie kilometer, om wat naaigerei op te halen dat de buurvrouw bereidwillig van het vasteland had meegenomen. Het was vroeg in het voorjaar, de weg was modderig en overal om me heen klaterde de dooi – alles was vochtig, suggestief en uitnodigend. Ik dacht – ik wist, ik weet – dat ik zo snel liep als ik kon, onderweg niet stilhield, het naaigerei in ontvangst nam zonder een praatje te maken en meteen terugging. Ik wist dat ik de strenge instructies van mijn moeder naar de letter had opgevolgd, ondanks mijn verlangen in de modder te spelen en de oorsprong van de sijpelende stroompjes te zoeken.

Maar toen ik thuiskwam, was ze razend. Zo gauw ik de deur door was, gaf ze me een pak voor mijn broek. 'Had ik je niet gezegd dat je niet mocht rondlummelen?' begon ze, en ze wees op mijn bemodderde laarsjes. De tranen sprongen me in de ogen. Toch wist ik zelfs toen niet zeker of haar beschuldiging onrechtmatig was; misschien hád ik onbewust gedaan wat zij zei: misschien had ik gelanterfant en plassen opgezocht. Om alles nog erger te maken, had de buurvrouw me de verkeerde kleur garen meegegeven, zwart in plaats van bruin. Ik had niet in de zak gekeken; ik wist niet welke kleur het moest zijn. Maar ook dat was mijn fout. Die avond maakte ze mijn lievelingskostje klaar – hamlapjes met aardappelpannenkoekjes – en stuurde me vervolgens zonder eten naar bed. Maar het gaf niet, want ik zou toch niet hebben kunnen eten. Mijn eetlust was door het onrecht bedorven.

Het onrecht zou mij, of ten minste mijn ziel, fataal zijn geworden als mijn vader er niet was geweest. Hij hield van me met een liefde waarop ik kon bouwen. Vaak vertelde hij over de allereerste keer dat hij me had vastgehouden – hoe mijn hoofdje in zijn holle handpalm had gepast en mijn vingertjes zich om zijn grote duim hadden gekromd. 'Je haar was zo fijn alsof het door een spin was gesponnen,' zei hij. Hij was mijn beschermer, die zorgde dat het water in mijn bad warm genoeg was, me redde als ik te hoog in een boom was geklommen en mijn moeder de les las wanneer ze me te lang alleen liet. Toen ik drie was, redde hij zelfs mijn leven.

Ik herinner het me nog duidelijk; het is mijn eerste complete herinnering. Het was lente. Ik stond in de voortuin en liet de warme lucht langs mijn gezicht gaan. De grond was modderig, en er was me gezegd dat ik op het gras moest blijven. Dat was nog niet groen, maar tenminste droog. Natuurlijk vond ik de modder aantrekkelijker; ik herinner me dat ik mijn laarsje erin zette en toekeek hoe de modder eromheen opwelde, zoals brooddeeg wanneer je je hand erin drukt. Moeder was binnen; papa was in de schuur met een of ander karweitje bezig. Ik drukte mijn voet verder in de modder en trok hem er toen weer uit, lachend om het zuigende geluid. Ik stapte er weer in, nu met allebei mijn voeten tegelijk, en keek omlaag hoe mijn laarsjes in de derrie verdwenen.

Toen ik opkeek, zag ik een hond – niet de onze, want wij hadden geen huisdieren. Deze hond was modderig en nat maar leek te glimlachen, zijn schuimende tong hing tussen zijn grote tanden naar buiten. Toen hij op me afgestapt kwam, probeerde ik mijn voeten op te tillen om naar hem toe te gaan, maar mijn voeten zaten stevig vast. Daarom stak ik mijn handen uit om hem aan te kunnen raken. We smachtten naar elkaar, die hond en ik, zoals dat gaat met dolle honden en kinderen.

Mijn vader leek uit het niets op te doemen. Voordat de hond zelfs maar naar me kon grommen, liet hij een schop op zijn ruggengraat neerkomen. De hond jankte vreselijk en rende weg; mijn vader achtervolgde hem tot aan de weg, schreeuwend en zwaaiend met de schop. Ik was nu bang en wilde het op een lopen zetten, maar ik kon niet van mijn plaats komen. Ik barstte in tranen uit. Papa liet de schop vallen en kwam naar mij terug, tilde me op en hield me dicht tegen zich aan. 'Huil maar niet, engeltje,' zei hij steeds weer en streelde over mijn haren. Ik herinner me dat ik keek naar mijn lege laarsjes, die nog steeds vastzaten in de modder, en naar mijn vuile kousenvoeten, en dat ik nog harder ging huilen omdat ik dacht dat moeder me voor mijn ongehoorzaamheid zou straffen als ze ze zag. Maar papa haalde de laarsjes voor me uit de modder, maakte ze schoon en trok ze me weer aan, en zij kwam er nooit achter.

Een paar jaar later hoorde ik mijn moeder het verhaal van de hond vertellen aan een familie die net een boerderij in de buurt had gekocht; het gerucht ging dat ze verschillende honden hadden die los rondliepen. Mijn moeder had altijd een hekel aan honden gehad – waarom weet ik niet, al gaf ze heel wat voorwendsels –, en ons bezoek was niet zozeer bedoeld om de nieuwe buren te verwelkomen als wel hun te waarschuwen dat hun honden bij ons uit de buurt moesten blijven.

In moeders versie van het verhaal was mijn vader deels de held en deels de schurk. 'Hij heeft last van driftbuien,' zei ze en ging vervolgens zachter praten. 'Ik vind het niet erg, maar bij Marguerite ligt dat anders...' Ze staarde met een treurig gezicht naar mij; ik vroeg me af wat ze bedoelde, want hij had nog nooit een boze toon tegen me aangeslagen. 'De arme man kan zich niet beheersen; hij heeft indiaans bloed, weet u,' ging ze verder.

Tot dan toe had de buurvrouw welwillend toegekeken; nu verstijfde ze. 'Mijn man ook,' zei ze op ijzige toon, 'maar hij zal nooit iemand slaan, zelfs geen hond.' Moeder keek een beetje verbluft; niet lang daarna gingen we weg. Toen we naar huis liepen, haalde mijn moeder minachtend haar neus op. 'Ik laat je vader het eerste mormel dat ons land op komt direct neerschieten,' zei ze. 'Dat zal ze leren.'

Mijn kijk op mijn vader veranderde nooit door mijn moeder. Wat kon ik anders dan hem bewonderen, als iedereen behalve zij hem bewonderde? Hij stond in het district in aanzien, niet alleen omdat hij steen te gelde had weten te maken, maar ook vanwege zijn fysieke prestaties. Door zijn Franse afkomst was hij klein, maar dankzij zijn indiaanse bloed en het zware werk van vele jaren was hij bijzonder sterk geworden en had hij knoestig gespierde armen, benen en schouders gekregen. Elk jaar maakten we de uren durende reis naar de staatsjaarmarkt, waar hij zich met de besten uit de streek mat in diverse vaardigheden met verschillende hulpmiddelen: de bijl, de zeis en de voorhamer. Hij hakte bomen om, maaide gras en kliefde boomstammen. Vervolgens – en dat is mijn dierbaarste herinnering aan hem – nam hij deel aan de wedstrijd taart eten. Het was komisch om te zien hoe zijn gezicht onder de bramen-, kersen- of rabarbertaart zat, maar hij won het vaak van jongelui die half zo oud waren als hij. De prijs: zes taarten om mee te nemen. De mensen vonden het prachtig; hun applaus bezorgde hem een brede grijns. En ik hield nog meer van hem.

Toen ik twaalf was, kwam er een school naar het eiland, of eigenlijk een onderwijzeres, een weduwe wier man haar een klein bedrag had nagelaten waarvan ze het stuk land kocht waarop ze haar schooltje vestigde. Ik smeekte mijn moeder me erheen te laten gaan, maar ze wilde er niet over horen. 'Ik heb je veel te hard nodig,' zei ze. 'Wie gaat jouw werk dan doen?'

Rond die tijd was mijn vader een vermogend man geworden. We hadden het ons makkelijk kunnen veroorloven om een hulp voor mijn moeder te nemen en het kleine bedrag te betalen dat de onderwijzeres rekende om mij in haar klasje te nemen. Maar mijn moeder beet zich vast in haar macht en haar aangeboren zuinigheid, en gaf pas toe toen mijn vader zei dat wat ik op school leerde me nog nuttiger voor haar zou maken. Dus nam hij een knecht aan als hulp voor haar, en begon ik aan mijn opleiding.

Elke morgen reed hij me persoonlijk naar de weg van de onderwijzeres, waarna ik de paar kilometer naar haar huis te voet aflegde. Ik vond het niet erg om dat stuk te lopen, zelfs niet bij guur weer. Terwijl ik op het karrenspoor alleen was met de natuur, leerde ik te genieten van de kleine veranderingen die lieten zien hoe de seizoenen verstreken: in de herfst kleurden de groene bladeren geel en rood en vervolgens dwarrelden ze neer; naarmate de winter naderbij kwam werd de weg harder onder mijn voeten; wanneer de sneeuwlaag smolt en opnieuw bevroor, ging de aanvankelijk verse, witte en zachte sneeuw glanzen door de weerschijn van ijs; wanneer de lente de lucht verwarmde en de weg tot modder deed smelten, werden de knoppen rood en barstten ze open; kleine wilde bloemetjes bloeiden dan nauwelijks zichtbaar in de plantentuin. Hoeveel ik op school ook leerde, aan die wandelingen dank ik mijn belangstelling voor de natuur. Natuurlijk had ik die thuis ook kunnen bestuderen, maar mijn wandeling naar school gaf me de tijd en de noodzakelijke geestelijke vrijheid.

De onderwijzeres was een lieve vrouw die al jong weduwe was geworden. Toen ze ontdekte dat ik op mijn twaalfde nog altijd niet kon lezen, ging ze hard met me aan de slag. Ik leerde snel. Binnen een paar weken had ik de eerste leesboekjes tot me genomen alsof het snoepgoed was, en na een halfjaar was ik zo ver dat ik met mijn leeftijdgenootjes kon meedoen.

Ik hield van de vorm van de letters en de klank van de woorden, maar fijner nog was de vreugde om iets te kunnen doen dat mijn moeder niet kon. Zij was nooit naar school geweest. Mijn vader en ik hadden nu iets gemeen waaraan zij geen deel kon hebben, en als ik 's avonds met hem bij de haard zat en voorlas uit de Bijbel of uit zijn boeken over geologie en landbouw, sterkte haar afgunst mij in mijn hartstocht voor het leren.

Ook rekenen vond ik leuk. Zo gauw ik genoeg had geleerd, nam mijn vader me één keer in de maand mee naar zijn 'kantoor', een keet aan de rand van de steengroeve, waar hij me met de boeken aan het werk zette. Zo leerde ik de kunst van het zorgvuldig boekhouden, waarmee ik later aan de kost zou komen. Volgens mijn vader had ik er een bijzonder talent voor, maar ik wist dat ik ervan hield omdat hij het prettig vond en mijn moeder zich eraan ergerde.

In de loop der tijd veranderde ik door de school. Het was alsof ik werd opgesplitst in twee persoonlijkheden: het kleine kind dat graag wilde behagen, dat vrolijk, ijverig en vrouwelijk plooibaar was, en een nieuwe, geheime persoonlijkheid vol opstandigheid, eigendunk en vastberadenheid, met greep op haar eigen lot. Goedheid, heiligheid en deugdzaamheid waren niet langer waarden om na te streven, maar om te beschimpen. Als ik over de weg liep schopte ik stenen bij me vandaan en praatte soms hardop in mezelf als een idioot, vol ideeën over het leven. De andere kinderen – de meesten waren jonger dan ik – liepen me snel en op een afstandje voorbij, angstig over hun schouder kijkend.

Om kort te gaan: ik was een normale puber. Naar de huidige maatstaven in elk geval, niet naar de toenmalige.

Ook mijn lichaam veranderde. Mysterieus en angstaanjagend. Toen het bloeden kwam, ging ik naar mijn moeder, blijkbaar aanvoelend dat zij en niet mijn vader het zou kunnen verklaren. Ik trof haar in de keuken. 'Moeder?' vroeg ik, en ze wendde zich af van het fornuis waar ze esdoornsap stond te koken, met een rood gezicht van de stoom en kroezende haren.

'Wat?' vroeg ze bits.

Ik liet haar de bebloede onderbroek zien.

'Vuile meid,' zei ze, en ze sloeg op mijn hand met de houten pollepel die ze had gebruikt. Ik had haar hevig laten schrikken, realiseer ik me nu; haar reactie was instinctief. Maar op dat moment voelde ik me alleen afgewezen, gekrenkt en vreselijk kwaad, gevoelens die des te sterker waren omdat ik er geen kant mee uit kon. Ik liet het broekje op de vloer vallen; ze keek erop neer. 'O, jij stommelingetje,' zei ze, en haar toon werd milder alsof ze nu pas besefte waarom ik bij haar was gekomen. En ze legde me uit wat er met me gebeurde.

Maar dat moment heb ik haar nooit vergeven.

Toen ik, fysiek tenminste, vrouw werd, werd mijn geheime helft meer dan een helft en schrompelde mijn publieke persoonlijkheid ineen tot er niet meer van over was dan een dun fineerlaagje, een huid. Het was een sterke huid, een olifantshuid, maar ik wilde niet riskeren dat hij werd lekgeprikt, en dus werd ik nog behoedzamer en ging ik nog meer toneelspelen. En gauw genoeg had ik echt iets te verbergen: een onvervalst bewijs dat de deugdzaamheid voorgoed buiten mijn bereik lag.

Zoals zoveel kwade zaken kwam dat bewijs in mijn slaap. Ongevraagd. Ongewild. Maar dit keer niet onwelkom.

De knecht die mijn vader in dienst had genomen, was op een dag naar ons toegestuurd door een buurman die wist dat we hulp zochten. Hij had een kleine plunjezak bij zich en een aanbevelingsbrief waarin stond dat hij rustig, ijverig, betrouwbaar en bekwaam was. Mijn vader kende zijn vroegere werkgever wel niet persoonlijk, maar hij kende de familienaam en dat was aanbeveling genoeg.

Ik was die dag naar school geweest en hoorde dus indirect over de aanstelling, uit de gesprekken die mijn ouders die avond hadden. 'Morgen gaat hij de eg repareren,' zei mijn moeder, en ze gaf mijn vader de aardappels. 'Laat hem ook dat scharnier van de schuurdeur maken,' zei papa. 'Hoe heet hij?' vroeg ik, omdat niemand dat nog had gezegd. 'Dat hoef je niet te weten,' zei moeder. 'Hij is maar een hulp.' Een moment lang aten we in stilte. Toen ging moeder verder. 'Ik heb gehoord dat ze goed met dieren kunnen omgaan,' zei ze. 'Ze?' vroeg ik. 'Ze bedoelt indianen,' zei mijn vader. 'Volbloedindianen tenminste,' zei moeder, en toen begreep ik waarom ze ons zo zorgvuldig van de knecht wilde onderscheiden – niet alleen omdat hij een hulp was, maar omdat hij niet het Europese bloed in zijn aderen had dat ons beter maakte dan iedereen die van andere afkomst was.

Daarna vergat ik de knecht bijna helemaal tot ik hem op een winterdag de schuur zag uitmesten, waarbij de dampende mest van zijn schop de verse sneeuw in vloog. Hij kan niet ouder dan vijftien zijn geweest, maar ik was pas twaalf, en in mijn ogen was hij volgroeid. Hij had donker haar en een laag voorhoofd; toen hij zich omdraaide en me aankeek, had hij een kalme, heldere blik die mij gegeneerd deed wegkijken.

Aanvankelijk was ik zelfs niet nieuwsgierig naar hem. Het leeftijdsverschil was zo groot dat ik hem als een volwassene en niet als een jongen beschouwde, en ik was hoe dan ook niet geïnteresseerd in jongens, in 'de schepsels', zoals ik hen bij mezelf noemde. Ik was te zeer in beslag genomen door mezelf en zat te veel gevangen in mijn eigen wereldje om veel meer aan hem op te merken dan dat zijn haar de neiging had vet te worden. Toen ik meer begon te zien – en op een vage maar gerichtere manier geïnteresseerd raakte in de aard van deze 'schepsels' – ging dat gepaard met een soort afschuw, vooral 's zomers, wanneer hij soms in zijn onderhemd aan het werk was. Waarom waren zijn spieren zo glad, zo anders dan die van mijn vader? Waarom had hij zulke uitstulpingen bij zijn polsen, sleutelbeen, schouders en nek? Waarom zweette hij zo? Kwam er weleens een intelligente gedachte achter dat voorhoofd op, of was hij net zo dom als de koeien die hij molk en voerde?

Hij sprak nooit tegen mij. Zelfs niet wanneer mijn moeder ons tot elkaar veroordeelde en ons bijvoorbeeld samen op het land liet werken om te hooien. Als hij wilde dat ik iets deed, gebaarde hij of deed hij het voor, en wachtte vervolgens af tot ik daaruit begreep wat er van me verlangd werd. Aanvankelijk vond ik dat ergerlijk; geleidelijk wende ik eraan en ging ik genieten van dit stilzwijgende partnerschap, van de gedachteloosheid, de woordeloze communicatie die ons in staat stelde samen te werken als twee trekpaarden die hun gehoorzaamheid en hun krachten bundelden.

Zo gingen er drie jaar voorbij, en toen was ik vijftien.

Die zomer was de oorlog in Europa steevast het onderwerp van gesprek aan tafel, maar er was niets wat verder van mij afstond of me minder belangrijk toescheen. Ik werd thuisgehouden van school om in het voorjaar te helpen ploegen en dacht alleen na over het onrecht in mijn leven, over mijn gevangenschap in omstandigheden die ik niet had geschapen. Ik vond slechts troost wanneer ik buitenshuis alleen was – als ik onkruid wiedde in de tuin, water uit de put oppompte, mijn vaders lunch heuvelop door de appelbomen naar de steengroeve bracht, of als ik – een grote zeldzaamheid – mocht afdwalen naar het meer, waar ik op de rotsen ging zitten lezen, zodat de woorden zinderden op de zonbeschenen bladzijde. Maar meestal moest ik met mijn moeder in de keuken of met mijn vader in het kantoor werken, of met de knecht hooien, de dieren verzorgen of een van de tientallen andere klusjes opknappen die bij warm weer opeens ontstonden.

De mensen zeggen dat er op het eiland geen lente bestaat. Alleen een plotselinge overgang van de winter naar de zomer, alsof er een knop wordt omgezet. In mijn vijftiende levensjaar viel de laatste sneeuw op één mei, en begon de eerste hittegolf op vijf mei. (Als je het raar vindt dat ik dat zo precies heb onthouden, bedenk dan dat het weer jaar in jaar uit onze gespreksstof vormde: ons leven draaide om zulke details.) De ene dag waren de knoppen van de notenbomen nog strakke, glanzende vuisten; de volgende dag waren het geopende handpalmen. De esdoornbladeren verloren in één nacht hun rode kleur en hun rimpels, en werden drie of vier keer zo groot. Tweezaadlobbigen verspreidden zich als groen mos over de vochtige bosgrond. De wilde viooltjes en lelietjes bloeiden. Dat alles gebeurde in een oogwenk. Ja, natuurlijk was daaraan een traag, subtiel proces van groen worden voorafgegaan, maar evengoed vond er van de ene nacht op de andere een magische transformatie plaats, alsof alles wat behoedzaam was gegroeid – bomen, planten, insecten, dieren – zich opeens met overgave in het volle leven stortte. We hebben een korte groeitijd, maar wel een hele heftige.

De lammetjestijd viel dat jaar ongebruikelijk laat. Net als in het voorafgaande voorjaar was het mijn taak zo nodig de knecht te helpen. Hij verbleef in de schuur en sliep in een rol dekens op de hooizolder boven de schapen, zodat hij kon horen wanneer er een schaap begon te blaten; ik sliep in de bijkeuken waar hij me kon wekken zonder mijn ouders wakker te maken. Op elk uur van de dag kon er een lam komen, maar meestal kwamen ze 's nachts. Vaak raakten verschillende ooien achter elkaar in barensnood, alsof ze door elkaar geïnspireerd werden. Het was uitputtend, bloederig werk. Ik deed alsof ik er een hekel aan had, maar ik was allang aan bloed gewend en was op een leeftijd dat ik het niet erg vond, ja zelfs eerder leuk, om in het holst van een warme nacht uit bed te worden gehaald. Als de knecht me nodig had, tikte hij op het raam; ik had een lichte slaap en werd meestal meteen wakker.

Achteraf gezien ben ik natuurlijk verbaasd over deze regeling. Hoe konden mijn ouders – en in het bijzonder mijn vader – mij zo achteloos hebben vertrouwd bij deze man, een knecht? Maar ik weet dat de gedachte aan vertrouwen of wantrouwen niet eens bij hen opkwam: ze hadden op een haast hardnekkige manier geen besef van de veranderingen in mij, van het feit dat ik een jonge vrouw was geworden – mijn vader waarschijnlijk omdat hij zijn kleine meid niet wilde kwijtraken, mijn moeder omdat, realiseer ik me nu, ze de concurrentie van een andere vrouw in huis niet kon verdragen. En de knecht? Voor hen behoorde hij tot een totaal andere diersoort en vormde hij geen grotere bedreiging voor mijn onschuld dan een ram voor de maagdelijke staat van een gans. Een indiaan zou tenslotte iemand als ik nooit aan durven raken. Bovendien ging het werk op de boerderij in die dagen voor alles; ik was nodig, en dus moest ik meewerken.

Op een avond moeten er veel eitjes zijn uitgekomen, want er begonnen kevers tegen het raam te tikken. Ze ramden zichzelf tegen het glas en zweefden gonzend rond, als bezetenen aangetrokken door het licht. Ik had voor mezelf een hoekje in de bijkeuken ingericht met een veldbed, een tafel, een lamp en een leesboek. Ik voelde me rusteloos, had het warm en werd afgeleid door de herrie van die meelijwekkende kevers, en daarom las ik langer dan normaal en viel ik in slaap met de lamp nog aan.

Ik droomde. Waarover herinner ik me niet, ik kon het me zelfs vlak na mijn ontwaken niet meer herinneren. Maar ik weet wel dat ik in een droom voor het eerst een tegelijk vertrouwde en vreemde stem hoorde, een stem die mijn naam noemde en me op zachte toon riep.

Ik opende mijn ogen. Dicht bij mijn gezicht was een ander gezicht, een gezicht dat ik kende en ook weer niet. Een gezicht met donkere, tedere ogen. Hoewel het gezicht zich snel terugtrok, zag ik dat. En toen zag ik dat de knecht me wekte en me vroeg om naar de schuur te komen. Hij had me te midden van al het geluid van de kevers niet wakker gekregen, was binnengekomen, had neergezien op mij in mijn slaap en mijn naam gezegd. En vervolgens was hij de deur uit gegaan en verdwenen in de nacht.

Ik stond op, en alles leek net zo te zijn als altijd. Maar in die paar ogenblikken – die ogenblikken waarop ik zijn stem had gehoord en zijn gezicht zo dicht bij het mijne had gezien – was er iets veranderd. Het was alsof dat wat ik voor de werkelijkheid had gehouden in feite alleen een gordijn was gebleken, een theaterdoek waarachter iets anders verborgen lag, een andere werkelijkheid – een werkelijkere, belangrijkere en interessantere werkelijkheid. Een werkelijkheid waarin ik die stem had gehoord en die ogen had gezien: de werkelijkheid dat de knecht een mens was en om mij gaf.

We verlosten die nacht acht lammeren. Toen werd het licht. Ik kon nauwelijks meer lopen, zo uitgeput was ik, maar toch bleef ik in de schuur en keek toe hoe hij aan de ochtendtaken begon. 'Wil je dat ik je help?' vroeg ik hem. Hij keek me weer in de ogen, voor het eerst sinds dat moment in de bijkeuken. Ik stond tegen een paal geleund; ik wist zeker dat ik in elkaar zou zakken als ik die steun zou moeten missen. 'Nee,' zei hij tegen mij. 'Slaap jij maar.'

Ik had tegen hem gesproken; hij had teruggesproken. Onze stemmen hadden zich met elkaar vermengd in de lucht tussen ons in. Hij had mij aangekeken; onze blikken hadden elkaar ontmoet. Toen ik moeizaam naar huis en naar bed terug sjokte, koesterde ik dat besef.

Voor het raam van de bijkeuken lagen verschillende kevers op de grond, hun pootjes fietsend in de lucht. Ik plette ze onder mijn laars. Het was bekend dat ze mijn moeders stokrozen aanvraten.

Toen ik nog klein was, vertelde mijn moeder dat motten vlinders waren die verbannen waren naar de nacht, waar ze een gekweld leven leidden en droomden van de dag. Zo verklaarde ze waarom ze zich overgaven aan een vlam: dat betekende zowel een einde aan hun lijden als een hereniging met het licht waarnaar ze hunkerden.

Deze parabel was uiteraard bedoeld om mij te waarschuwen tegen ongeoorloofde verlangens. Nu het einde van de lammetjestijd een einde maakte aan mijn nachtelijke, zij het kuise, rendez-vous, voelde ik me als een mot die niet alleen uit het licht maar ook uit de nacht was verbannen. Ik ging terug naar mijn eigen kamer, hij ging terug naar de hut in het bos waar hij de rest van het groeiseizoen verbleef. Op het oog was er helemaal niets veranderd. Maar al spraken we niet vaker met elkaar dan voor die nacht, als onze blikken elkaar nu ontmoetten, talmden ze even. Telkens wanneer ik in zijn nabijheid was, raakte mijn borst vervuld van een vreemde pijn. Ik stelde me voor dat voor hem hetzelfde gold. Het verraste me dat mijn ouders niet zagen wat er tussen ons was – in mijn ogen een reusachtig en zich snel uitbreidend web. Elke avond als hij de heuvel op ging, voelde ik hoe de draden aan me trokken; 's ochtends bij zijn terugkeer voelde ik ze sterker worden. Maar ik was voorzichtig, en mijn ouders bleven onwetend.

Ik fantaseerde niet. Ik had niets waarmee ik fantasieën kon voeden, zelfs geen verhalen uit boeken. Ik mocht uiteraard geen romans lezen. Ik kon me geen voorstelling maken van een liefdesverhouding, en wist niets van seks afgezien van wat ik bij dieren had waargenomen. Het idee van een huwelijk was me vreemd en stond ver van me af. Dit was iets anders. Ik dacht er niet over na en creëerde geen 'ons'; ik leefde alleen in mijn hart en ervoer mijn emoties zonder ze te benoemen.

's Avonds laat was het op zijn ergst. Als ik, door één muur van mijn ouders gescheiden, in bed lag en met niets anders in mijn hoofd dan mijn gevoelens, kwam de afstand tussen hem en mij me ondraaglijk voor. Ik verstuurde boodschappen vanuit mijn geest naar de zijne, in de hoop dat hij ze zou opvangen. Ik bleef doodstil liggen en probeerde de boodschappen te voelen die hij, dat wist ik zeker, naar mij verstuurde. Elke nacht viel ik in die koortsachtige toestand in slaap. En zo begon ik te dromen.

Wat ik me niet kon voorstellen, werd me door mijn dromen aangedragen. Aanvankelijk kon ik ze me niet herinneren; ik wist alleen dat ik badend in het zweet wakker werd – niet bang, maar op een vreemde manier opgewonden. Elke nacht werd het erger, totdat ik niets meer op mijn huid kon verdragen. Ik gooide de lakens van me af, en rukte mijn nachtpon van mijn lijf, maar zelfs de lucht leek een te grote druk; ik kon niets anders doen dan boos wakker blijven liggen. De hete lucht, de wind in de bomen, het refrein van de kikkers in de vijver in de wei: alles irriteerde me buitensporig. Ik ontdekte dat ik alleen kon slapen door naakt op het kriebelige paardenharen kleedje te gaan liggen dat op mijn vloer lag. De ene irritatie hief de andere op.

Toen kwam de waterdroom. In die droom lag ik niet op mijn kleedje, maar ergens aan de kust, waar het water op en over me heen klotste. Het verkoelde mijn huid en streelde me. De zon was warm, het water koel en vriendelijk. In de droom opende ik mijn ogen. Het water werd een vloeibare hand die me streelde, over mijn borsten, mijn buik en mijn benen. Ik voelde een aangename tinteling die intenser werd, en tot een soort genot uitgroeide dat ik nooit eerder had gevoeld: ik steeg op naar de eindeloze hemel boven me.

Ik werd wakker met een gevoel van schaamte, maar zonder precies te weten waarom.

Die ochtend bij het ontbijt was mijn moeder druk in de weer, kordaat als altijd. 'Ik wil dat je vandaag de knecht een handje gaat helpen,' zei ze tegen me. Het was niet ongewoon dat ze dat zei. Maar bij het woord 'handje' stroomde het bloed naar mijn gezicht, om er meteen weer uit weg te stromen. Ik herinnerde me de droom van de waterhand die me aanraakte.

Duizelig liet ik de lepel vallen waarmee ik net mijn havermout had willen gaan eten. 'Marguerite?' vroeg mijn moeder. 'Ben je ziek?' Ze voelde aan mijn voorhoofd en ging zachter praten, alsof mijn vader haar vanuit de steengroeve zou kunnen horen. 'Is het je tijd?' Ik schudde mijn hoofd, beseffend dat ze doelde op het maandelijkse bloeden. 'Als het wel zo is, kun je het beste een dag in bed blijven,' zei ze. Ik schudde heftig mijn hoofd. 'Nee, nee, ik voel me uitstekend,' zei ik. Ik kon me geen ergere marteling voorstellen dan weer naar bed te moeten gaan. 'Het komt gewoon door de warmte.' 'Nou, die zal alleen maar erger worden,' zei ze; zoals ze gewend was verlichtte ze bestaand ongerief door te voorspellen dat het ergste nog moest komen. 'Ja,' zei ik.

Ik wist zelfs toen al dat dromen de toekomst kunnen voorspellen – of, op zijn allerminst, kunnen vertellen wat de dromer van de toekomst verlangt. Dus ging ik naar de schuur zonder te weten wat er zou gebeuren, maar ik wist dat er iets ging gebeuren. Hij hing een hoofdstel op in de zadelkamer; hij had zijn rug naar me toegekeerd en hoorde me niet. Zo beviel hij me het best, 's ochtends als zijn shirt nog schoon was en zijn haren nog nat en gekamd waren na zijn ochtendbad in de plas bij de steengroeve. Zonder erbij na te denken, ging ik achter hem staan en legde mijn handen op zijn vlakke rugspieren. Hij bleef bewegingloos staan. Het was nagenoeg donker in de zadelkamer, en geluiden werden er gedempt door de zachte oude betimmering van de muren. Ik liet mijn handen de kromming van zijn lichaam volgen, totdat ik hem vastpakte. Ik hield mijn adem in. Hij nam mijn handen in de zijne, legde ze op zijn borst en trok me dicht tegen zich aan. Ik begon weer te ademen, en raakte vervuld van zijn geur. Met mijn oor tegen zijn rug luisterde ik naar zijn kloppende hart en voelde een diep en mij onbekend genot.

Die dag zei hij me zijn naam: Daniel.

Het leven wordt heel vreemd wanneer je voor bepaalde momenten gaat leven – daartussenin lijkt niets meer echt. Toen de zomer zich hield aan de voorspelling van mijn moeder en zelfs nog warmer werd, liep ik rond, hoorde ik de gesprekken van mijn ouders aan, at ik en werkte ik alsof er niets was veranderd. Maar dat alles diende alleen om de momenten te bewaren waarop Daniel en ik bij elkaar kwamen. Ik sliep, ik slaapwandelde – behalve wanneer ik bij hem was; alleen hij scheen me tastbaar en echt toe; pas dan had ik het gevoel wakker te zijn. Ik voelde de spieren en botten onder zijn huid en begreep wat hun doel was; ik rook zijn geur, de geur van stro, mest, zweet en de zoete pommade die hij in zijn haar deed – de geur van dat alles tegelijk en niets afzonderlijk – en ik was er dol op. Hij op zijn beurt leek zowel niet in staat zichzelf in te tomen als vastbesloten om mij in te tomen, want als het aan mij had gelegen, zouden we die eerste dag al op de ongeplaveide vloer van de schuur zijn gaan liggen.

Maar hij hield me tegen. Behoedzaam beperkte hij onze omhelzingen tot momenten waarop we puur toevallig alleen en veilig uit ieders zicht waren – in de schuur, op het land of in het bos. Hij liet mij altijd naar zich toekomen, en zelfs dan bood hij me eerst weerstand en liet zijn lichaam tegen mij aan verstijven. Ik leerde algauw hoe ik hem moest overwinnen, hoe ik mijn borsten tegen zijn borstkas moest drukken, hoe ik mijn hand onder zijn shirt moest laten glijden en waar ik mijn lippen moest plaatsen, en gewoonlijk duurde het maar een ogenblik voordat hij me naar zich toe trok, mijn schouderbladen in zijn sterke handen nam, zijn mond opende en mijn lippen van elkaar drukte en zijn handen onder mijn blouse liet glijden.

Maar hij liet het niet verder komen. Op een bepaald punt,

altijd te vroeg, drukte hij me weg. 'Er is werk te doen,' zei hij, en we gingen verder met wat we hadden gedaan; hij liet zich net zomin tegenspreken als een boom, of als mijn vader of moeder. Het leek eeuwig te duren, die tussen-toestand. En als ik had gedacht dat mijn nachtelijke kwellingen erdoor zouden ophouden, had ik het bij het verkeerde eind; die werden er alleen maar erger op. Ik at bijna niet meer; mijn moeder, die bij hoge uitzondering uiting gaf aan haar bezorgdheid, probeerde me op het heetst van de dag naar bed te laten gaan. 'Het is misschien een zonnesteek,' zei ze, met haar handpalm tegen mijn voorhoofd gedrukt. Ik wimpelde haar af. 'Ik voel me uitstekend, moeder,' zei ik, meer irritatie tonend dan mijn bedoeling was. Ze stak haar kin vooruit. 'Uitstekend zou ik dat niet willen noemen,' zei ze. 'Brutaal is eerder het woord dat ik zou gebruiken.' Maar ze liet me los.

Ik vermoed dat ze zelfs toen al haar verdenkingen koesterde. Maar een deel van haar beschouwde mij nog altijd als een kind, en wat die verdenkingen inhielden zal ik nooit weten. Op een avond onder het eten probeerde ze mijn vader duidelijk te maken dat ik niet meer op de boerderij hoorde te werken, dat ik me als jongedame moest gaan gedragen. Hij keek mij alleen maar aan en glimlachte. 'Ik wil niet dat ze zacht wordt,' hoorde ik hem later tegen mijn moeder zeggen. 'Het leven is hard voor zachte mensen.'

Er kwam een brief voor Daniel.

Keller's General Store was in die dagen de enige winkel op het eiland, waar je voor alles terecht kon. Het was een drukke, kleine winkel bij de aanlegsteiger van het veer, waar je je belasting kon betalen, kon telefoneren of een telegram kon versturen en waar je bloem, suiker, textiel, ijzerwaren, verf, laarzen, augurkjes, snoepgoed, toiletartikelen, medicijnen, kaartjes voor het veer en nog tientallen andere artikelen kon kopen. Maar meneer Keller was er vooral trots op dat hij de officiële directeur van de post op het eiland was, al had dat over het algemeen weinig meer te betekenen dan dat hij postzegels verkocht en met de schipper van het veer de uitgaande post voor de inkomende ruilde. Er werd in die dagen geen post bezorgd; als er een brief binnenkwam, kon hij weken achter het loket van het postkantoor blijven liggen, gesorteerd in een doos met de etiketten 'A-E', 'F-Q' en 'R-Z', zonder dat iemand zelfs maar de moeite nam je ervan op de hoogte te stellen. Daarom gingen wij wekelijks naar Keller.

Toen ik nog een klein meisje was, maakte ik de tocht met mijn vader, die, ondanks de protesten van mijn moeder dat het mijn gebit en ook mijzelf zou bederven, altijd weer een paar snoepjes voor mij kocht. Ik was dol op die tochtjes, niet alleen vanwege het snoepgoed, maar ook omdat ik ervan genoot mijn vader en meneer Keller met elkaar in gesprek te zien. Voor mij waren ze de koningen van ons eiland wanneer ze discussieerden over de betekenis van het verleden, wat er in het heden moest veranderen, en wat de toekomst zou brengen. Ze voorspelden de komst van elektriciteit lang voordat het zo ver was; ze bespraken de heffingen van belastingen, de aanleg van wegen en de bouw van bruggen en scholen; ze spraken hun verwachtingen uit over het verloop van oorlogen en debatteerden over het landelijke en lokale bestuur. (Papa was al zo lang als ik me kon heugen gekozen gemeenteraadslid, en meneer Keller was zowel gemeentesecretaris als thesaurier, en bij gemeentevergaderingen waren hun woorden van groot gewicht voor de bevolking.) Ik zat op de toonbank, liet mijn benen bungelen en een snoepje oplossen tegen mijn wang. Intussen bekeek ik hun gezichten en luisterde naar hun woorden – en dan zei ik bij mezelf dat mijn vader een groot man was, en hield des te meer van hem.

Toen ik ouder werd en mijn vader het drukker kreeg, maakte ik de tocht meestal alleen, maar ik keek er niet minder naar uit. Ik vond het heerlijk de rollen stof te bekijken, de damesschoenen en de postordercatalogus die voor mij de wereld van het winkelen opende. Daarna gaf ik de paar penny's die ik van mijn vader had gekregen uit aan een bonbon of een stuk zoethout, wat me het gevoel gaf dat ik me kinderlijk gedroeg, deed de post in mijn schoudertas en liep naar huis.

Toen ik die dag de winkel binnen kwam, werd meneer Keller afgeleid door twee vrouwen die een telegram wilden versturen. Terwijl hij bezig was, dwaalde ik rond, vergenoegd nieuwe en oude waren inspecterend. Ten slotte riep hij mij, met een mij onbekende nieuwsgierige toon in zijn stem. 'Ik heb hier een interessante brief,' zei hij, terwijl hij in de 'A-E'-doos rommelde. 'Voor jullie knecht,' zei hij en gaf mij de enveloppe. Hij was in een groot en kinderlijk handschrift beschreven, maar de brief was duidelijk voor Daniel. In de hoek stond het adres van de afzender op het vasteland.

Het drong plotseling tot me door dat ik niets van Daniels familie afwist, en maar heel weinig van hemzelf. Ik spoedde me naar huis, met de brief in mijn blouse gestoken zodat mijn moeder hem niet zou zien. Daarna ging ik zo snel mogelijk op zoek naar Daniel.

Hij was bezig hooi op de hooizolder op te slaan. Daarvoor gebruikte hij een ingenieus toestel dat hij zelf had uitgevonden. Het bestond uit verschillende touwen met katrollen die hij van onderaf bediende, en waarmee hij het hooi naar boven hees op een plateautje dat omkantelde en het hooi door het open raam stortte. Normaal gesproken zou ik boven hebben gestaan om de balen aan te pakken en op te stapelen, maar omdat ik de hele ochtend weg was geweest, had hij dat zelf gedaan. Het was een warme dag; zijn onderhemd was doordrenkt van het zweet; zijn gezicht en zijn armen zagen rood; zijn gezicht van de inspanning en zijn armen van het hooi dat erlangs had gekrast. Maar toen hij mij zag, glimlachte hij en sprong van de hooizolder omlaag. Ik gaf hem een kroes met water uit de regenton, en hij dronk ervan.

'Daniel,' zei ik, en ik tastte in mijn blouse, 'er is een brief voor je.'

De glimlach verdween van zijn lippen. Hij nam de enveloppe en stak hem in zijn achterzak.

'Ga je hem niet lezen?'

'Later,' zei hij, en uit zijn toon begreep ik dat ik niet moest aandringen.

Ik ging op een hooibaal zitten en staarde hem aan. 'Vertel me eens over je familie,' zei ik.

'Marguerite.'

'Nee, echt – ik wil het weten.'

Hij zuchtte. 'Marguerite, er valt niets te vertellen.'

'Heb je broers en zussen?'

Hij knikte.

'Hoeveel?'

'Twee broers en twee zussen,' zei hij.

'Hoe oud zijn ze?'

'Ouder dan ik,' zei hij.

'Waar wonen ze?'

'Op een boerderij.'

Ik stond geërgerd op. 'Jij weet alles van mij,' zei ik. 'Is het nou zo moeilijk om mij wat over jou te vertellen?'

Ik kon niet uitmaken of de uitdrukking op zijn gezicht, die het midden hield tussen een glimlach en een meesmuilende grijns, duidde op geamuseerdheid of op capitulatie. Dat werd evenwel duidelijk toen hij sprak. 'Ze zijn straatarm,' zei hij, 'en te dom om er iets aan te veranderen. Laten we het daar maar bij laten.'

Ik koos een andere tactiek. 'Van wie komt de brief?' vroeg ik.

'Van mijn oudste broer,' zei hij. 'Die is naast mij de enige die kan lezen en schrijven.'

'Waarom maak je hem niet open?' vroeg ik.

Uit irritatie gaf hij zich uiteindelijk bloot. 'Omdat,' zei hij, 'ik al weet wat erin staat. Ik heb hem gezegd dat hij me moest schrijven als onze vader zou sterven. Alleen daarom heeft hij me een brief gestuurd.'

Hij stond rechtop. Ik staarde hem aan, en wachtte tot hij meer zou zeggen of in elk geval tot er emotie op zijn gezicht te zien zou zijn. Maar hij nam alleen nog een kroes water uit de ton, veegde zijn mond af en staarde naar de hooiwagen. 'Je kunt maar het beste naar het huis teruggaan om te lunchen,' zei hij. Ik knikte en ging.

Na de lunch trok ik mijn werkkleding aan en ging terug naar

de schuur om te helpen met het hooi. Maar Daniel was nergens te vinden. Ik riep hem, en toen hij niet reageerde beklom ik de heuvel en ging naar de hut waar hij woonde. De deur stond open; ik ging naar binnen. Hij was er, hij zat op zijn veldbed met zijn gezicht in zijn handen. 'Daniel,' zei ik. Hij keek op, en er stonden tranen in zijn ogen.

Ik raapte de brief op van de vloer, waar hij terecht was gekomen. In het kinderlijke handschrift werd een 'chriep' gemeld die allebei de ouders het leven had gekost. 'We hebbe ze zondag begraave,' stond er. 'Jammer dat je niet bij ons kun zijn.'

'O, Daniel,' zei ik, en ging naast hem zitten.

Toen kwam hij in mijn armen, en ik streelde hem over zijn haren terwijl hij snikte zoals het een verweesd kind betaamt.

De zomer begon te tanen. Op de hete augustusdagen volgden koelere nachten. Soms hielden Daniel en ik als we samen wandelden elkaars hand vast, net als alle andere stelletjes. We kusten en omhelsden elkaar nog altijd op stille, steelse momenten, maar we spraken nu ook onder het werk. We hadden het over onze dromen en interesses, en zelfs over mijn ouders. 'Ik bewonder je vader,' zei Daniel op een zonnige middag. Ik was verrast door de afgunst in zijn toon. 'Iedere man die dit land wat kan laten opleveren' – hij schopte een steen voor zijn voeten weg – 'is een man die respect verdient.' Mijn vader had kort daarvoor een lucratief contract getekend om marmer voor een groot nieuw gebouw in Manhattan te leveren, en hij had dat aan iedereen rondgebazuind, zelfs aan Daniel.

'Maar heb je de indruk dat dat hem echt gelukkig maakt?' vroeg ik.

Zoals hij wel vaker deed, glimlachte Daniel naar me alsof ik nog maar een kind was – een kind aan wie hij kon uitleggen hoe de wereld in elkaar zat, mits het bereid was te luisteren. 'Natuurlijk niet,' zei hij. 'Maar moet je zien wat het hem verder oplevert. Land, een vrouw, een gezin. Dát maakt hem gelukkig.'

Op een avond aan tafel vertelde mijn vader, nog altijd stralend door zijn succes, mijn moeder en mij dat hij de eerste vracht marmer persoonlijk naar de grote stad zou brengen. Hij zou op de schuit meevaren, het meer af en de rivier op, een reis die dagenlang duurde. Mijn vader verliet het eiland maar zelden, dus was dit een gewichtige mededeling. Ik kon me hem niet in een grote stad voorstellen; ik kon me geen voorstelling maken van de grote stad. Maar algauw verloor ik mijn interesse en probeerde het niet meer. De gedachte dat mijn vader weg zou zijn wond me op, alsof hij steeds degene was geweest die me van Daniel weg had gehouden.

De ochtend waarop mijn vader naar New York vertrok, zwaaiden we hem met zijn allen uit – mijn moeder, Daniel en ik, en de werklui uit de steengroeve. Mijn vader keek op ons neer vanaf zijn zitplaats achter het span van acht enorme trekpaarden en zei: 'Moeder, pas goed op,' en daarna keek hij langs mij heen naar Daniel en zei: 'Pas jij op hen alsof ze je eigen gezin zijn, denk erom. Hou een geweer bij de hand,' en Daniel knikte. Toen realiseerde ik me dat papa hem had opgedragen om weer in de schuur te gaan slapen, net als in de lammetjestijd.

Papa vertrok. Hij nam twee van zijn mannen mee en liet zijn tweede voorman en nog een man uit de ploeg achter om toe te zien op het delven van de eerstvolgende vracht. Toen deze mannen in hun wagen terug denderden over de weg naar de groeve, wendde mijn moeder zich tot Daniel en mij. 'Nou,' zei ze, 'als God het wil zal hij op tijd terug zijn voor de appeloogst.' Daarna keek ze op zo'n manier naar ons dat ik me afvroeg wat ze zag. Maar ik hield me zo roerloos mogelijk, en de blik verdween weer. 'Jullie moesten het hooi maar eens afmaken,' zei ze en ging naar huis om haar taken te verrichten.

We konden niet in de schuur blijven.

Het ging niet. Ik wilde me niet aan hem geven op die donkere, muffe plek waar de dieren aten, poepten en ademden. En dus riep ik hem, die nacht dat ik naar hem toeging, naar beneden, hoorde zijn voeten op de sporten van de ladder en voelde zijn aanraking nog voordat ik zijn gezicht kon zien. 'Kom mee,' zei ik. Hij zei niets, maar pakte mijn hand, en ik wist dat ik gelijk had gehad. Nu mijn vader weg was, was Daniel van mij.

Ik leidde hem door het bos. Dat is van cruciaal belang: ik leidde hem. Ik kan niet zeggen dat hij onschuldig was, maar hij was evenmin schuldig. Als er al iemand verantwoordelijk was, was ik dat; ik zou de schuld op me moeten nemen.

We kenden het plekje allebei, dat is waar. De plas bij de steengroeve. Een groeve die buiten gebruik was, die was volgelopen met regenwater en nu 's nachts gevuld werd met gespiegelde sterren. Een dun maantje – 'een nagel van God,' zou mijn vader het hebben genoemd – gaf ons net genoeg licht om te kunnen zien. We stonden aan de waterkant, en ik bracht mijn handen naar de knoopjes van zijn shirt. Het gleed van zijn schouders, en ik maakte ook de knoopjes van mijn jurk los, waaronder ik helemaal niets aanhad. Hij duwde zijn handpalmen mijn richting uit totdat ze net mijn tepels aanraakten. Ik lachte. Geen zenuwachtig giecheltje, o nee; ik lachte uit volle borst. Ik was gelukkiger dan ooit.

Eerst gingen we zwemmen. Er was sinds begin juli niet veel regen gevallen, en het water was warm als een bad. We zochten elkaar in het zwarte water en kusten elkaar intenser en ongeremder dan ooit tevoren. Ik voelde hem tegen me aan, al zijn zachte lichaamsdelen. Ik wilde hem aanraken, maar toen ik het probeerde, trok hij zich terug en ging nog wat zwemmen. Ik genoot ervan te horen hoe hij door het water gleed. Daardoor wilde ik hem. Ik zwom alsmaar rond, op zoek naar hem, maar hij ontweek me nu. Ik riep hem: *Daniel, Daniel* – maar hij bleef zwijgen, hij deed een spelletje met me. Ik watertrappelde, zo stil als ik kon, luisterde of ik hem kon horen ademen en hoorde niets. Angstig riep ik hem nog eens.

En toen was hij achter me, met zijn armen om me heen en op mijn borsten. Hij dook uit het water op, lachte, kuste me en draaide me om.

We gingen naar de bemoste rots waar onze kleren lagen. We spreidden ze onder ons uit en gingen liggen. Een moment hield ik zijn gezicht in mijn handen. In het maanlicht was het een donker gezicht met ogen die even zwart en glanzend waren als het water. Ik wil graag geloven dat ik 'Ik hou van je' heb gezegd, maar ik kan het me niet meer herinneren. Hij boog zich naar me toe, en we begonnen te vrijen.

Het was niet wat ik me ervan had voorgesteld. Na afloop lagen we lange tijd naast elkaar, terwijl alleen onze vingers elkaar aanraakten. De koele lucht golfde om ons heen; ik rilde, en hij kwam weer bij me en bedekte me met zijn lichaam. Ik vond het prettig zijn gewicht en zijn warmte op me te voelen. Toen voelde ik dat hij weer tegen me aandrukte. Ik wist niet zeker of ik het wel kon en wel wilde. Toen begon hij dingen te doen waardoor ik zin kreeg. Ik drukte mezelf tegen zijn hand aan, tegen de golf van sensaties, van bijna ondraaglijke sensaties. Toen hij ermee ophield, ontsnapte er een kreuntje aan mijn lippen; ik wilde niet ophouden. En vervolgens lag hij weer boven op me en bewoog ik me onder hem, omhoogduwend wanneer hij omlaagduwde, totdat we ten slotte werden overspoeld door de golf, die ons verdronk, doorweekte en leeg liet lopen.

We vielen daar op de rots in slaap. Vlak voordat de dag aanbrak, werden we wakker. In het grauwe licht zag ik het bloed op mijn dijen en mijn jurk. In mijn onwetendheid dacht ik dat mijn tijd van de maand was aangebroken, en ik voelde me gegeneerd. Maar hij ging alleen met mijn jurk naar de waterkant – wat was zijn lichaam mooi, één en al botten en spieren, bleker op plaatsen waar de zon niet bij had gekund, donkerder waar hij wel was geweest – en spoelde hem daar net zo lang uit tot bijna al het bloed weg was. Toen riep hij mij naar de waterkant, waar hij ook mij schoon begon te wassen.

En dat moet moeder hebben gezien toen ze ons overviel. Een Adam en Eva, naakt in de hof van Eden. Daniels tederheid terwijl hij me waste, me heen en weer draaiend. Ik weet nog dat ik, toen ik haar hoorde, net mijn hand achter in zijn nek had gelegd om hem naar me toe te trekken voor een kus. Het raspende geluid dat uit haar keel kwam. Het geluid van de ontdekking van het verraad. Toen ik me naar haar toekeerde en haar aankeek, toen ik haar onthutste gezicht zag, asgrauw van woede en verbijstering, voelde ik niet wat ik had gedacht te zullen voelen. Ik voelde geen schaamte, en geen verlangen om mezelf te bedekken. Ik voelde juist trots.

Toen mijn vader terugkwam, waren de appels rijp en was het tijd voor de pluk. Mijn vader bromde wat toen hij hoorde dat mijn moeder Daniel had ontslagen – 'betrapt op diefstal' zei ze alleen –, maar bedaarde en vond het goed dat ze de dochter van zijn voorman in dienst nam om ons te helpen met de oogst.

Het meisje leek minder op me dan alle andere meisjes die ik kende. Ze was lang en dun, met een snavelachtige neus en een kleine kin, maar verrassend sterk: ze kon in haar eentje een volle kist appels dragen. Ik was vooral verbaasd over haar taalgebruik. In de buurt van mijn ouders praatte ze zacht en gedroeg ze zich onderdanig, maar zo gauw zij weg waren en wij alleen tussen de bomen stonden, kwamen er woorden uit haar mond die ik nooit eerder had gehoord, zelfs niet van mijn vader. 'Kutkevers,' zei ze, meppend naar de paardenvliegen die ons lastig vielen. 'Klotewortels,' zei ze elke keer wanneer ze met haar tenen tegen de knoestige wortels aanstootte die uit de dunne laag aarde omhoogstaken. Ze heette Gwenny, een verkorte vorm van Gwendolyn.

Moeder gaf ons elke dag een lunchpakket mee, zodat we geen tijd hoefden te verspillen door terug naar huis te komen voor het eten. Als we samen in de schaduw zaten, voerden Gwenny en ik rare, eenzijdige gesprekken. Ze stelde mij de ene vraag na de andere, maar voor ik volledig antwoord had kunnen geven, stelde ze alweer een volgende vraag, terwijl ze voortdurend achterom en om mij heen keek alsof ze verwachtte dat we elk moment konden worden onderbroken. Ik wist niet of ze echt zo nieuwsgierig naar me was of dat ze vriendinnen probeerde te worden door blijk te geven van belangstelling, maar het was vleiend om aan zulke ondervragingen te worden onderworpen. Niemand had ooit zo veel over mij willen weten.

De meeste vragen van haar gingen over de manier waarop wij

leefden. Ik maakte daaruit op dat haar ouders de mijne beschouwden als koningen, als onvoorstelbaar rijk en daarom godgelijk, ook al werkten wij net zo hard als zij. Gwenny wilde alles weten: van de lakens die op onze bedden lagen tot wat we aten, van de garderobe van mijn moeder tot de opleiding van mijn vader. Het leek of ze haar leven naar het onze wilde modelleren door de details na te bootsen.

Op een dag werd ik het onderwerp van gesprek. Had ik gereisd? Waarheen? Wanneer? Hoe? Welke boeken had ik gelezen? En toen, zonder enige aanleiding: 'Ben je ooit gezoend?'

Ik moet een kleur hebben gekregen, want ze grijnsde en zei: 'Ah!' En vervolgens: 'En ben je ooit verdergegaan?'

Alweer een grijns.

'Dan heb je dus alles gedaan,' zei ze op tevreden toon. Toen ging ze zachter praten en sloeg een samenzweerderige toon aan. 'Ik ook,' zei ze. 'Ik heb het afgelopen nacht gedaan.'

Er was meer dan een maand verstreken sinds de nacht dat Daniel en ik 'het hadden gedaan'. Later op die ochtend, nadat ik voor de rest van de dag naar mijn kamer was gestuurd, had ik hem zien vertrekken, met zijn spullen in een zak over zijn schouder. Hij was nog één minuut voor het huis stil blijven staan en had omgekeken en omhooggekeken – maar hij zag mij niet, hij wist niet waar hij moest kijken. En toen hoorde ik hoe mijn moeder het huis uit kwam stormen en hem toeschreeuwde: 'Wegwezen hier, weg!' Ze zwaaide met haar armen naar hem alsof ze een wilde hond verjoeg. En hij ging.

Daarna begon ik elke keer te huilen wanneer ik aan hem dacht, en daarom had ik mezelf bezworen dat ik niet meer aan hem moest denken, min of meer met succes tot het moment dat Gwenny het onderwerp oprakelde. Nu braken de dijken en stroomden de tranen weer.

'O,' zei Gwenny, en ze legde een vuile maar medelevende hand op mijn knie. 'Heb hij je dan met jong geschopt?'

Door mijn tranen heen keek ik haar aan. 'Met jong geschopt?' vroeg ik.

Ze knikte. 'Je weet wel – dikke buik.' Ik stond nog steeds perplex. Waren dat aanduidingen voor een gebroken hart? Ze ging nog zachter praten en bracht haar gezicht dichter naar het mijne toe. In haar blik blonk iets van een lieve, begripvolle vriendelijkheid. '*Zit er een kindje in je?*' fluisterde ze. Ik staarde haar alleen maar aan, terwijl de tranen uit zichzelf opdroogden. Ze leunde achterover, opnieuw tevredengesteld. 'Dat dacht ik al,' zei ze. 'Het is aan je te zien.'

Sindsdien heb ik verhalen gehoord over vrouwen die als ze iemand zien onmiddellijk kunnen vertellen of ze zwanger is. Misschien was Gwenny een van hen, of deed ze alsof. In elk geval merkte ik dat ik me, zo gauw ze die woorden gezegd had, afvroeg of ze gelijk had.

Natuurlijk wist ik hoe het bij dieren ging. Schapen, paarden, koeien, varkens: ik had bij allemaal gezien hoe ze hun vruchtbare periode kregen – bronstig, noemde mijn vader het; mijn moeder noemde het tochtig; ik had de wetenschappelijke termen geleerd uit een van de boeken van mijn vader. Ik had de dieren zien paren en de nakomelingen gezien die ze voortbrachten. Maar wat er was gebeurd tussen Daniel en mij had, hoe aards en bloederig het ook was, iets anders geleken – een uitdrukking van gevoelens, geen voortplantingsdaad. Ik had tot op dat moment nooit het verband gelegd tussen liefde en biologie, en nooit bedacht dat het verlangen dat ik had gevoeld misschien niet verschilde van het verlangen dat onze koeien voelden voor die ene stier die ze allemaal bevruchtte.

Ik merkte dat ik telde: ik telde dagen en maanden. Hoe lang was het geleden sinds ik had gebloed? Ik kon het niet met zekerheid zeggen. Ik keerde me naar Gwenny toe. 'Hoe weet je zoiets?' vroeg ik haar.

'O, dat kan ik gewoon zeggen. Dat heb ik altijd gekund.'

'Nee,' zei ik. 'Hoe kan ík zoiets weten? Hoe kan ik er zeker van zijn?'

Ze haalde haar schouders op. 'Je komt er wel achter,' zei ze. 'Eerst voel je je de hele tijd duizelig en misselijk. Misschien moet je zelfs wel kotsen. Een hoop meisjes doen dat. Die kunnen niks meer binnenhouden. Dan worden je tieten dikker, en dan je buik.' We keken allebei naar mijn lichaam. Gwenny knikte zelfverzekerd. 'Je komt er wel achter,' zei ze nog eens.

Na de lunch gingen we weer aan het werk. Werd het lichte gevoel dat ik in mijn hoofd had veroorzaakt door te snel opstaan, of door iets anders? Was de knoop in mijn maag het begin van misselijkheid of kwam hij gewoon voort uit angst? Plotseling wankel ter been en wankel in mijn hoofd besteeg ik de ladder en greep naar appels, doordrongen van een nieuw besef dat mijn lichaam een vat was, een vaas, een fles waarin een vloeistof kon worden gegoten die veel kostbaarder was dan water of wijn. Als ik viel en het vat brak, zou de vloeistof weglopen. Boven op die ladder zweefde ik korte tijd tussen de lucht en de grond, overwoog ik de beide mogelijkheden en nam een beslissing. Als het waar was, hoe voelde ik me er dan bij? Ik haalde één voet van de bovenste sport en voelde hoe makkelijk het was een onverhoedse beweging te maken, los te laten en drie of vier meter naar beneden te vallen. Zou het genoeg zijn? Waarschijnlijk niet. Zou ik willen dat het genoeg was?

Nee.

Ik wilde de baby. Ik wilde Daniels baby. Ik wilde míjn baby.

Toen ik er zeker van was, probeerde ik hem te vinden om hem op de hoogte te brengen.

Ik had nooit mogen paardrijden, uit angst dat ik mezelf zou 'beschadigen'– een argument dat nu discutabel leek. Ik had me de rijkunst dus nooit eigen gemaakt en ik kon nu kiezen uit twee mogelijkheden: met de wagen of te voet. Te voet zou te lang duren, omdat Daniels familie op het vasteland woonde en ik voor het vallen van de avond terug moest zijn. Daarom stal ik een wagen.

Een meisje van mijn leeftijd was niet vrij om te gaan en te staan waar ze wilde. Dus koos ik een dag waarop mijn moeder naar een bijeenkomst van quiltmaaksters was en mijn vader in beslag werd genomen door zijn werk bij de steengroeve. Ik wist dat hij zich wel zou afvragen waar ik was wanneer de lunchtijd aanbrak, en dat hij naar huis zou komen om te eten en mij daar niet zou aantreffen, maar dat deerde me niet. Als ik Daniel eenmaal op de hoogte had gebracht, zou niets me nog deren; als ik Daniel eenmaal op de hoogte had gebracht, zou hij met me trouwen, zouden we bij elkaar blijven en zou alles weer goed komen.

Het was intussen begin november. De dagen waren korter geworden, maar in mijn ogen duurden ze lang. De misselijkheid was inderdaad niet lang nadat Gwenny me over de feiten des levens had ingelicht begonnen, en hij duurde onverminderd voort, dag en nacht. Gelukkig 'kotste' ik niet, zoals Gwenny had voorspeld; in plaats daarvan was ik simpelweg niet in staat om te eten.

Laat in de ochtend spande ik de paarden in en reed met de wagen de schuur uit en de hobbelige weg op. Bij elke schok of zwaai vroeg ik me af of ik de eieren binnen zou kunnen houden die ik van mijn moeder had moeten opeten omdat ik volgens haar 'bleek' zag. Ze hield me in die dagen vaak argwanend in het oog, en natuurlijk met goede redenen. Ik had mijn toestand tot dan toe voor haar verborgen kunnen houden, maar spoedig zou me dat niet meer lukken; mijn borsten waren al gevoelig en gezwollen. Ik was dankbaar dat ze me de vraag nooit had gesteld; misschien hoopte ze dat haar grootste angsten ongegrond zouden blijken als ze bleef zwijgen.

Het veer was langer onderweg dan ik had gedacht, en daarna wist ik niet helemaal zeker hoe ik moest rijden. Ik had Daniels brief in de schuur teruggevonden, maar het adres van de afzender was minder duidelijk dan ik graag had gewild, en dus duurde het tot ruim na het middaguur voordat ik de boerderij had gevonden. Die zag er weinig welvarend uit – de schuur was, net als het woonhuis, ongeverfd en een deel van het hekwerk moest worden gerepareerd – maar het was er betrekkelijk proper en opgeruimd, en daaruit putte ik troost door te bedenken dat ik met armoede kon leven als andere waarden er niet onder hoefden te lijden.

Ik liet de paarden stilhouden, legde ze vast en beklom het sjofele trapje naar de veranda.

Uit de stilte had ik kunnen opmaken dat ze weg waren. Maar ik bleef aankloppen. Ik klopte mijn knokkels ruw tegen het koude hout, terwijl ik bleef hopen tegen beter weten in. Geen reactie. Ik keek om me heen naar het troosteloze oord en begreep waarom ze waren vertrokken. Maar waar was Daniel? Hoe moest ik hem nu vinden?

Ik klom weer in de wagen, niet-wetend wat ik verder nog kon doen. Het enige wat ik bij me had was de brief – geen potlood, niets om mee te schrijven. Ik klom weer van de wagen en schoof de brief onder de deur door. Als Daniel terugkwam en hem vond, zou hij weten wie hem daar had achtergelaten. En dan zou hij naar mij toe komen. Ik wilde graag geloven dat hij zou komen en mij zou redden uit het pandemonium dat zeker zou losbarsten als mijn ouders de waarheid ontdekten. Maar dit was niet de gelukkige hereniging geworden die ik in mijn hoofd had gehad, en niets leek nu nog zeker.

Toen ik naar het veer reed, keek ik of ik hem niet zag, in de irrationele hoop dat het lot ons weer bij elkaar zou brengen. Dat deed het niet. Het werd donkerder, ongewoon donker voor de tijd van de dag, maar ik was zo in gedachten verzonken dat ik de naderende bui niet opmerkte. Toen ik van het veer ging, viel er een kille regen die dwars door mijn jas en kleren heen ging en me tot op mijn huid doorweekte, en die de paarden liet rillen van de zenuwen en de kou. Ik moest mijn ogen tegen de regen sluiten en de paarden zelf de weg laten vinden. Het tempo vertraagde naarmate de wegen modderiger werden, en toen ik thuiskwam, was het allang donker en ver na etenstijd.

Mijn moeder stond me met een lantaarn op de veranda op te wachten, mijn vader was te paard vertrokken om me te zoeken. Toen ze mijn gezicht zag, blauw van de kou, bracht ze me snel naar boven naar mijn kamer, waar ze mijn kleren uittrok, me afdroogde, me in een deken wikkelde en me wat magere bouillon te drinken gaf. Toen het rillen ophield, keek ik op en zag haar op de stoel aan de andere kant van de kamer zitten, vanwaar ze me scherp in het oog hield. 'Wat?' vroeg ik.

'Je bent naar hem toe geweest, hè?' zei ze.

Het was zinloos te ontkennen.

'Waarom?'

Ik keek haar alleen maar aan, en tartte haar om te zeggen wat ze naar mijn gevoel al moest weten. Hoe was het mogelijk dat zij het niet zag, als zelfs Gwenny het had gezien?

'O,' zei ze vervolgens. 'O Maria, heilige moeder van God,' zei ze, en dichter bij een vloek had ik haar nog nooit horen komen.

Ze stond op, kwam naar me toe, haalde de deken van mijn schouders en liet hem vallen zodat ze mijn naakte lichaam kon bekijken. Opnieuw schrok ik hevig omdat ik geen schaamte voelde. Maar de woede waarvan ik verwachtte dat hij op haar gezicht zou verschijnen, kwam niet. In plaats daarvan kwam een soort meesmuilende, gewiekste trek. 'Heb je er enig idee van wat je vader zal doen?' vroeg ze. Ik knikte, al wist ik het eigenlijk niet. Door met Daniel de liefde te bedrijven, had ik mijn vader op velerlei wijze te schande gemaakt: ik had gemeenschap gehad met de knecht; ik had gemeenschap gehad met een indiaan; ik had gemeenschap gehad voor het huwelijk; ik had mijn maagdelijkheid weggegeven (een geschenk dat ik niet mocht weggeven, zoals ik in de kerk had geleerd); ik droeg een onwettig kind in mijn buik; en, wat ongetwijfeld het ergste van alles was, ik had geheimen gehad, ik had hem bedrogen, ik was volwassen geworden en buiten zijn medeweten aan een eigen leven begonnen. Het was moeilijk me de volle omvang van zijn reactie voor te stellen, maar ik wist dat die verschrikkelijk zou zijn – ondanks, of misschien juist dankzij de grote liefde die hij voor me voelde.

'Help me,' zei ik daarop tegen mijn moeder.

Ze deinsde terug. 'Jou helpen?' zei ze, op me neerkijkend. 'Jou hélpen?'

'Ja,' zei ik. 'U bent mijn moeder. Ik heb niemand anders.'

Ze wendde vervolgens haar blik af en keek naar het raam, waarachter de eerste winterstorm de bomen geselde. Wat ze daar naast onze weerspiegeling zag, weet ik niet, maar toen ze zich weer omdraaide zei ze: 'Goed dan, Marguerite, dat zal ik doen.'

Toen liet ze me alleen in mijn kamer. Ik deed de lamp uit en zat in het donker te wachten tot mijn vader terug zou komen. Ik wist dat hij gek was van bezorgdheid; hij was toen al geen jonge man meer, en ik schaamde me dat hij er in het stormweer op uit had moeten gaan om mij te zoeken. Mijn hoofd liep om door de moeilijkheden die me wachtten; ik bad God om raad. Daarna viel ik in slaap, uitgeput door mijn reis en mijn toestand.

Ik werd wakker en hoorde mijn vader schreeuwen: 'Marguerite! Waar zit je?' Zijn laarzen kwamen snel en zwaar de trap op. Toen hij mijn kamer bereikte, zat ik te trillen van angst. De deur ging open. Hij had een lantaarn in zijn hand, en in de schommelende lichtbundel kon ik zijn gezicht zien, natgeregend en rood van de kou, en zijn doorweekte jas waaruit water op de vloer drupte. Ik had hem nog nooit zo kwaad gezien.

'Het spijt me, papa,' huilde ik. 'Vergeef me!'

Hij bleef lang in de deuropening staan, zwijgend. Toen kwam hij naar me toe, de lantaarn voor zich uit houdend. Ik was nog naakt onder de deken en huiverde, maar niet van de kou. Ik was bang. Hij hief zijn vrije hand op. Ik bracht mijn hoofd omlaag, ineenduikend voor de klap waarvan ik zeker wist dat hij zou komen. Maar toen zijn hand neerdaalde, bleef hij op mijn kruin rusten en hield mijn hoofd in zijn palm, alsof hij wilde meten hoeveel ik in de loop der jaren was gegroeid – alsof hij voor de eerste keer opmerkte dat ik een vrouw was en te groot om vast te houden.

Ik voelde het gewicht van zijn aanraking verminderen, zag hoe het lantaarnlicht weer in de richting van de deur zwaaide en keek op. Hij bleef opnieuw lange tijd staan. Ik kon zijn ogen niet zien, maar voelde dat ze naar mij keken. En toen ging hij weg en sloeg de deur achter zich dicht, en ik zat weer in het donker.

Later die nacht hoorde ik door de muur heen hun stemmen. De zijne klonk boos en beschuldigend, de hare verzoenend en sussend. Ze erkende dat ik zonder toestemming de paarden en de wagen had meegenomen, maar zei dat ik een loffelijk doel had gehad: in de kerk te gaan bidden voor een zieke vriendin. Omdat ik niet gewend was alleen te reizen, zei ze, was ik in het noodweer verdwaald. Ik verdiende eerder medelijden dan een berisping; hij moest haar de schuld geven, en niet mij. Langzamerhand vervloog zijn woede en verwerd het geluid van haar stem tot niet meer dan een gemompel. En toen hoorde ik hoe ze de liefde bedreven. Dat was niet waar ik op dat moment behoefte aan had. De bouillon die moeder me had gegeven, ging de po in. Toen ik weer in bed lag, gebruikte ik een kussen om de geluiden te dempen en zonk weg in onrustige dromen.

De volgende ochtend kwam mijn vader weer bij me. Ik deed alsof ik sliep. Ik kon de confrontatie met hem niet verdragen. Toen hij weg was en de kust veilig, ging ik in mijn nachtgoed de trap af. Mijn moeder gaf me geroosterd brood zonder boter en wat slappe thee, het eerste ontbijt in weken dat mijn eetlust opwekte. Terwijl ik zat te eten, vertelde ze me dat we die dag naar een dokter zouden gaan om, zoals ze zei, 'zekerheid te krijgen'. Daarom moest ik iets 'fatsoenlijks' aan, iets donkers en ingetogens. Ik knikte alleen maar. Ik waande me in veilige, ervaren handen. Het was een grote opluchting om de last van mijn schouders naar de hare over te hevelen, om te weten dat ze toch van me hield en dat ze me ging helpen.

We namen het veer naar het vasteland en reden onder een koude, grijze lucht naar de stad. In de loop der jaren was ik verschillende keren in de stad geweest, en nog altijd was ik onder de indruk van de massa's mensen, de gebouwen die vlak op elkaar stonden, de drukte en de bedrijvigheid. Vergeleken met het eiland leek het er zo uitbundig, zo levendig. 'Niet staren,' zei mijn moeder. We passeerden een vrouw die een wandelwagen met twee warm ingepakte, bewegingloze peuters voortduwde; een derde kind was op komst in een buik die zo dik was dat de knopen van haar jas niet meer sloten. 'Niet staren,' zei mijn moeder nogmaals, en dit keer kneep ze zo hard in mijn arm dat ik met een ruk mijn blik afwendde.

De praktijk van de dokter was gevestigd in een indrukwekkend gebouw van rode steen. We gingen de dubbele eikenhouten deuren door en twee trappen op, en betraden een kamer die gerieflijk, zo niet uiterst luxueus, was ingericht. Hoewel het dag was, waren de jaloezieën omlaag getrokken en de lampen aan. Ik vroeg me af hoe mijn moeder van het bestaan van deze dokter wist; bij mijn weten was ze nooit ziek geweest, en ze bezocht de stad even zelden als ik. Maar de verpleegster die ons begroette leek haar te kennen. 'Dit is mijn dochter,' zei moeder. De verpleegster knikte en antwoordde: 'De dokter komt zo bij u. Gaat u maar hierheen.'

Moeder ging met me mee. Ik voelde een lichte trilling in mijn buik, die anders was dan de misselijkheid. Ik dacht eerst dat het trillen werd veroorzaakt door mijn nervositeit, maar toen viel me een opgetogen gedachte in: was dit het eerste teken van leven van het kleine visje dat in me zwom? Gwenny had me dat ook verteld, toen ik haar om meer informatie had gevraagd. Ik pakte de hand van mijn moeder en legde hem op mijn buik. 'Kunt u dat voelen?' begon ik. Maar ze trok haar hand weg en zei: 'Niet nu, Marguerite.'

De verpleegster hielp me bij het uittrekken van mijn rokken, die mijn moeder aannam en netjes op een stoel legde. Ik was nooit eerder bij een dokter geweest. Ik besefte niet dat ik me moest uitkleden, maar ik deed wat me werd opgedragen en trok het dunne gewaad aan. Ze lieten me op een stoel plaatsnemen en gingen een ogenblik naar de gang, alsof ze iets wilden bespreken zonder dat ik het kon horen. Maar hoe ik ook mijn best deed, ik hoorde geen stemmen, en binnen enkele ogenblikken was moeder weer terug, nog enkele ogenblikken later gevolgd door de dokter.

Hij was de knapste man die ik ooit had gezien, lang en mager, met grijzende blonde haren, een fraaie snor, witte tanden, een krachtige kin en helderblauwe, intelligente ogen. Ik vertrouwde hem.

'Goed,' zei de dokter. 'We gaan je hier alleen even onderzoeken, om er zeker van te zijn dat alles in orde is.' Hij keek de verpleegster even aan, en toen mijn moeder. Ik werd op de onderzoektafel geholpen, en vervolgens ging alles razendsnel. Moeder trok een van mijn knieën op, de verpleegster de andere, en ze trokken ze uit elkaar. Ik had geen idee van wat er ging gebeuren en schrok hevig toen ik eerst de handen van de dokter en daarna iets in me voelde. 'Laten we eens eventjes kijken,' zei hij. Ik voelde iets drukken en daarna wat pijn. 'Moeder!' zei ik, en ik keerde me naar haar toe; ze hield één hand op mijn knie en veegde met de andere het haar van mijn voorhoofd. Het was het meest troostende gebaar dat ik me van haar kan herinneren. 'Ssst,' zei ze. 'Het is zo voorbij.'

De pijn werd heviger. 'Moeder!' zei ik opnieuw.

De verpleegster gaf de dokter iets aan, hij bromde en ik voelde vocht onder me. 'Wat gebeurt er?' schreeuwde ik.

'Ach nee,' zei de dokter. 'Ach gunst.'

Ik wist niet hoeveel tijd er precies was verstreken voordat ik weer sprak. 'Wat is er aan de hand?' vroeg ik, op slepende toon door de pijn.

Vervolgens nam de verpleegster het woord: 'De baby is dood, liefje. De dokter kon niets doen.'

Dood. Het woord galmde in mijn oren na. Wat had ik verkeerd gedaan? Hoe had ik de baby gedood?

De dokter ging verder en deed nog iets. 'Maak je geen zorgen,' zei de verpleegster. 'De dokter moet je alleen goed schoonmaken, zodat je niet geïnfecteerd raakt.' Ik voelde hoe ze mijn knieën uit elkaar trokken, zo ver dat ik dacht te zullen breken; ik hoorde mijn moeder prevelen: 'Beter zo, veel beter'; de pijn werd weer heviger, nog heviger; ik hoorde klanken uit mijn mond komen; en toen was alles zwart.

Toen ik ontwaakte, zag ik het gezicht van de dokter boven me, ongeveer net zo als het gezicht van Daniel een paar maanden daarvoor. 'Marguerite,' zei hij. 'Marguerite.' Ik rook iets scherps, ademde het in en hapte naar lucht. 'Zo,' zei hij, terwijl hij uit mijn zicht verdween en nu tegen mijn moeder sprak. 'Het gaat nu weer prima met haar.'

Toen verscheen hij weer in mijn gezichtsveld, met die vriendelijke lach op zijn gezicht. Hij bracht zijn mond bij mijn oor. 'Marguerite, liefje,' zei hij op fluistertoon, 'dit zal nooit meer gebeuren. Begrijp je dat? Nooit meer.'

Ik dacht dat het alleen een waarschuwing of een raadgeving was. Ik dacht dat hij me misschien een belofte wilde ontlokken.

Tientallen jaren later, toen ik weer terug was op het eiland, las ik in de krant dat bepaalde doktoren het hadden gewaagd om, zoals het in het artikel werd geformuleerd, 'gedegenereerde stambomen' uit te roeien door arme, zwakbegaafde, alcoholische en vooral indiaanse vrouwen te steriliseren – in veel gevallen buiten hun medeweten en zonder hun toestemming. In 1931 had de staat dergelijke sterilisaties zelfs gelegaliseerd. De arts van mijn moeder was zijn tijd blijkbaar vooruit geweest. Ik wist toen nog niet dat hij mijn baby had vermoord en, met hulp van mijn moeder, alle andere baby's die ik had kunnen krijgen had weggeroofd.

Moeder trakteerde me op iets heel bijzonders: een ijsje. Het was een winderige dag en bijna winter, maar we namen plaats in de snoepwinkel en aten ijs met een royale laag chocoladesaus. Ik zat te rillen – ik denk niet alleen van de kou, maar ook van het bloedverlies. 'Ik vind het heel erg,' zei moeder tegen me, maar dat was niet bepaald aan haar stem te horen. 'Maar het komt wel weer goed. Dat zul je wel merken. Het komt weer in orde.'

Ik bloedde nog dagenlang. Moeder verschoonde de lappen; ik lag lusteloos en leeg in bed. Ze bracht me soep en geroosterd brood. Het misselijke gevoel van de zwangerschap trok weg, maar mijn eetlust kwam niet terug. Ik wilde niet eten.

Misschien is Daniel in die periode gekomen – ik weet het niet. Ik was zo in de ban van mijn eigen wanhoop dat ik betwijfel of ik hem zou hebben gehoord, hoezeer ik eerder ook naar zijn komst had verlangd.

Op een morgen werd ik wakker met de geur van bloed in mijn neusgaten. Mijn bloeden was gestopt; ik rook het bloed van een dier. 'Je vader heeft een hert geschoten,' vertelde mijn moeder me. Ik was vaak met hem op jacht geweest; ik wist dat het betekende dat hij in een uitstekend humeur verkeerde. 'Kom beneden met ons mee-eten,' zei ze. Ik stemde toe en kwam beverig mijn bed uit.

Ik zag mijn vader voor de eerste keer nadat mijn moeder me had meegenomen naar het vasteland; ze had hem uit mijn buurt gehouden door hem te vertellen dat ik last had van 'vrouwenkwaaltjes'. Nu, aan tafel, was hij zo bezorgd dat ik bang was dat ik zou gaan huilen. Omdat hij dacht dat ik niet uit schaamte maar uit verlegenheid naar mijn bord keek, stond hij algauw op en liet me alleen met mijn moeder. Ze vermaande me scherp en snel. 'Het siert je niet om erin te zwelgen,' zei ze, en ze haalde mijn koude eieren weg. Ik sloeg mijn ogen op, stak mijn kin in de lucht en lachte haar gemaakt toe. 'Dat is beter,' zei ze. 'Ga jezelf nu maar aankleden en een luchtje scheppen. Het wordt tijd dat je gaat aansterken.'

Ik deed wat ze me opdroeg. In de voortuin was de bloedlucht nog sterker. Het hert hing aan zijn achterpoten in de deuropening van de schuur, met overlangs opengesneden buik en zichtbare ribbenkast. Ik hoorde hoe mijn vader verderop in de schuur zijn messen sleep, zoals hij altijd deed na de eerste succesvolle jacht van het seizoen. Normaal gesproken zou ik mijn hulp hebben aangeboden, maar die dag liet ik hem alleen werken.

Het was een heldere novemberdag. Een paar wolkjes hingen roerloos boven de gemaaide akkers, als dieren die graasden in de cichoreiblauwe lucht. IJskristallen knisperden onder mijn voeten. De lucht was scherp, schoon en koud in mijn neusgaten; ik ademde kleine witte wolkjes uit. Ik kreeg weer het gevoel dat ik leefde, net alsof – zoals moeder volhield – alles echt weer goed zou komen.

Ik hoorde het paard nog voordat ik het zag, en toen was Daniel er, vlak voor me. Toen ik na al die tijd zijn gezicht weer zag, leek hij een vreemde. Daarmee bedoel ik dat ik met nieuwe objectiviteit zijn zwakke en sterke kanten zag, zijn sterke kin en zijn lage voorhoofd, zijn integriteit en zijn naïveteit. Ik voelde me plotseling ouder dan hij; ik had het gevoel dat ik sinds ik hem voor het laatst had gezien ouder was geworden – oud, treurig en op mijn hoede.

Zo gauw hij me zag, kreeg hij bezorgde rimpels op zijn voorhoofd. Hij sprong van het paard en leidde het verder, totdat we recht tegenover elkaar stonden.

'Marguerite,' zei hij.

Aan de manier waarop iemand je naam zegt, kun je horen of hij van je houdt. Daniel zei mijn naam alsof het een gebed was.

Toen ik hem vertelde wat er bij de dokter was gebeurd – dat ons kindje was doodgegaan –, betrok zijn gezicht en kwam al mijn eigen verdriet weer boven. Maar toen glimlachte hij en sloeg zijn armen om me heen, en ik drukte mijn gezicht in de ruige wol van zijn jack, in zijn geur. 'Het is goed,' zei hij. 'We maken nog een kind.'

Ik deinsde terug en keek op in zijn pikzwarte ogen. 'Wil je mij dan nog?' vroeg ik.

Toen hij dat bevestigde, voelde ik een weergaloze vreugde.

Samen gingen we terug naar huis om het aan mijn ouders te vertellen. Ik wist dat moeder kwaad zou zijn, maar voor haar zou het in elk geval geen nieuws zijn. Ik was het bangst voor de reactie van mijn vader. Maar met Daniel aan mijn zijde moest het wel goed komen, zo beeldde ik me in.

Ze waren allebei in huis. Mijn vader was uit de schuur gekomen met een arbeider die bij de steengroeve gewond was geraakt; mijn moeder verbond de wond. Toen Daniel en ik hand in hand het huis binnen liepen, hief papa zijn hoofd op om ons te bekijken, en meteen nadat moeder klaar was, stuurde hij de gewonde man weg. 'Familiezaken,' zei hij tegen hem.

Gevieren gingen we naar de voorkamer. Papa ging niet zitten, en dus ging niemand van ons zitten. Daniel vertelde hem van onze plannen. Papa luisterde zwijgend, maar zijn lippen stonden strak en zijn gezicht werd rood terwijl Daniel sprak. Nadat Daniel was uitgesproken, was het maar heel kort stil voordat papa sprak. 'Nee,' zei hij alleen maar. Hij beende het huis uit en sloeg de deuren achter zich dicht.

'Laat mij het proberen,' zei mijn moeder, en ze ging hem achterna.

Daniel en ik hielden elkaar vast totdat ze terugkwam. 'Het spijt me,' zei ze. 'Hij wil er niet over horen. Ik heb hem over de baby verteld. Maar dat heeft hem geen spatje milder gestemd.'

De moed zonk me in de schoenen toen ik me realiseerde dat mijn vader nu wist wat Daniel en ik hadden gedaan, dat hij alles wist. Daniel kneep in mijn arm en zei: 'Je vader is een redelijke man. Ik zal hem wel overtuigen.' Daarna ging hij naar buiten. Mijn moeder en ik keken elkaar aan en volgden.

Mijn vader was verdergegaan met het slachten van het hert, en was bezig aan een geïmproviseerde tafel van zaagbokken en planken. Daniel ging vrijmoedig tegenover hem staan. Doordat Daniel tussen ons in stond, kon ik het gezicht van mijn vader niet zien. Evenmin kon ik horen wat Daniel zei – ik hoorde alleen de toon van zijn stem, eerbiedig en zelfverzekerd. Hij gaf mij zelfvertrouwen; ik waagde me verder naar voren. 'Marguerite!' siste mijn moeder half fluisterend, maar ik liep weg, vloog naar Daniel toe, ging naast hem staan en pakte trots zijn arm vast.

Het hert hing nog in de deuropening maar was nu van zijn huid ontdaan, zodat alle spieren en pezen blootlagen. Papa had één been op de tafel gezet en versneed het lendestuk voor een stoofpot. We hadden geen vriezer – geen stroom –, dus moest moeder het vlees voor de stoofschotel braden, inmaken en in steriele potten in de kelder opslaan, net zoals ze dat met kip, lams,- schapen- en rundvlees deed. Het andere vlees van het hert – de biefstukken, braadstukken en koteletten – werden bewaard voor feestdagen en maaltijden met het personeel, ingezouten en op in hooi verpakt ijs in de groentekelder opgeslagen.

Papa's gezicht had zijn gewone kleur teruggekregen en hij leek kalmer, maar hij hield zijn blik op het vlees gevestigd alsof dat zijn volledige concentratie vereiste. 'Ik weet dat ik niet veel te bieden heb,' vertelde Daniel. 'Maar ik ben een goed mens en een harde werker. En ik hou van haar.' Ik keek naar papa's grote, ruwe handen, die met veel precisie het snijwerk deden. 'Ik zal haar niet van u afpakken,' zei Daniel. 'Als u dat goed zou vinden, zouden we hier kunnen wonen. Ik zou als knecht kunnen blijven werken. Ik zal uw vertrouwen winnen, dat beloof ik u. Als u ons alleen zou willen vergeven hoe we begonnen zijn...'

Papa tilde in een zo heftige beweging zijn hoofd op dat ik naar achteren sprong. Ik zag nu dat zijn ogen nog altijd donker van woede waren; ze werden nog donkerder toen hij mij ontwaarde. 'Vergeven?' Zijn stem brak alsof hij lang niet had gesproken. 'Je vraagt te veel,' zei hij. Hij liep nu om de tafel heen en kwam dichter naar ons toe. Daniel bleef staan, en ik ook. 'Er is maar één vader die kan vergeven wat jij hebt gedaan,' zei hij, 'en dat is onze hemelse vader.' Hij keek mij aan terwijl hij dat zei.

'Papa,' zei ik. 'Ik bid elke dag tot God om vergeving. Maar ik wil liever door jou vergeven worden.'

Een moment dacht ik dat ik zijn blik milder zag worden; een moment dacht ik dat ik een opening had geforceerd waardoor zijn liefde weer zou kunnen stralen. Maar die sloot zich even snel weer.

'Geeft u haar niet de schuld,' zei Daniel, en hij trok mijn hand naar zijn hart toe en hield hem met beide handen vast. 'Als u iemand de schuld wilt geven, geeft u hem dan aan mij.'

'Dat doe ik ook,' zei papa, en toen kwam hij in beweging.

Het mes ging eerst door onze ineengeslagen handen heen. Ik gilde het uit van de pijn. Toen mijn knieën het begaven, probeerde Daniel me overeind te houden en te voorkomen dat ik zou vallen, maar onze handen gleden uit elkaar, glibberig van het bloed. Daarom draaide hij zich om en viel over me heen, mij beschermend tegen de stoten die nu volgden. Ik voelde zijn gewicht boven op me, het schokken van zijn lichaam telkens wanneer het mes kwam. Het kwam alsmaar weer. Mijn bewustzijn vloeide weg met mijn bloed. Ik hoorde mijn ouders schreeuwen, maar het leek van heel ver weg te komen. Vervolgens voelde ik, dicht bij mijn oor, het plotselinge uitblazen van

Daniels adem. Zijn lichaam werd slap en zwaar.

Het laatste wat ik hoorde, was het geluid van iemand die huilde. Ik geloof niet dat ik het was.

Ik wilde niet herrijzen uit het zwart, maar ik herrees.

En het eerste wat ik zag, bij het licht van een zwakke lamp, was mijn vader.

Hij zat geknield naast mijn bed, met gesloten ogen en gevouwen handen. Hij prevelde: 'Wees gegroet Maria, vol van genade...' Steeds weer opnieuw. Ik liet hem een hele tijd zo doorgaan voordat ik sprak.

'Papa,' zei ik.

Hij opende zijn ogen. Ik zag er angst in. Daniel verscheen voor me, zijn gezicht, de manier waarop hij me had aangekeken voordat hij viel. Ik sloot mijn ogen, maar het visioen bleef.

'Marguerite,' zei een stem.

Ik opende mijn ogen weer. Mijn vader zat er nog, en nu begreep ik waar hij bang voor was. Voor mij. Ik sprak niet.

Hij nam mijn hand in de zijne. 'Marguerite, vergeef me,' zei hij.

Ik trok mijn hand terug. Het klopte onder het verband. Ik maakte het verband los, nieuwsgierig maar op een rare manier vervreemd van mijn gevoel. Toen ik zag wat er was gebeurd, had ik zin om te lachen. Misschien lachte ik ook. Mijn vader wendde zijn blik af. Hij had mij geen kwaad willen doen, zei hij; hij had niet geweten wat hij deed. Hij sprak zonder mij in de ogen te kijken, zijn stem was monotoon van schaamte.

'Toen je moeder me vertelde wat hij had gedaan, toen... wat had ik anders kunnen doen? Mijn kind. Ik heb je met hem alleen gelaten. Ik ben schuldig. Ik had je moeten beschermen. En moet je zien wat ik heb gedaan...'

Ik hoorde wat hij zei, maar hoorde het ook niet. Want op dat moment zag ik, voor het eerst in mijn leven, tranen in mijn vaders ogen.

De dagen daarop sliep ik. Het was een geneeskrachtige slaap. Of een laffe, ontwijkende slaap. Ik had geen dromen. Het was alsof ik ook was doodgegaan.

Op een morgen werd ik vroeg wakker met een vrij rustig gevoel. Ik was alleen in mijn schaduwrijke kamer. Met enige moeite ging ik rechtop zitten. Ik was, vermoed ik, verzwakt doordat ik dagenlang niet had gegeten. Ik keek neer op mijn verbonden hand en herinnerde me wat er allemaal was gebeurd. In mijn hart ontvlamde een hevige pijn. Ik dacht aan Daniel: niet alleen omdat hij dood was, maar ook omdat mij beschermen zijn laatste daad was geweest. Wat moest hij verschrikkelijk bang zijn geweest. En ik was medeplichtig.

En toen herinnerde ik me de woorden van mijn vader: *toen je moeder me vertelde wat hij had gedaan*. En toen begreep ik wat er was gebeurd, alsof mijn geest tijdens mijn slaap het probleem had doorgrond.

Ik trof mijn moeder in de keuken, waar ze de kachel aanmaakte. Toen ze mij hoorde draaide ze zich snel om, met het stuk hout in haar handen als een wapen naar voren gestoken. 'Ik ben het maar, moeder,' zei ik. De angst die ik in haar ogen had gezien doofde uit, en er kwam een bezorgde blik voor in de plaats. 'Marguerite,' zei ze, en ze kwam op me af. 'We zijn zo bezorgd over je geweest...'

'U hebt hem verteld dat Daniel mij verkracht heeft,' zei ik.

'Ja.' De bezorgdheid gleed van haar gezicht; er klonk geen spijt in haar stem. Ze draaide zich om, smeet het stuk hout in de kachel, kwam weer overeind en veegde haar handen af aan haar schort. Ik staarde haar ongelovig aan. 'Wat?' zei ze. 'Je geeft mij toch zeker de schuld niet? Je weet hoe driftig je vader is.' Dat wist ik niet; wel wist ik dat alleen zij hem zo ver kon krijgen. Ze liep naar de tafel waar deeg in een kom stond te rijzen, haalde de theedoek eraf en begon te kneden. Zonder mij in de ogen te kijken sprak ze weer. 'Natuurlijk,' zei ze, 'had ik absoluut niet verwacht dat hij de jongen zou vermoorden. Het is niet mijn schuld dat hij dat wel heeft gedaan.'

Ik werd overspoeld door woede en verdriet, en vervolgens

door schaamte en schuldgevoel. Met mijn gezicht in mijn handen plofte ik op een stoel neer. Na een lange onderbreking sprak ze weer. 'Wat nu?' vroeg ze.

Ik keek op. Haar vraag verraste me, want hij hield in dat de keuze bij mij lag. Snel besefte ik dat dat ook zo was, omdat ik de enige andere getuige van het misdrijf was. Maar algauw zag ik in hoe gruwelijk het was om een dergelijke macht te bezitten.

Als ik mijn vader zou aangeven, zou er volgens haar een proces komen. Mijn vader zou dan wellicht de gevangenis ingaan. Maar misschien ook niet, zelfs al werd hij schuldig bevonden. 'Bedenk,' zei ze, 'dat de jongen een indiaan was.' Iedereen zou haar geloven, zei ze, als ze vertelde wat Daniel mij had aangedaan. Ook mijn vader zou worden geloofd, volgens haar. Hij had dan misschien zelf indiaans bloed, maar hij was een goede Franse katholiek en een steunpilaar van de gemeenschap. Men zou mijn vader zijn wandaad vergeven, zelfs als ik daar niet toe in staat was. Maar de schande zou hem blijven aankleven, en mij ook, en ons allemaal. De schande van mijn zonden, de schande van de moord.

'Jij hebt dit over ons gebracht, Marguerite,' zei mijn moeder. 'Jíj hebt dit onze familie aangedaan.'

Ik wilde iets anders opperen – ik wilde haar de schuld geven. Maar was mijn zonde niet voorafgegaan aan de hare? Als ik me maar goed had gedragen...

Ze zat met gevouwen handen aan tafel. Ze sprak nu op fluistertoon, alsof iemand het zou kunnen horen. 'Niemand weet er nog van. Niemand zal ervan weten, tenzij jij spreekt. Jij bent nog jong; je kunt opnieuw beginnen. Wij niet. Maar als je weggaat...'

Als Daniel en ik allebei weg waren, konden ze zeggen dat we samen waren weggelopen, dat we ervandoor waren gegaan. Als iemand ernaar vroeg. Dan zou mijn vader gered zijn. Onze familiereputatie zou gered zijn. Ik zou gered zijn.

Ik merkte dat ik wilde dat ik nooit wakker was geworden. Ik merkte dat ik de woorden 'Daniel' en 'reputatie' tegenover elkaar zette, net als 'tenzij jij spreekt' en 'gered'. Ik probeerde er een rekensom van te maken, maar de cijfers werkten niet mee. De biddende stem van mijn vader weergalmde in mijn hoofd. Ik voelde me duizelig, net als op het altaar op de dag van mijn eerste communie. Maar nu had ik bloed aan mijn handen.

Ik wou dat ik kon zeggen dat ik was gebleven; ik wou dat ik kon zeggen dat ik sterk genoeg was geweest om te vechten, om alles op een rijtje te zetten, om in elk geval mijn vader de waarheid te vertellen. Maar ik was toen te bang om hem te kwetsen. Ik was overal te bang voor. En ik dacht niet dat hij mij zou geloven.

Ik wist niet wie ik verantwoordelijk moest stellen, wie er gestraft moest worden, of op wat voor manier. En dus vertrok ik, laat op een avond, toen de kans op getuigen gering was. Mijn vader roeide me zelf in ons kleine bootje naar het vasteland. Het meer was nog niet dichtgevroren, maar de snijdende wind over het water was scherp en bitter koud – al een echte winterse wind. Ik had een lantaarn vast om onze route te verlichten, maar de vlam flikkerde zo dat ik papa's gezicht nauwelijks kon zien, en dat wat voor ons lag nog veel minder.

Toch vonden we de weg. Bij de stille kade van het veer bekeek papa het verband dat nog om mijn hand zat, gaf me een kleine zak en vertrok. Ik wist dat hij me wilde omhelzen maar het niet durfde; ik deed geen poging om hem te omhelzen, de afstand tussen ons was te groot om te overbruggen. Lange tijd stond ik daar in mijn eentje te luisteren naar het geplons van zijn roeiriemen in het zwarte water.

Toen ik hem niet meer kon horen, keek ik naar de zak die hij me had gegeven. Ik wist wat erin zat: geld, waarschijnlijk een flinke som, voldoende om mij aan een nieuw leven te laten beginnen. Ik kon het niet houden; ik wilde het niet houden. Het verergerde mijn schuld. Ik vertrok in zijn belang, maar door hem te redden kon ik Daniels dood niet uitwissen, noch mijn stilzwijgende aandeel in die misdaad.

Ik keek om me heen. Het veer lag stil voor de nacht. Overal was het stil; ik dacht dat ik alleen was. Maar toen zag ik een ineengedoken gestalte naast de donkere loods. Ik kwam naderbij en zag dat het een in lompen gehulde, slapende vrouw was. Ik legde de zak geld naast haar neer; vervolgens, na een ogenblik nadenken, liet ik ook mijn kleine tasje met kleren achter. Ze werd niet wakker.

Ik wist dat ik later misschien spijt van deze daad zou krijgen; ik kreeg er ook een beetje spijt van tijdens die koude nachten in de treinwagons. Maar toen ik wegliep met niets anders dan de kleren die ik aanhad, was ik klaar om te beginnen aan mijn boetedoening, om met mijn verdere leven te betalen voor mijn zonden. Zelfs hoewel ik geloofde dat God – als Hij bestond – me nooit zou vergeven.

Ik zaaide één wilde haverplant, oogstte hem en probeerde toen alles achter me te laten. Maar ik kon de misdaad niet achter me laten, hoe ver ik ook reisde.

Het was een vroege lentedag, de zon scheen op de akelei en het duizelkruid die paars en geel in de border in bloei stonden. Ik spitte jouw aardbeienbed om toen mijn schop bot raakte.

Sleutelbeen.

Daarna: scheenbeen, ellepijp, bekken.

Zoveel botten, zo koud tegen mijn lippen, en het warme vlees was weg, er was niets meer om ze bijeen te houden, niets om te laten zien wiens botten het waren of hoe ze daar terecht waren gekomen. Daniel. Ik groef dat ongewijde graf op – en bevochtigde al gravend de grond met mijn tranen.

Ik kon hem niet naar behoren begraven; ik wist niet hoe of waar, en kende de gebruiken van zijn volk en het mijne niet. In plaats daarvan bracht ik de botten die nacht naar de steengroeve. Ik droeg ze daarheen in mijn armen, denkend aan de nacht waarop hij me daar had bemind, de nacht waarop we elkaar hadden bemind. Het water was diep en koud, en sloot zich rondom me toen ik het betrad. Ik had me bij hem kunnen voegen. Ik wilde me bij hem voegen. Dat verdiende ik. Maar wie zou er dan voor jou hebben moeten zorgen? En dus stak ik de houten kist in brand en liet hem gaan.

Zijn geest verlichtte een poosje het water, steeg toen op naar de sterrenhemel en was weg.

Nu is het mijn beurt, vogeltje. Laat mijn geest opstijgen.

Zeven

Hij was weer hulpsheriff en kwam de jongen halen, die met Marguerite Deo op de zonnige veranda zat. Ze hadden allebei hun warme kleren aan en speelden met een stukje touw. Hij schreed moeiteloos naar hen toe, zwevend over de sneeuw, en bleef staan kijken naar de kop-en-schotel die de jongen in zijn kinderhandjes had gevormd. Die was zo ingewikkeld als een spinnenweb, en met elke beweging die ze maakten – Marguerites vingers bewogen snel en zeker, de handjes van de jongen waren even vaardig – werd hij complexer. De jongen leek zich niet bewust van de aanwezigheid van de hulpsheriff, en Marguerite sprak met hem zonder hem in de ogen te kijken, met haar ogen gericht op het web dat ze aan het spinnen waren. 'Vuur of water,' zei ze. Hij begreep het niet. 'Vuur of water,' zei ze nogmaals, wat harder. Het was een vraag. 'Ik weet het niet,' zei hij. 'Vuur,' zei ze. 'Zodat de ziel kan opstijgen.' Daarop knikte hij. De jongen keek op. Zijn ogen waren hemelsblauw. 'Jouw beurt,' zei de jongen en stak zijn handen uit naar de hulpsheriff, zodat hij het web kon overnemen. Maar de hulpsheriff klungelde; zijn vingers pasten niet, en het web viel als een vormeloos hoopje touw op de planken van de veranda.

Vlak voor middernacht werd de sheriff wakker. Aanvankelijk dacht hij dat hij in zijn eigen slaapkamer lag; maar nee, hij was beneden in Linda's appartement en lag in bed met haar naast zich. Ze sliep, met één arm over haar ogen geslagen tegen het licht dat door het raam kwam, de andere over haar buik alsof ze de baby wilde beschermen, en haar haren als een donkere waterval over het kussen uitgespreid. Hij bedacht wat een mooie bruid ze zou zijn als ze in het voorjaar zouden gaan trouwen; hij bedacht wat een mooie moeder ze zou zijn. Hij bedacht wat een rare vader hij zou zijn, met zijn grijze haren. 'Je ziet er jong uit voor je leeftijd,' zei Linda altijd tegen hem. Jong voor zijn leeftijd – niet jong. Hij hoopte nog te mogen meemaken hoe het kind zou opgroeien en hoe hij – of zij – aan de universiteit zou afstuderen. Meer verlangde hij niet.

Hij dacht na over het droombeeld dat hem had gewekt. Toen hij die dag was komen aanrijden om James Jack op te halen, hadden ze in de zon gezeten met hun warme kleren aan. Toen hij naar hen toe was gelopen, had hij in zijn hoofd de tekst gerepeteerd, balend dat hij degene was die het nieuws moest brengen. Maar Marguerite zei dat ze hadden gezien wat er was gebeurd en dat ze hem al verwachtten. 'Hier is de hulpsheriff, James Jack,' zei Marguerite. 'Kom eens hier, laat mij je eens even opknappen.' Ze had de jongen in haar armen genomen, hem geknuffeld, en toen zijn haar en de kraag van zijn jack gladgestreken. 'Ga jij maar vast in de auto van de hulpsheriff zitten,' zei ze. 'Ik moet hem nog even spreken.'

James Jack was naar de auto toegelopen, terwijl de hulpsheriff eerbiedig afwachtte wat mejuffrouw Deo te zeggen had. Ze stond op en kwam het trapje af naar hem toe.

'Ik neem aan dat ze allemaal dood zijn,' zei ze.

Hij knikte.

'Zijn ze in het vuur omgekomen of verdronken?' vroeg ze.

Het was een eigenaardige vraag. 'Dat weten we niet,' zei hij. 'Ik veronderstel dat er sectie verricht wordt als ze de lichamen vinden.'

Ze knikte onbewogen. 'De jongen,' zei ze.

'Wij zullen voor hem zorgen,' zei hij.

Nu zat hij rechtop op Linda's bed en tastte op de vloer naar zijn kleren. Linda werd wakker en knipte de lamp naast het bed aan. 'Wat is er aan de hand?' vroeg ze met een slaperige stem. Hij boog zich over het bed heen en kuste haar. 'Ik ben zo terug,' zei hij. 'Er schoot me net iets te binnen dat ik nog moet doen.' 'Werk?' vroeg ze glimlachend, en hij knikte.

Ze keek toe hoe hij zijn uniform weer aantrok. 'Ik begreep

nooit wat dat nou was met mannen in uniform,' zei ze, 'tot nu.' Ze kwam het bed uit en hielp hem met zijn das. Ze liet haar handen langs de voorkant van zijn shirt omlaag gaan. 'Een sheriff,' zei ze, het insigne aanrakend. 'Stel je voor.'

Hoe dwaas het ook was, hij voelde zich opzwellen van trots. Toen hij het appartement uit ging, voelde hij zich een belangrijk man die de dingen in de hand had. Haar geur aan zijn handen en in zijn haar. Haar smaak in zijn mond. Het kon hem niet meer schelen wat de mensen ervan dachten – dat de sheriff ging hertrouwen, met zijn huurster, met een veel jongere vrouw. Het enige wat hem kon schelen, was hoe goed hij zich dankzij haar voelde.

De voorruit zat dik onder de rijp. Hij startte de motor en pakte de krabber van de vloer bij de achterbank. Toen hij zich over de voorruit heen boog, zag hij Linda in het raam van haar appartement. Ze zwaaide en wees, en een seconde later stond ze bij haar deur. Hij liet de motor lopen, liep naar haar terug en bleef onder haar op de trap staan. 'Ik heb gehoord dat mannen na een afscheidszoen van hun vrouw minder ongelukken krijgen,' zei ze met een licht blosje op haar gezicht, en ze boog zich naar voren om hem te kussen. Hij trok de revers van haar peignoir naar elkaar toe. 'Vat geen kou,' zei hij. Hij vond het fijn dat ze naar buiten was gekomen om hem een afscheidszoen te geven. Hij was blij dat ze er zou zijn als hij terugkwam, dat ze het bed warm hield. 'Ik zal de deur niet op slot doen,' zei ze.

'Niet nodig,' zei hij met een glimlach. 'Ik ben de huisbaas. Ik heb een sleutel.'

Het was al lang opgehouden met sneeuwen, de lucht was opgeklaard en in de winterse duisternis twinkelden de sterren. De wind hield zich voor de verandering rustig. De sneeuwvrij gemaakte weg was zoals droge, ijskoude wegen zijn. Alle geluiden waren zwak en gedempt. Als orgeltonen met ingedrukt pedaal. De ceders langs de weg leken zich in te houden, zich te hebben teruggetrokken in hun eigen schaduwen, zich te verbergen voor zijn koplampen. Hij nam radiocontact op om Gina te laten weten waar hij heen ging.

Hij had een drukke dag gehad en geen moment tijd gehad om terug te gaan naar het huis van de Deo's. Maar door de droom was zijn voorgevoel van die ochtend weer tot leven gewekt, evenals een vermoeden waar hij James Jack zou kunnen vinden als Marguerite werkelijk was gestorven. Als sheriff moest hij elke aanwijzing volgen. Zelfs als dat betekende dat hij er in het holst van een ijskoude nacht op uit moest.

Hij reed langs de caravan van dokter Milton. Er brandde geen licht, de huurauto van de vrouw was weg. Hij reed verder. Links van hem lag het meer als een uitgestrekte witte vlakte, volmaakt egaal, waarbij het matte vernis van nieuwe sneeuw alleen werd onderbroken door een paar vishutjes. In de nieuwe maan leek de sneeuw zijn eigen blauwe licht te genereren. Hij tuurde in de verte. Toen hij het al bijna had opgegeven, zag hij wat hij zocht.

Hij parkeerde de surveillancewagen bij de aanlegplaats en trok wat extra kleren aan voordat hij het ijs opging. Uit de kofferbak haalde hij een zaklantaarn en de lange, drietandige riek die hij 's zomers in de tuin gebruikte. Daarna liep hij naar de waterkant en stapte het ijs op. Hij had nooit van het ijs gehouden, zeker niet sinds de dag dat Homer Wrights hutje in brand was gevlogen en door het ijs was gezakt, James Jacks ouders meesleurend. Daarom nam hij de riek mee om het ijs te testen en om zich weer naar boven te kunnen trekken als hij erdoor zou zakken. Een simpele voorzorgsmaatregel, zo zag hij dat.

De sneeuw piepte onder zijn laarzen. De lantaarn stortte een poel van geel uit over de ongerepte sneeuw, maar maakte de zwartheid erachter niet minder dicht. Hij hield het licht laag om eventuele aanwezigen niet op te schrikken. Hij keek naar de gele flikkering in de verte, die aanvankelijk niet groter was dan een kaarsvlam. Af en toe zwaaide hij de tanden van de riek naar voren – je wist maar nooit.

Het ijs hield zich volkomen stil. Hij vergat zelfs dat het ijs was; het voelde als vaste grond. Maar dat was een gevaarlijke illusie. Hij luisterde naar zijn voetstappen en voelde hoe hij verder van de kant verwijderd raakte.

Eerst bereikte hem de geur van hout, daarna het zwakke getinkel van muziek. Hij kon nu de vlammen zien, die uit een donker vlak spatten dat langzamerhand de vorm aannam van een vat. Ernaast zat een man over een bijt gebogen. Een transistorradio naast hem braakte blikkerige songteksten uit. Een station met oude hits. *You're just too good to be true, can't take my eyes off of you...*

De man droeg een zwart snowmobile-pak met capuchon, zijn gezicht was verborgen achter een bivakmuts. Zijn handen en voeten leken buiten proportie door de handschoenen en laarzen; het was op het oog lastig te zeggen wie hij was en hoe groot hij was. De sheriff schraapte zijn keel. 'Avond,' zei hij, en de man keek op. Met één want schoof hij de bivakmuts omhoog naar zijn voorhoofd, en de sheriff zag dat hij niet James Jack was, maar Warren, de aasman. 'Hallo Warren,' zei hij. 'Avond sheriff,' zei Warren, hem aanstarend. 'Koud nachtje om te tuinieren,' zei hij, en grijnsde.

De sheriff keek omlaag naar de riek. 'Ja,' zei hij. 'Maar ook wat koud om te vissen.'

Warren tuitte zijn lippen en schudde zijn hoofd. 'Daar is het nooit te koud voor. Niet als je erop gekleed bent,' zei hij. 'En als je voor wat verwarming zorgt.' Hij maakte een hoofdbeweging in de richting van het vuur in het vat. Door de roestgaten in de zijkanten waren vlammen te zien.

'Die vuurpot lijkt me niet helemaal conform de wet,' zei de sheriff.

'Arresteer me dan maar,' zei Warren, terwijl hij zelfverzekerd zijn hengel op en neer liet schommelen.

'Dat ga ik ook doen,' zei de sheriff. 'Tenzij je me iets warms te drinken geeft.'

'Ah,' zei Warren, 'jij bent er dus een die je kunt omkopen.'

Hij gaf de sheriff wat chocolademelk en een emmer om op te zitten. Ze keken naar het meer dat zich voor hen uitstrekte, aan twee kanten begrensd door de zwarte waterkant en bovenaan door de zwarte lucht. De laatste keer dat de sheriff 's nachts het meer op was gegaan, was het zomer geweest. Hij was aan boord geweest van het kleine motorbootje dat Alma en hij hadden toen ze pas getrouwd waren, en zij was bij hem geweest. Het was vier juli, er hadden een stuk of tien andere boten om hen heen gedobberd, en er hadden oo's en aa's geklonken vanwege het vuurwerk dat boven hen openbloeide. Er was geen groter verschil mogelijk dan tussen dat meer en deze zwarte, stille roerloosheid.

'Jij bent hier niet om te vissen,' zei Warren, en hij liet zijn hengel weer op en neer schommelen. 'Voorzover ik weet, ben jij geen visser.'

De sheriff schudde zijn hoofd. 'Ik ben op zoek naar James Jack,' zei hij.

Met komische overdrijving keek Warren om zich heen in de leegte.

'Wat heeft hij gedaan?'

'Niets, voor zover ik weet,' zei de sheriff.

'Ach zo,' zei Warren. 'Ik heb hem vanmiddag voor het laatst gezien. Hij kwam wat witvis halen.' Hij zette zijn hengel tussen zijn knieën terwijl hij zichzelf en de sheriff nog wat chocola inschonk. 'Hier is het zo'n beetje gebeurd, niet?'

'Ja,' zei de sheriff.

'Lang geleden.'

'Ja,' zei de sheriff.

'Ik was toen nog een jongen,' zei Warren. Hij bewoog zijn vislijn heen en weer. 'Ik was tien. Het ijs was die dag groen.'

'O ja?' zei de sheriff. 'Dat weet ik niet meer.'

'Het smolt van onderaf,' zei Warren. 'Toch was het nog veilig,' voegde hij eraan toe. 'Behalve voor hen.'

'Jij hebt het zien gebeuren,' zei de sheriff, 'en nu zit je hier.'

'Je kunt je niet door zulke dingen laten ringeloren,' zei Warren. 'Ze gebeuren, of ze gebeuren niet. Gebeuren ze, dan gebeuren ze, en dat is het dan. Gebeuren ze niet, dan bof je, en dat is het dan.'

'Heeft je vrouw zich nooit druk gemaakt over dat verhaal?' vroeg de sheriff.

'Ze is van het vasteland,' zei Warren. 'Ze heeft het wel

gehoord, maar niet gezien. Maar ik moet deze wel van haar meenemen.' Hij zette de hengel weer tussen zijn knieën en schudde met zijn handen: uit zijn mouwen vielen twee schroevendraaiers, die daar bleven hangen. 'Handig als je door het ijs zakt,' zei hij, en hij stopte ze weer weg.

'Vindt ze het niet erg dat je 's nachts gaat vissen?'

'Ze klaagt niet. Niet dat ik weet, tenminste,' zei Warren. 'Soms denk ik dat ze het wel prettig vindt om mij de deur uit te hebben.'

De sheriff knikte. 'Dat heb je met vrouwen,' zei hij.

'Bovendien,' zei Warren op peinzende toon, 'heeft ze drie kinderen en zeven kleinkinderen waar ze veel liefde van krijgt en waar ze mee kan aantutten.' Hij bewoog zijn hengel op en neer. 'Het enige wat vrouwen iets kan schelen,' zei hij, en hij zweeg even om zijn hengel weer te bewegen, 'is liefde en getut.'

'Denk ik ook,' zei de sheriff.

Zijn eigen vrouw was veranderd nadat Marguerite de jongen bij haar had weggehaald. Nadat het huilen was opgehouden, nadat hij had voorgesteld een baby te adopteren of een pleegkind te nemen en zij dat voorstel had afgewezen, was Alma veranderd. Ze gedroeg zich niet als iemand die ongelukkig was; ze deed niet zoals de meeste mensen die tegenslag hebben gehad. In plaats daarvan deed ze veel te veel haar best om gelukkig te zijn. Ze glimlachte en was opgewekt. Ze zorgde dat haar huis onberispelijk was. Ze deed vrijwilligerswerk tot ze de steunpilaar van de kerk was geworden. Ze kookte en naaide voor anderen. Ze organiseerde een inzamelactie als een kind ernstig ziek werd, een huis afbrandde of een boer bij een ongeluk zijn arm verloor. Ze braadde dertig kalkoenen voor een thanksgivingmaaltijd voor daklozen; ze bracht op kerstochtend mandjes met eten rond. Ze won prijzen voor haar goede werken. En ze lachte altijd, en was altijd opgewekt, lief en vriendelijk, en zag er piekfijn uit. Dat was wat anderen van haar zagen.

Ze wisten niet hoe het thuis toeging. Dat ze elke ochtend om vier uur opstond om aan haar werk te beginnen. Dat haar handen zelfs in haar slaap nog bezig waren. Ze wisten niet hoe het was om te leven met iemand die het gevoel had dat God haar in de steek had gelaten, maar die Hem niet ook in de steek wilde laten. Ze wisten niet hoe het was om te leven met iemand die leefde naar Gods woord hoewel ze het haatte. Ze wisten niet hoe het was om een vrouw te hebben die je haatte omdat je had gedaan wat in jouw ogen juist was.

Eén keer in de maand kwam ze, alsof hij een liefdadigheidsproject was, zonder nachtpon naar bed en gaf zich aan hem. Maar hoe hij haar ook aanraakte, ze reageerde er niet op. Beschaamd, gegeneerd, ging hij naar een drogisterij op het vasteland voor het 'glijmiddel voor vrouwen' dat hij nodig had om zijn eigen bevrediging mogelijk te maken. Ze klaagde nooit, maar hij schaamde zich er altijd voor, en ten slotte hield hij ermee op.

Als hij haar zou verlaten, zou hij haar pijn doen; als hij haar pijn deed, zou hij zichzelf nog meer pijn doen. En daarom bleef hij.

De dag voor haar dood had ze donuts gemaakt. Ze was befaamd om haar donuts, die vederlicht en vetarm waren, omdat ze de friteuse altijd precies op de goede temperatuur had staan, zodat het deeg sissend in de olie viel en snel gebakken werd. Ze maakte ze nooit speciaal voor hem, hoewel ze er een stel voor hem bewaarde – meestal twaalf stuks van zijn favoriete donuts met een glazuur van ahornstroop, om mee naar het bureau te nemen. Dit keer hadden de dames van de kerk erom gevraagd, voor een gebakskraam op zaterdag.

Maar toen hij die vrijdag thuiskwam, was het donker in de keuken. De kom met deeg stond op het aanrecht; de olie in de friteuse was koud. Hij trof Alma in de slaapkamer, waar ze op een stoel driftig zat te breien. Toen hij binnenkwam, keek ze op. Hij probeerde zijn armen om haar heen te slaan. 'Ik voel me prima,' zei ze. Ze wilde niet ophouden met waar ze mee bezig was, ze zat alleen maar op die stoel en herhaalde zichzelf. 'Ik voel me príma.' De pennen tikten.

Hij ging de deur weer uit om wat te eten te halen en overreedde haar naar de huiskamer te komen om het op te eten. Ze keken televisie. Hij overwoog even een dokter te bellen om haar te laten onderzoeken. Maar hij belde niet. Hij wilde dat het net zo goed met haar ging als ze zelf zei.

Hij werd wakker bij het eerste daglicht en merkte tot zijn verbazing dat zij nog sliep. Hij raakte het brede vlak van haar flanellen rug aan. Ze leefde toen nog, daar was hij zeker van.

Maar een uur later, toen zijn wekker afliep, leefde ze niet meer.

Het was alsof er een idioot met een vuurwapen binnen was gekomen en lukraak een van hen had doodgeschoten. Zo plotseling was het, zo *voorbij*. Hij had het gevoel dat de dood zijn doel had gemist, op slechts enkele centimeters na. Hij had het gevoel dat hij als enige de catastrofe had overleefd die zijn bed had getroffen.

De vaste arts was afwezig. Dokter Milton – de vader van die Faith – ondertekende de overlijdensverklaring. Het was een hartaanval, volgens hem. De sheriff knikte. Maar hij zei bij zichzelf: nee. Wat de sectie ook uitwijst, ze is gestorven van verdriet, schaamte en gebrek aan liefde. Het heeft lang geduurd, maar uiteindelijk is het haar fataal geworden.

En opeens was hij een vrij man. Hij had de boerderij verkocht, hij had het appartementsgebouw gekocht, hij had Linda leren kennen en was een nieuw leven begonnen. Zomaar.

'Weet je,' zei Warren, 'ik denk dat ik nog eerder zou scheiden dan dat ik het vissen eraan zou geven.'

De sheriff stond op, verstijfd door de kou, en gaf de lege beker terug. 'Als je alleen maar hoeft te vissen om gelukkig te zijn,' zei hij, 'dan denk ik dat je een bofferd bent.'

'Misschien wel,' zei Warren, zijn lijn heen en weer bewegend. 'Maar,' zei hij, terwijl de sheriff wegliep, 'ik zou mijn kleinkinderen wel heel erg missen.'

De huurauto stond nog op de oprijlaan van Marguerites huis, waar hij die ochtend ook al had gestaan. Alles was rustig. Er waren een paar lichten aan – voorzover hij kon zien één boven, één in de keuken, en het buitenlicht bij de deur van de bijkeuken. Twee rijen voetafdrukken liepen van het huis naar de schuur toe. Hij wist dat hij ze moest volgen. Maar eerst klopte hij op de deur, alleen om even te kijken. Geen reactie, natuurlijk. Hij ging de keuken binnen. Op de tafel stonden twee mokken met koude thee en een schoteltje met sigarettenas en een peuk erin. Hij controleerde de kachel; die stond laag, maar was niet uit. Ze waren nog niet lang weg. Hij gooide een paar blokken op het vuur. Na het ijs voelde de warmte lekker. Hij trok zijn jack uit en ging even zitten om op te warmen.

James Jack had hem die ochtend een onbehaaglijk gevoel bezorgd. Hij had die ontstelde uitdrukking eerder gezien, vorig jaar in de spiegel na Alma's dood. Marguerite Deo was dood, dat wist hij. Hij wist niet precies hoe ze was doodgegaan, maar ze was zo oud dat hij niet wist of dat er nog wat toe deed. Maar één ding wist hij wel: James Jack had zijn hele leven al voor haar gezorgd, en zorgde ook nu voor haar. De sheriff kon alleen maar hopen dat hij geen dwaasheid beging.

Hij nam niet de moeite om naar boven te gaan. Hij ging terug naar de auto, meldde zich en vertelde Gina wat hij ging doen, maar niet waarom. 'Heb je ondersteuning nodig?' vroeg ze. Hij moest glimlachen toen ze die term gebruikte; Gina hield van dramatiseren. Hij zei haar dat hij dacht van niet. Hij wilde alleen dat ze wist waar hij was en waarom hij een poosje geen radiocontact zou houden. 'Als zich iets voordoet, moet je Dicky bellen,' zei hij. Dicky was zijn beste hulpsheriff.

Hij haalde de zaklantaarn weer uit de kofferbak, trok zijn muts omlaag en wikkelde zijn sjaal om zijn neus. Volgens de buitenthermometer naast de bijkeukendeur vroor het ruim vijfentwintig graden. Hij wist niet hoe lang het zou gaan duren. Maar zolang hij in beweging bleef, zou hij nergens last van hebben.

Achter de schuur trof hij de truck aan. Dat was geen verrassing voor hem; die middag had hij de sporen al gezien. Hij had daaruit opgemaakt dat James Jack zich schuilhield en dat die Faith hem dekte. Twee mokken op tafel. En zij had geweten dat hij het wist. Ze was gis, net als haar vader. Maar zij had ervoor gekozen het spel tot het einde toe vol te houden, en ondanks zichzelf vond hij dat vertederend. Net twee kinderen die elkaar dekten. Hij had haar man Marguerites nummer niet willen geven, maar had gemeend dat het zijn plicht was om dat wel te doen. Toch hoopte hij dat voor James Jack alles op zijn pootjes terecht zou komen. Het werd tijd dat hij zelf een gezin stichtte. Dat zou de sheriff aan James hebben willen zeggen, als die het zou vragen.

De voetsporen liepen om de schuur heen en volgden de oude weg de heuvel op en het bos in. Ooit, wist hij, was een deel van dit bos de boomgaard van Anna Deo geweest. Als jongen was hij er appels komen plukken, soms tegen betaling, soms voor de lol. De bomen waren toen laag en strak gesnoeid, de gekromde takken hingen tot op de grond. De appels waren zo groot en zo rood dat hij begreep hoe Eva was verleid, hoe de duivel ze tegen haar had gebruikt en waarom God om te beginnen had verboden ze te eten. Als je ze plukte, was het moeilijk er niet van te eten, en meer dan eens had hij zichzelf buikpijn bezorgd. Maar het genot je tanden door de schil heen in het stevige witte vruchtvlees te zetten!

Het bos was sindsdien verwilderd, en de appelbomen hadden de kans gekregen uit te groeien. Nu waren ze één met de wilde bomen, en alleen nog herkenbaar in het vroege voorjaar als ze witte en roze bloesems hadden. De wormstekige appels vielen neer en rotten weg op de bosgrond. Marguerite Deo had de boomgaard van haar moeder laten verdwijnen, op dezelfde manier waarop ze de steengroeven van haar vader had verwaarloosd. Hij veronderstelde dat ze zich niet had bekommerd om wat haar ouders hadden opgebouwd omdat ze het geld niet nodig had. Maar misschien was het niet goed van een kind te verwachten dat het jouw bestaan tot in de eeuwigheid zou voortzetten. Misschien ging het hebben van kinderen daar niet om. Hij dacht weer aan Linda en glimlachte.

De zaklantaarn ving iets in zijn lichtbundel. Iets wat niet wit, grijs of zwart was zoals al het andere. Hij spoedde zich erheen, en voelde de inspanning van het naar boven lopen in zijn benen en longen. Toen hij er was, hurkte hij hijgend neer. Het was een pantoffel, een roze pantoffel. Zo eentje als Alma had gedragen en die ze een 'muiltje' noemde. Roze badstof, geen achterkant, geen hak. Van Marguerite, misschien? Hij drukte er met de zaklantaarn tegenaan, rolde hem voorzichtig om en bescheen de omgeving om te zien of er nog iets lag. Niets. Als de pantoffel van Marguerite was, wat deed hij dan hier?

Hij voelde opeens een golf van medelijden met Marguerite Deo. Niemand was ooit vriendelijk voor haar geweest, behalve – op een rare manier – James Jacks ouders, die haar tegelijkertijd gebruikten. En Caroline Wright, toen ze haar de jongen had laten houden. Maar die daad kwam evenzeer voort uit zelfbehoud als uit vriendelijkheid.

Op onbeduidende manieren had zelfs de sheriff haar leven bemoeilijkt. Je kon zijn daden geen pesterijen noemen – want het was allemaal binnen de grenzen van de wet gebleven – maar hij had er meer genoegen aan beleefd dan oorbaar was. Hij had haar bekeurd voor de kleinste onregelmatigheid aan haar truck – een kapotte koplamp, een kras op de voorruit, banden die nog niet helemaal glad waren maar ook net niet meer conform de wet. Die ene keer dat ze een dag te laat was geweest met haar belasting had hij haar een huisbezoek gebracht om haar daar 'vriendelijk' op te attenderen. Hij had zijn positie gebruikt als voorwendsel om haar te controleren, om zich ervan te vergewissen dat James Jack op school stond ingeschreven, zijn inentingen kreeg en goed werd verzorgd. Hij was haar geweten geweest, dat meende hij tenminste zelf, hij had haar in het gareel gehouden en van een afstand over James Jacks belangen gewaakt. Hij hield zichzelf voor dat hij het ter wille van Alma deed, opdat hij haar kon melden dat het goed ging met de jongen. Zelfs al reageerde Alma nooit alsof het haar wat kon schelen. 'Wees niet zo onaardig,' zei ze tegen hem als hij Marguerite bekritiseerde, en daar haatte hij haar om. En vervolgens voelde hij zich schuldig omdat hij haar haatte.

Op een keer, toen James Jack een tiener was, waren de sheriff en Marguerite bijna met elkaar slaags geraakt. Een groep jongeren had op het land van dokter Milton een slemppartij in het bos gehouden. Er was die zomer een hausse van zulke feestjes geweest; de jongeren hadden iemand gevonden om blikjes bier voor hen te kopen, niemand wist wie, en gingen steeds ergens anders heen, het ene weekend na het andere, zodat ze moeilijk op te sporen waren – tot de volgende ochtend, als er een boer belde om te klagen over de rotzooi. Door puur geluk was hij dit keer op hen gestuit: hij had de auto's achter de caravan van dokter Milton geparkeerd zien staan en was op het zwakke geluid van muziek in het bos afgegaan. Hij was toen al tot sheriff gekozen en had een hulpsheriff meegenomen, maar ze waren niet in staat geweest een van de jongeren te pakken die in het donkere bos waren uitgezwermd, en stil en onzichtbaar waren geworden.

Toen de vlaag van beroering voorbij was en er alleen nog blikkerige muziek uit een draagbare radio weerklonk, was James Jack als enige overgebleven. Hij stond bij het vuur en roosterde een marshmallow op een stokje. Hij hield het stokje boven de vlammen en draaide het langzaam rond, zodat de marshmallow geleidelijk en gelijkmatig bruin werd. Daarna zwaaide hij met het stokje naar de sheriff. 'Wilt u er eentje?' vroeg hij. De sheriff schudde zijn hoofd en begon aan zijn gebruikelijke toespraak over de gevaren van dronken achter het stuur zitten en de verboden op het betreden van andermans land en het drinken door minderjarigen. 'Mijn ouders hebben hier gewoond,' zei James Jack.

'Dat weet ik,' zei de sheriff. Hij was in zekere zin verrast dat James Jack dat had onthouden.

'Toch zal ik hier wel niet mogen komen,' zei James Jack.

De sheriff knikte.

James Jack haalde de marshmallow van het stokje en stak hem in zijn mond. Een ogenblik stond hij daar naar de bomen te staren alsof hij zich overgaf aan diepe overpeinzingen. Vervolgens veegde hij met de rug van zijn hand zijn mond af. 'Nou,' zei hij, en hij stak zijn polsen uit, 'ik denk dat u me maar moet inrekenen.'

De sheriff had hem natuurlijk niet gearresteerd maar naar huis gebracht, waar Marguerite in haar nachtpon opendeed. Ze was toen in de zeventig, haar haar viel wild en grijs over haar schouders. Hij moest denken aan de verhalen dat ze met Halloween voor heks speelde, en was een ogenblik geïntimideerd.

'James Jack, ga naar binnen,' zei ze, en James Jack ging.

De sheriff stak van wal. 'Drankmisbruik,' zei hij. 'Betreden van andermans land.'

'Zo zijn jongeren nu eenmaal,' zei Marguerite.

Toen kwam er een vermoeden bij hem op. 'Marguerite, heb jij bier voor die jongens gekocht?'

Ze keek hem met uitdagend opgetrokken wenkbrauwen aan. 'Misschien wel, misschien niet,' zei ze.

Hij wist dat ze hem tergde en hem uitdaagde haar te arresteren. Hij besloot de kwestie even links te laten liggen. 'De jongen heeft een vader nodig,' zei hij.

Marguerite hief haar vinger op als een revolver en richtte hem op zijn borst. 'Wat zou een vader kunnen wat ik niet kan?' vroeg ze, op hem afstappend. 'Wat zou ú kunnen, sheriff? Denkt u dat u, als u een jongen had, hem in toom zou kunnen houden? Denkt u dat u hem in toom zou wíllen houden? Elk levend wezen heeft zijn eigen aard, sheriff. Laat een kind kind zijn totdat het tijd is om volwassen te worden, vindt u ook niet?'

Hij keek een ogenblik omlaag naar Marguerites vinger. Hij merkte dat hij dacht: als deze oude vrouw me zelfs maar aanraakt, sla ik haar. Maar ze raakte hem niet aan.

'Sheriff,' zei ze, en ze liet haar vinger zakken, 'ik vind het heel erg dat Alma en u geen kinderen konden krijgen. Dat vind ik oprecht heel erg. Maar dit kind is van mij, en ik breng hem groot zoals het mij goeddunkt. En alleen over mijn lijk kunt u hem bij me weghalen.'

De deur was achter haar dichtgeslagen als een vallende bijl.

Toentertijd had hij de woordenwisseling maar gek gevonden. James Jack Wright was geen jongetje meer. Hij was zeventien en kon op grond van zijn uiterlijk en lichaamsbouw voor ouder doorgaan. Hij was oud genoeg om het huis uit te gaan als hij daaraan toe was. En de sheriff koesterde allang geen hoop meer hem bij Marguerite te kunnen weghalen. En toch had ze hem daar staan te verdedigen alsof hij nog een hulpeloos kind was.

Later kwam de sheriff erachter dat het James Jack zelf was die met een vals identiteitsbewijs naar het vasteland reed om de blikjes bier voor de slemppartijen te kopen, met geld dat hij die zomer had verdiend met zijn eerste baantje in de bouw. Marguerite hád hem dus in bescherming genomen. Zou Alma zo'n goede moeder zijn geweest? Zou Alma zich tegen machtige instanties hebben kunnen keren om haar kind te behoeden? Hij dacht van wel, ook al verschilden Marguerite en zij van elkaar als dag en nacht – Alma was als een bittere amandel onder een laag melkchocolade, Marguerite als een zuurtje met citroensmaak, zuurzoet van buiten en van binnen.

De mensen hadden zich niet tegen Marguerite gekeerd vanwege het verhaal dat ze er met de knecht vandoor was gegaan. De eilanders vergaven jongeren hun fouten makkelijk. Het ging er zelfs niet om dat ze was teruggekeerd met stadse maniertjes – die was ze gauw genoeg kwijtgeraakt. Nee, het ging erom wat ze haar ouders had aangedaan: ze had hen verlaten, hun harten gebroken, hen nooit meer een bezoek gebracht en haar vader in eenzaamheid laten sterven. Aardige mensen, goede katholieken, die zo'n behandeling niet hadden verdiend. Anna Deo had lesgegeven op de zondagsschool; Marcel Deo was jarenlang gemeenteraadslid geweest. Zij hadden ervoor gezorgd dat er een katholieke kerk in het stadje was gekomen, net als de eerste echte school, de Ville D'eau Public School, genoemd naar hun voorouders. (Tegenwoordig noemden de kinderen hem Billy Doo, of, als ze Frans kenden: 'de waterpoel.') Ze schepten soep op bij maaltijden van de kerk en gaven met Kerstmis feestjes voor de kleintjes; toen ze heel oud waren, liepen ze bij zonsondergang hand in hand hun weg af, klein, krom en beslist onschuldig. Meneer Deo was driftig – dat wist iedereen van gemeenteraadsvergaderingen van vroeger, bijvoorbeeld van die ene keer dat hij de voorzitter bijna te lijf was gegaan omdat die niet had gezien dat hij wilde spreken – het was een raar en treurig gezicht geweest: de kleine oude man die zwaaiend met zijn vuisten op de tafel afstapte. Maar mevrouw Deo was de zachtaardigheid zelve. Ze sprak vrijwel geen woord in het openbaar, en hij kon zich niet voorstellen waarom Marguerite hen in de steek had gelaten.

Dat wil zeggen, hij had het zich niet kunnen voorstellen totdat zij hem de rest van het verhaal vertelde.

Hij stond naast Alma's kist met een half oor naar de priester te luisteren toen hij aan de rand van de menigte een glimp van Marguerite opving. Haar gezicht stond onverzettelijk onder een zwarte hoed. Hij keek om zich heen of James Jack er ook was, zag hem niet en vroeg zich af hoe ze op eigen kracht daarheen was gekomen, hoe ze dat, zo oud als ze was, voor elkaar had gekregen. Maar toen was het tijd om de kist te laten zakken en vergat hij haar weer.

Iedereen leek daarna met hem te willen praten, hem een hand te willen geven en zijn deelneming te willen betuigen. Hij had daar begrip voor en bleef zo lang staan als hij kon, maar toen hield hij het niet meer uit en glipte weg naar de bomen aan de rand van het kerkhof. Hij leunde tegen een boom, sloot zijn ogen en hoorde tot zijn verbazing iemand zijn naam noemen. Het was Marguerite. 'Ik vind het heel erg van Alma,' zei ze.

'Ik vind het erg prettig dat je gekomen bent,' zei hij tegen haar, zoals hij dat ook tegen vele anderen had gezegd.

'Wij kennen elkaar al een hele tijd,' zei ze met een knikje. 'Herinner je je nog de dag waarop je me hebt thuisgebracht van het veer?'

Hij was het niet vergeten.

'Je was nog maar een jongen. En de dag dat James Jacks ouders overleden – toen was je er ook.'

Hij knikte en keek haar aan. De scherpe ogen die hij zich van haar herinnerde waren nu vochtig en troebel – maar ze keken hem aan met dezelfde doelgerichtheid en vastberadenheid als altijd. 'Haal je zomaar herinneringen op, Marguerite?' vroeg hij. 'Of is er iets wat je me wilt zeggen?'

Ze ging op een boomstronk zitten. 'Ja,' zei ze, en ze stak haar hand omhoog en zette de zwarte hoed af. 'Ja, inderdaad.'

En toen vertelde ze hem het verhaal. Over de baby die ze had verloren. Over de knecht – Daniel heette hij. Over wat haar moeder had gezegd en wat haar vader daarom had gedaan. De moord. Waarom ze was vertrokken. Ze vertelde het aan hem alsof hij een priester was, alsof ze biechtte – alsof het haar schuld was en het haar moest worden aangerekend. Ze vertelde hem over de dag waarop ze Daniels gebeente in de grond had gevonden en wat ze ermee had gedaan. Ze had het geheimgehouden, zo begreep hij, omdat ze dat nu eenmaal gewend was – omdat het geen mens iets aanging wat zich zo lang geleden had afgespeeld. En omdat ze geen schandaal wilde, want dat had haar James Jack kunnen kosten.

Het verhaal was snel verteld. Hij kon niet uitmaken of haar ogen onder het spreken glommen van de tranen of van de staar. 'Weet James ervan?' vroeg de sheriff.

'Een beetje,' zei ze. 'Dat ik van een jongen heb gehouden en dat hij is gestorven. Niet op wat voor manier.'

Hij knikte.

'Ik wilde dat jij het zou weten,' zei ze, terwijl ze stram overeind kwam van de boomstronk, 'omdat ik wil dat jij het begrijpt.' Ze zette haar hoed weer op en keek hem lang aan; hij was er nu zeker van dat haar ogen nat waren van de tranen. 'Zodat je me misschien kunt vergeven,' zei ze, 'wat ik jou en Alma heb aangedaan.'

Aanvankelijk dacht hij dat hij het niet zou kunnen zeggen, maar toen hij zijn mond opendeed, ging het vanzelf. 'Er valt niets te vergeven,' zei hij.

Ze knikte en maakte aanstalten om te gaan. 'Marguerite,' zei hij. Hij wilde haar nog iets vragen, maar wist niet precies hoe. Ten slotte vroeg hij: 'Is alles goed?'

Haar blik dwaalde af naar de boomtoppen. 'Met mij gaat het niet slecht,' zei ze, 'als je dat bedoelt. Natuurlijk is dat ook het probleem.' Hij wachtte tot ze verder zou gaan; hij wist dat hij niet moest aandringen. 'Het is erg lang geleden dat hij een eigen leven had,' zei ze. 'Maar hij wil niet gaan. Hij zegt dat hij tot het eind toe voor me wil zorgen.' Ze zweeg even en lachte een scheef lachje. 'Wat nog niet zo gauw lijkt te komen.'

'James is een goed mens,' zei de sheriff.

'Ja,' zei ze. 'Beter dan goed voor hem is.'

'Je hebt hem goed opgevoed, Marguerite.'

Ze onderdrukte een glimlach – hij merkte dat het haar van trots vervulde om dat van hem te horen – en staarde langs hem heen. 'Je hoort nu wel verhalen over ontwijding,' zei ze, en ze hief haar kin op in de richting van het kerkhof. 'Over mensen die graven van indianen aantasten. Die ze opgraven zodat er leuke huizen kunnen worden neergezet.' Ze schudde haar hoofd. 'Dat zou ik niet willen,' zei ze.

Hij volgde haar blik naar Alma's graf, waar de mensen nog steeds samendromden. 'Ik denk niet dat daar hier veel gevaar voor bestaat.'

'Toch,' zei ze, 'is het beter om in rook op te gaan.' Nu kwam de glimlach, klein en ironisch, en ze vertrok, zich traag en behoedzaam voortbewegend.

Beter om in rook op te gaan. Als ze dat wilde en als James Jack dat van plan was, dacht de sheriff terwijl hij naar de roze pantoffel in zijn hand keek, zou hij ten minste twee wetten overtreden. Ten eerste diende er een doodsoorzaak te worden vastgesteld. Het zou een verdachte indruk maken als dat niet gebeurde en het kon zelfs leiden tot een proces op verdenking van moord – tenslotte had James een aardige erfenis in het vooruitzicht. Uiteraard koesterde de sheriff geen verdenking. Maar alleen een sectie gaf zekerheid.

Ten tweede moest een lichaam volgens de wet in een mortuarium worden afgelegd. Domme wet, waarop niet zulke zware straffen stonden, maar evengoed was het een wet en was het zijn taak die te handhaven.

Zou James zich door zulke overwegingen laten weerhouden? Zou Marguerites jongen zich daardoor laten weerhouden?

Nee. James Jack leek daarin op haar, meer dan in enig ander opzicht. Net over de schreef maar altijd met het gelijk aan zijn kant.

Hij stak de roze pantoffel in zijn zak en liep verder de helling op.

De weg naar de steengroeve hield op en versmalde zich tot een pad. De sporen gingen door, maar waren nu een warboel – het was moeilijk te zien of ze van komende of gaande mensen waren, en ze waren opgevuld, alsof er iets overheen was gesleept. De heuvel was nu steiler, maar de sheriff ging verder omhoog en voelde zijn hart bonzen in zijn borstkas. Hij vertraagde en zocht zijn eigen tempo. De verse sneeuw was hier, waar het bos dichter was, minder diep, maar nog altijd was het pad moeilijk begaanbaar.

Ten slotte stuitte de lichtbundel van de lantaarn op iets anders. Op een soort gebouwtje. Een oude hut.

De deur stond op een kier. Hij ging naar binnen. Er bevonden zich een houtkachel, een veldbed en wat primitieve planken aan de muur. Het huisje zag er niet onbewoond maar ook niet echt bewoond uit. Dit was James Jacks schuilplaats, dacht hij, waar hij naartoe kon vluchten. Hij liep achter de lichtbundel van de lantaarn aan door het vertrek en bekeek alles wat beter. In het voorbijgaan raakte hij de kachel aan. Koud. Het matras lag bloot en was doorgezakt. Hij liet de lantaarn langs het voeteneind gaan, langs de vloer en weer terug naar de deuropening. Vervolgens weer terug naar de vloer en het voeteneind van het bed. Daar lag iets. Iets rozes.

Hij pakte de tweede roze pantoffel met zijn vingertoppen op en stak hem in zijn zak bij de andere.

James Jack had Marguerite hierheen gebracht en haar daarna weer weggehaald.

Hij ging de hut uit en liep eromheen. De enige sporen gingen terug naar waar hij vandaan kwam. Hij bleef een ogenblik staan, dacht na en begon vervolgens aan de afdaling. Hij wist nu waar ze waren; hij besefte nu wat Marguerite had gewild.

De verse sneeuw maakt het hun gemakkelijker om het lichaam naar beneden te brengen.

Ze hebben de quilt om haar heen gewikkeld en hem met touw vastgemaakt. Hij heeft een soort tuigje in elkaar gezet waarmee ze haar voor zich uit kunnen laten zakken, haar de heuvel af kunnen laten glijden.

Ze is een onhandig pakket, met haar gekruiste armen en benen, maar daar kunnen ze niets aan veranderen.

De wind is gaan liggen. Het is een stille, heldere, koude nacht. Ze lopen naast elkaar. Ze gaan langzaam langs het pad naar beneden, terwijl de lichtbundel van de zaklantaarn snel langs bomen en rotsen schiet en blauw opflitst als hij de donkere bundel kruist.

Ze praten niet, afgezien van de kleine waarschuwingen en aanmoedigingen van mensen die samen een moeilijke taak uitvoeren.

Ze blijven staan op het punt waar het pad zich tot een weg verbreedt. Hij trekt een van zijn handschoenen uit en legt zijn handpalm op Faiths gezicht. Hij maakt haar sjaal los en weer vast. Daarna beginnen ze aan de laatste etappe, de bundel nu achter zich aan slepend.

Wanneer ze de steengroeve bereiken, zijn de wanden zwart als fluwelen gordijnen die opgaan in de ruimte rond een door de sterren verlicht toneel. De sneeuw is ongerept totdat zij er voet op zetten, haar achter zich aan slepend.

Marguerite ligt op het ijs te wachten terwijl zij een vuurtje maken om zichzelf bij te lichten. Dan beginnen ze aan het echte werk.

De sheriff blijft in de schaduw toekijken. Hij ziet hoe ze heen en weer lopen in het flikkerende licht en de brandstapel bouwen van gekapt hout. Ze slepen de takken over het ijs en strooien bladeren en twijgjes over het witte oppervlak. Ze zijn lang bezig. De roerloze sheriff voelt hoe de kou in hem doordringt, in zijn longen en zijn ledematen, en benijdt hen vanwege het werk dat hen warm houdt. Maar hij zal zich niet bij hen voegen; hij zal niet storen. Dat ligt niet op zijn weg.

De rook is de ziel van de boom, en hij wordt bevrijd door het vuur. Dat vertelde Tante aan James. *De ziel heeft gevoelens*, zei ze, maar niet dezelfde gevoelens als het lichaam. Er is nu iets weg, er is iets weg. Wat er is overgebleven, heeft niet meer gevoelens dan een stuk hout. Voelt hout vuur? *Nee, dat kan het niet. En ik zal het ook niet voelen.* Dat vertelde ze hem ook. Toch is er iets wat het hout verlaat wanneer het brandt, en iets wat het lichaam verlaat wanneer het sterft. Wat blijft er over? Geen gezicht, gehoor, smaak, reuk of tastzin. Geen leven. Wat voor kleur zal haar ziel hebben, wanneer hij opstijgt naar de nacht? *Laat mij bij hém zijn*, zei ze. *Laat mij hem vergezellen in het hiernamaals.*

Een stem zingt hem in slaap: *A trip to the moon on gossamer wings...* De vochtige, gestage ademhaling. De zachtheid van een babyhalsje.

De warmte van een vuur. Liefde. Een liefde zo warm dat hij alle twijfel verbrandt.

Het is een heel gevecht om het lichaam op de brandstapel te leggen. Hij begrijpt niet helemaal hoe ze het voor elkaar krijgen. Maar daarna is alles stil en zijn ze verdwenen in de schaduw. Hij hoort het vuur voordat hij het ziet. Het knettert en knapt en hakt de stilte aan stukken. En dan ziet hij hen, in silhouet tegen het vuur. Ze houden elkaar vast. Hij ziet hun gezichten niet; dat wil hij niet. Hij zal geen getuigenis afleggen. Maar hij kan wel getuige zijn, en dat is hij ook.

Alsof negentiende van haar gewicht bestaat uit ziel vliegt Marguerite in brand en stijgt ze op uit het vuur. Geel, oranje, paars en rood; in de kleuren van haar bloemen brandt Marguerite, en wit stijgt haar ziel op naar de sterren.

Ze stapte naar buiten de ijskoude nacht in. Ze zette haar voeten waar James de zijne had neergezet en stapte toen voorgoed de gloed van het huis uit en de maanloze duisternis in. De sneeuw voelde glibberig onder haar platte zolen. Ze had een wandelstok mee moeten nemen en laarzen aan moeten trekken; de pantoffels vertraagden haar en maakten het zwaarder dan nodig was. En zwaar was het.

Maar ze hield vol. En algauw was de nacht helemaal niet ijskoud meer, maar voorjaarswarm en was zij een meisje dat ging helpen de lammeren ter wereld te brengen. Het was zo warm als op een avond in New Orleans, en zij was een vrouw en betrad een binnenplaats bij het licht van de maan. Het was zomers warm, en ze was Tante, ademde lucht die was vervuld van de heerlijke geur van schildzaad en liep door een bloementuin die uitbundiger bloeide dan alle tuinen die ze ooit had verzorgd. Het was nu gemakkelijk om het pad te volgen. Niets hinderde haar, niets hield haar tegen. Ze vertrok, dat wist ze; ze liet iets achter. Maar ditmaal hield het haar niet tegen.

Toen ze moe werd, ging ze op een bed van bladeren liggen. Pas toen begon ze de kou te voelen en ernaar te verlangen dat er iemand bij haar was. Toen het vogeltje kwam, was zijn gezelschap haar dan ook welkom. Het vogeltje was zo slim, met zijn gravende scherpe tongetje. Ze ervoer toen de waarheid, en haar lichaam koelde erdoor af totdat ze niets meer voelde en niets meer hoorde behalve het verre geritsel van het vogeltje. En niets meer zag dan de kom met kleurige bloemblaadjes, en het jongetje dat ze naar zijn mond bracht. O, zei hij. O. Ze zijn een beetje zoet, *zei hij.* En sommige zijn bitter, net als peper. Maar ik vind ze lekker. *En het jongetje at.*

Met dank aan Robin Desser, Keith Monley, Michael Carlisle, Emma Parry, Joe Bellamy, Nancy Anisfield, Barbara Floersch, Susan Ouelette, Heather Kresser, Nikki Matheson, Philip Baruth en Saint Michael's College voor hun hulp en steun.